T5-ARK-595

CONSCIENCE RELIGIEUSE EN RÉVOLUTION

DU MÊME AUTEUR

Les Réguliers de Paris devant le serment constitutionnel. Sens et conséquences d'une option, 1789-1801. Préface de M. Reinhard, Paris, Librairie Philosophique, J. Vrin, 1964, grand in-8, 488 p. (Ouvrage couronné par l'Académie française).

Dom Grappin, correspondant de l'abbé Grégoire, 1796-1830. Besançon, 1969, Cahiers d'Etudes Comtoises, grand in-8, 143 p.

BERNARD PLONGERON

MAITRE DE CONFÉRENCES A L'INSTITUT CATHOLIQUE DE PARIS

CONSCIENCE RELIGIEUSE EN RÉVOLUTION

Regards sur l'historiographie religieuse de la Révolution française

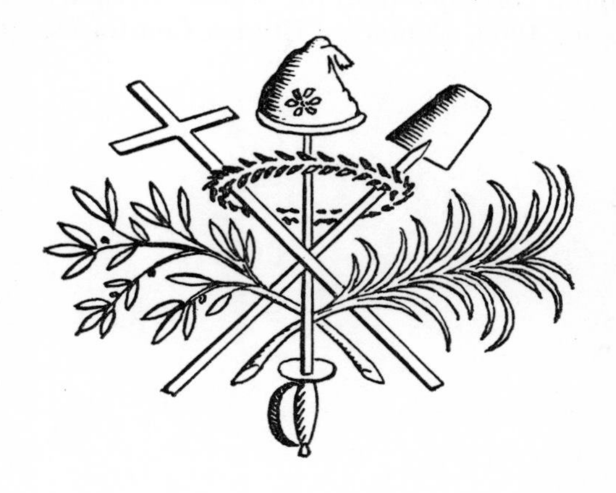

PARIS

ÉDITIONS A. & J. PICARD

82, rue Bonaparte, 82

—

1969

INTRODUCTION

Contrairement à l'usage, qu'on veuille bien considérer d'abord le sous-titre : « Regards sur l'historiographie religieuse de la Révolution française », parce qu'il définit les véritables cheminements débouchant sur cette « Conscience religieuse en Révolution », objet de l'ouvrage.

Pour indispensable que soit à l'Histoire, l'historiographie, elle peut être pratiquée comme la prose par M. Jourdain. C'est du moins ce qui semble ressortir du remarquable volume consacré dans l'Encyclopédie de la Pléiade à *L'Histoire et ses méthodes :* les orfèvres n'éprouvaient pas le besoin, en 1961, d'inscrire l'historiographie au sommaire des disciplines historiques ou, à défaut, des sciences auxiliaires.

Dans le même temps, un courant accordé aux préoccupations actuelles renouait avec l'ancienne tradition pour tenter de constituer l'historiographie en discipline. Sans doute méritera-t-elle seulement son statut lorsque seront déterminées ses lois propres surtout par rapport aux techniques de la bibliographie contemporaine. Néanmoins les recherches opérées en sa faveur tendent à la sortir d'une monotone collection d'opinions reçues sur un sujet pour en faire l'outil privilégié de l'intelligence historique.

Celle-ci se prend et se prendra toujours en face du document, matériau qui demeure lorsque se succèdent les générations qui le traitent, c'est-à-dire qui lui rendent la vie. Grâce à elles, il s'enrobe d'interprétations qui reflètent souvent les tendances d'une mentalité collective : grâce à lui, l'historien s'engage avec son optique personnelle, dévoile sa psychologie. N'est-il pas intéressant de comprendre ce dialogue entre l'historien et son document, ses parti-pris, ses enthousiasmes plutôt que de le mépriser sous prétexte que notre technique scientifique lui est supérieure ? N'est-il pas plus fécond d'analyser pourquoi un bon serviteur de l'Histoire a commis tel anachronisme de préférence à tel autre que de stigmatiser ses excès ou ses déficiences ?... L'historiographie ainsi comprise dirimerait bien des querelles byzantines et introduirait à une intelligence de l'Histoire par les historiens, au second degré en quelque sorte.

Tant que, sous l'empire d'une culture positiviste, l'Histoire cherchait son propre statut dans celui des sciences « exactes », cette réflexion relevait de l'utopie. Imbue du fait brut — du document « nu » — la jeune science de l'Histoire manifestait son ostracisme à l'endroit de quiconque se refusait à passer sous les fourches caudines de « l'objectivité ». Les progrès de sa consœur, la psychologie, l'ont aidée à mûrir et à calculer ses responsabilités de science humaine. Aussi, parvenant au seuil de sa maturité, Clio demande-t-elle à se recueillir, à dresser son bilan.

La participation se fait chaque jour plus large dans le monde des historiens. Les meilleurs ne dédaignent plus rehausser leurs œuvres ou leurs leçons de l'enseignement de leurs aînés. C'est probablement à ce besoin fervent qu'on doit cette floraison internationale d'études historiographiques, depuis quelques années, spécialement à propos de la Révolution française (1).

Quoi d'étonnant à ce que cette période de crise « totale », grosse des mutations modernes apparaîsse comme un terrain de prédilection ? Propice aux expériences humaines fondamentales et extrêmes, il se transforme naturellement en champ clos où s'affrontent, s'éprouvent et se retrouvent les grandes idéologies qui traversent les mentalités de nos contemporains.

Le facteur religieux semblerait donc devoir tenir une place appréciable dans l'enquête historiographique. Même si nul ne le conteste, force est bien de constater l'intérêt secondaire que lui accordent les rubriques « état des questions » ou « directions de recherche » de nos manuels d'enseignement supérieur. Chose plus grave, il ne paraît pas solliciter, de la part des rares auteurs qui l'abordent, un véritable renouvellement.

Il y a lieu de s'alarmer pourtant de la discordance de plus en plus aiguë entre le dynamisme imprimé au cours des dernières années aux questions sociales, politiques, économiques et la routine qui continue de bercer les problèmes religieux. Pareille stagnation explique l'énergique réaction de jeunes Normaliens déclarant l'historiographie catholique française trop souvent « fondée sur

---

(1) J. Droz, « Historiographie de la Révolution française pendant la Monarchie de Juillet », dans *Actes du Cong. des Soc. sav.* Lyon, 1964, t. I, p. 463-479. — *La pensée socialiste devant la Révolution française*, n° spécial des *Ann. Hist. de la R. F.*, n° 184, avril-juin 1966. — Helmut Bock retrace les variations des conceptions de l'historiographie allemande : « 1789 und 1813. Das zeitalter der franzosischen Revolution im reakszionaren deutschen Geschichtsschreibung », dans *Zeitschrift für Geschichtswissenschaft*, 1964. — Après son essai sur Jaurès, « Jean Jaurès e altri storici della Rivoluzione francese » publié en 1948, Franco Venturi élargit l'horizon historiographique jusqu'à Tarlé dans son bilan : *Historiens du XXe siècle...* (Genève, Droz), 1966. — Voir pour une ample confrontation de l'historiographie américaine avec l'école française, A. Goodwin, *The American and French Revolutions*, 1763-1794 (vol. VIII — The New Cambridge Modern History), Cambridge, 1965.

une ecclésiologie ultramontaine et infaillibiliste... aujourd'hui excessive et insuffisante » (2).

Excessive, serait-on tenté de commenter, non seulement par l'esprit unilatéral qui guide les travaux, mais sans doute aussi par le volume des publications soucieuses de maintenir cet esprit. Insuffisante, certes, par l'absence d'une remise en question d'un certain nombre de conceptions, voire d'affirmations, qui attendent d'être vérifiées. Ajoutons aussi, qu'en ce domaine de l'histoire religieuse, les auteurs ont souvent couru aux brillantes synthèses sans égard aux obscures mais nécessaires analyses. D'où les extrapolations et les clichés qui forment des « chaînes » d'un ouvrage à l'autre : faudra-t-il donc toujours appeler les Bénédictins de Jumièges à la rescousse pour brandir la décadence monastique en France à la fin de l'Ancien Régime ?... S'estimera-t-on déshonoré en ne traitant pas d'apostat tout prêtre assermenté ?...

On touche l'absurde lorsqu'on songe que le dynamisme de la période révolutionnaire engendre une sclérose toute spéciale des problèmes religieux. Il y a là un blocage, dont nous aurons à rendre compte maintes fois dans ce travail, qui n'existe pas pour les autres moments de l'histoire de l'Eglise. De ce fait, ceux-ci ont déjà bénéficié des techniques modernes forgées par les sciences auxiliaires : statistiques, cartographie, sociologie, etc... (3) qu'on serait bien en peine de retrouver en historiographie révolutionnaire.

Remarquons dès maintenant que celle-ci s'est pratiquement formée, dans le domaine religieux, entre 1890 et 1914. L'explosion anticléricale prélude à l'affrontement de l'Eglise et de l'Etat qui conduit aux événements drama-

(2) « Réflexions sur l'historiographie française », dans *Recherches et Débats,* cahier n° 47, de juin 1964 : « Méthodes et idéologies », p. 79-94.

(3) G. LE BRAS, « Historiographie contemporaine du Catholicisme en France », dans *Mélanges Pierre Renouvin,* Paris, 1966, p. 23-32. — R. P. MOLS, « Emploi de la statistique en histoire religieuse », dans *Nouv. Revue Théol.,* t. LXXXVI, 1964, p. 388-410.

tiques de la Séparation — d'aucuns parlent même de la Seconde Séparation — La polémique s'alimente aux précédents de la Grande Révolution. Les passions politiques vont marquer d'une façon indélébile les monographies départementales et diocésaines, créant l'illusion, de surcroît, que tout a été dit.

Aux chercheurs, candidats au mémoire de maîtrise ou à une thèse de doctorat à qui ce travail est dédié, nous nous permettons de rappeler que les sentiers battus ne peuvent faire oublier les larges friches.

Elles existent au cœur même de la documentation déjà rassemblée sur le clergé de France pendant la Révolution. Un travail de « purification » s'impose, élaguant les jugements de valeur, vérifiant les données archivistiques, devenues inestimables dans les régions ou départements ravagés par les deux guerres mondiales, élargissant une historiographie confinée dans son aspect ecclésiastique aux dimensions du peuple chrétien.

Une remise à jour viendrait, en second lieu, de l'accès à des sources jusqu'ici ignorées : les séries de l'histoire religieuse aux Archives Nationales, les manuscrits révolutionnaires des grandes bibliothèques parisiennes et départementales sont loin d'avoir livré tous leurs secrets. Peu à peu s'ouvrent également les fonds d'archives diocésaines (4) et de bibliothèques privées. Leur consultation permettrait de réécrire entièrement des ouvrages considérés comme définitifs : par exemple, la célèbre étude de

---

(4) Une enquête a été menée, ces dernières années, auprès de tous les évêchés de France pour répertorier les fonds d'archives. Sous l'égide du C. N. R. S. et de la Société d'Histoire ecclésiastique de France, le Centre de Recherches religieuses de l'Institut Catholique de Paris a entrepris la publication du répertoire méthodique de ces fonds, Cf. J. Gadille, « Premier bilan de l'enquête sur les archives diocésaines », dans *Rev. d'Hist. de l'Eglise de France,* janv.-juin 1967, p. 55-70. D'ores et déjà on peut consulter les premiers recensements au Centre, 28, rue d'Assas, Paris VIe. Ce répertoire sera suivi de celui des archives des congrégations masculines et féminines, actuellement en voie de rédaction.

Mgr Pisani sur *l'Eglise de Paris sous la Révolution,* à partir d'un traitement intégral des Papiers de l'abbé Grégoire déposés à l'Arsenal et à la Bibliothèque de la Société de Port-Royal à Paris. Au début du siècle, l'auteur ne put les exploiter que très partiellement après avoir indisposé les propriétaires de la Bibliothèque par sa virulence anti-janséniste.

C'est dire assez l'intention principale de ces quelques « Regards sur l'historiographie religieuse de la Révolution française ». Ennemis d'un iconoclasme facile, surtout quand il est stérile, en marge des dogmatismes, ils se voudraient modestement « suggestifs », plutôt que « libéraux » afin de respecter notre propos essentiellement méthodologique.

Il nous est apparu que les grands secteurs de cette historiographie pouvaient s'ordonner autour d'un tryptique dont nous expliquerons la logique interne au cours de l'étude. Les deux premiers volets : *Les serments et la déchristianisation* ont paru en articles dans les *Annales Historiques de la Révolution Française* (5). Nous en reprenons l'essentiel avec de nouvelles illustrations documentaires notamment à propos des serments. Le troisième volet, *les ecclésiologies,* est entièrement inédit. L'ensemble a bénéficié de suggestions et des critiques qu'ont bien voulu nous prodiguer d'éminents spécialistes qui ont encouragé la publication de cet ouvrage. Il ne traite que de la religion catholique, étant entendu qu'il appelle les éclairages protestants et judaïques pour justifier pleinement son titre :

*
* *

Conscience religieuse en Révolution, dans ses composantes sociales, dans ses affirmations spirituelles et temporelles, dans ses aspirations idéologiques : voilà la

---

(5) « Les serments », n° 188, avril-juin 1967, p. 145-198 — « La déchristianisation », n° 192, avril-juin 1968, p. 145-205.

raison ultime de ce livre et le véritable fil conducteur à l'intérieur du tryptique. Insistons pour éviter tout malentendu : une conscience religieuse n'est que faiblement perçue par « le sentiment religieux », et pas du tout par « la religiosité ». Suffira-t-il encore de parler du « culte », de la pratique religieuse ? Certainement non, sous peine d'évacuer la réalité première : la foi en Jésus-Christ dispensée à travers le catéchisme et la prédication, vécue dans les sacrements et ratifiée dans la conduite morale. Or, dans la religion catholique, c'est l'Eglise qui est dépositaire de la foi dans sa double fonction de *Corps Mystique* englobant le pape, les évêques, les prêtres et les fidèles et de *Société visible* dotée d'une hiérarchie.

L'équilibre toujours délicat entre ses deux fonctions tisse la trame de l'histoire de l'Eglise. Lorsqu'elles s'épaulent et informent les actes d'une société, on déclare celle-ci en état de chrétienté. Mais d'aucuns protestent, au nom de l'expérience, affirmant que tous les états de chrétienté jusqu'ici réalisés dérivent de l'Eglise constantinienne, c'est-à-dire d'une conception hypertrophiée de l'autorité temporelle de la Hiérarchie romaine. Une des équivoques qui en découleraient, consisterait dans ce qu'on appelle une « foi sociologique » du peuple chrétien. Qu'en est-il de la chrétienté française à l'aurore de la Révolution ?

C'est ouvrir le débat sur la déchristianisation. Encore que, pour l'aborder, est-il bon de cerner les attitudes des catholiques français lors des toutes premières secousses révolutionnaires : la question des serments nous procurera un excellent observatoire. Ne constituent-ils pas une agression directe et massive contre la chrétienté remodelée selon les principes et l'esprit du Concile de Trente ? Parfaites antithèses de celui-ci, les serments diffractent l'unité du monde catholique refaite après la crise de la Réforme : première diffraction entre « romains » et « constitutionnels »; seconde diffraction à l'intérieur de l'Eglise romaine incapable matériellement de continuer son enseignement auprès des fidèles et des prêtres, sinon d'une manière fragmentaire et incohérente.

A ce stade, atteint dès 1793, la conscience religieuse semble succomber sous l'action révolutionnaire alors qu'elle invente, improvise des réponses et des ripostes. Mais selon quels critères puisque l'argument d'autorité s'exténue ? D'un peu partout, les pasteurs s'interrogent, submergés par l'ampleur de problèmes qui, à partir de 1795, se traduisent par des appels angoissés de leur clergé et de leurs diocésains de la France et de la « Grande Nation » européenne. D'autres se taisent et composent avec les réalités révolutionnaires. Faut-il s'incliner devant la généralisation du libre arbitre parmi les catholiques et laisser sombrer la conscience religieuse collective ?

A l'encontre de ce qu'on pense généralement, un véritable sursaut se produit : une cohorte de pasteurs soutenus par des fidèles se livre à un long et sévère examen doctrinal, persuadée qu'une conscience religieuse dépend avant tout d'une réflexion sur l'Eglise engagée dans le temporel. Vers 1796-1797, le dilemme est posé nettement : ou répudier en bloc la mentalité révolutionnaire et restaurer la conscience religieuse dans ses normes tridentines, ou tenter une réconciliation du message chrétien avec les pluralismes d'abord latents dans le siècle des Lumières, puis triomphants dans la catalyse révolutionnaire.

Là se joue le sort de la conscience religieuse contemporaine, au lendemain du Concordat, au prix d'efforts et d'aspirations tenaces dont beaucoup ne seront satisfaites qu'avec le Concile de Vatican II.

Aux lecteurs avides de nous surprendre en flagrant délit d'extrapolation, nous demanderons d'attendre la consultation des preuves documentées de notre problématique. Ils jugeront sur pièces. Nous n'avons pas le sentiment, en revanche, de manquer à nos devoirs d'historien en provoquant à une vue « moderne » des problèmes d'une époque qui, à bien des égards, contenait les mêmes troubles et les mêmes espérances que la nôtre.

Certains, enfin, nous reprocheront maints développements plus allusifs que démonstratifs. Bien des maladresses de style, dans une matière relativement neuve et difficile, en seront la cause involontaire. Mais nous ne cacherons pas non plus le propos délibéré que nous évoquions plus haut : éveiller l'attention sur des pistes de recherches que d'autres, mieux armés et plus qualifiés, emprunteront avec sûreté. Si nos propositions, fruit de longues réflexions, leur étaient de quelque utilité, ces pages auraient atteint leur but. Dans l'état actuel de nos connaissances, il paraît souhaitable de ne pas empiéter sur les élaborations futures en évitant des schémas trop appuyés.

CHAPITRE PREMIER

LES SERMENTS

S'il existait un dictionnaire des idées reçues sur la Révolution française, « le serment » occuperait certainement une place de choix. Toute une historiographie souvent qualifiée d'abondante par les spécialistes parle, en effet, *du serment*, étant entendu qu'il s'agit de celui qui est inhérent à la Constitution civile du clergé.

Une idée reçue entretenant sa propre simplification, il est devenu banal de voir l'histoire religieuse de notre Révolution concentrer ses feux sur la phase 1790-1791 étudiée comme en vase clos. A-t-on déjà enregistré des tentatives de statistique concernant le serment de 1792 ou les formules post-thermidoriennes ? Cela ne signifie pas, il s'en faut, que nous soyons en possession d'une interprétation statistique satisfaisante au niveau des diocèses français pour le serment constitutionnel; mais des études ont commencé qui ont le mérite d'exister. Une de nos tâches consistera précisément à en déterminer l'intérêt et les déficiences pour relancer les enquêtes sur ce sujet.

Pourtant une idée reçue recèle un fonds de sagesse qui doit retenir la considération. Dans le cas présent, il est bien évident que le serment de 1791 est à l'origine d'une conscience religieuse nouvelle : acceptée par les uns et refusée par les autres à travers une gamme très large dans les enthousiasmes comme dans les indignations. C'est pourquoi, seule, une analyse statistique minutieuse est susceptible de déterminer *la valeur* de l'option.

Autre problème : cette valeur doit-elle être prise dans le cadre étroit de janvier à juin 1791, période des séries continues de prestations de serments, ou bien s'étendre à la durée totale du conflit révolutionnaire, c'est-à-dire jusqu'au Concordat et même au-delà ? Nous essaierons de montrer pourquoi la seconde hypothèse de travail est la bonne et transforme une méthodologie encore classique.

Par là-même, nous semblons faire le meilleur sort à l'idée reçue « du » serment. Sans doute, si, de fait, le débat constitutionnel traverse la Révolution entière. Toutefois, au cours de son développement, il va se charger de colorations politiques, économiques et idéologiques propres à lui conférer une densité et une complexité inconnues en 1790. D'une manière plus directe, il connaît de véritables relais constitués par les autres prestations républicaines exigées du clergé français.

Leur originalité à elles, leur apport au grand conflit constitutionnel apparaîtront notamment dans les régions françaises, les pays annexés, les colonies, où, pour des raisons qu'il nous faudra expliquer, les prêtres ne réagiront et n'opteront en face de la Constitution civile du clergé qu'au moyen du serment de Liberté-Egalité ou de celui de Haine à la Royauté au lieu de la formule de 1790.

Pour éviter, par conséquent, la confusion de départ entre « le » et « les » serments, il importe de rappeler d'abord les grandes lignes de la législation civile et religieuse en matière de serments. Nous verrons ainsi où se situe la controverse à propos de la licéité de certaines formules, la nature de la controverse, la façon dont l'ont appréhendée et comprise les intéressés, puis, ce qu'en a fait une historiographie contemporaine des événements et génératrice de traditions durables.

Le seul serment pouvant être qualifié sans ambiguïté de « civique » est celui prêté lors de la fête de la Fédération en juillet 1790. Il n'offre aucun contenu religieux. Aussi limiterons-nous cette étude aux quatre formules qui vont influer sur la conscience religieuse en Révolution :

— Le « serment constitutionnel » imposé après le vote de la Constitution civile du clergé, le 12 juillet 1790, par les décrets des 27 novembre - 26 décembre 1790.

— Le serment de Liberté-Egalité, encore appelé « petit serment » ou « second serment civique », exigible au lendemain du 10 Août. Par décret du 14 août 1792, il s'adressait à tout citoyen recevant traitement ou pension de l'Etat; le 15, il était étendu à tous les fonctionnaires.

— Le troisième serment imposé aux prêtres comportait une soumission aux lois. Il devenait indispensable pour quiconque serait désireux de rouvrir une église au culte dans les conditions définies par la loi du 11 prairial an III. La Convention intégrait, le 28 septembre 1795, à la loi « organique » du 7 vendémiaire an IV une promesse de soumission à la République.

— Enfin, en conséquence du coup d'Etat du 18 fructidor an V (4 septembre 1797), les ecclésiastiques se voyaient imposer le serment connu sous le nom de « Haine à la Royauté ».

Nous n'envisageons à travers ces formules que les intentions expresses de la législation nationale sans préjudice des gloses aggravantes et des particularités dues au zèle des fonctionnaires départementaux et municipaux.

Les historiens « périodisent » d'ordinaire, ce schéma de la manière suivante : juillet 1790-août 1792, temps du conflit proprement religieux cristallisé autour du serment constitutionnel, suivi de la longue période girondine et dictatoriale où se mêlent intimement la politique et le religieux, mais avec une écrasante supériorité du premier aspect. Tout naturellement une sorte de clivage fut opérée entre le serment à la Constitution civile du clergé considéré comme spécifiquement religieux et les « serments politiques » immergés dans le contexte général de la Révolution.

De bonnes raisons militaient en faveur de cette conception essentiellement juridisante : mise en valeur de l'hétérogénéité des formules successives; attitude de Rome condamnant formellement, quoique tardivement, la Constitution civile, mais adoptant des jugements officieux et très nuancés sur les autres; acuité du combat, en 1791, entre jureurs et non jureurs, etc...

Si les bases de cette historiographie nous semblent aujourd'hui trop étroites voire sclérosées, c'est peut-être le signe de notre époque plus sensible aux réactions humaines qu'à l'histoire des institutions. Certes, il ne s'agit pas de minimiser la lutte de l'Eglise et de l'Etat et encore moins le rôle des législations antagonistes qui fondent le cas de conscience des prêtres français. Mais le cas de conscience posé, il revient à l'historien de l'expliquer en scrutant les pulsions d'âmes inquiètes et traquées qui bousculent la plupart du temps la belle logique des juristes.

Deux fils conducteurs s'offrent d'emblée : qu'a compris au juste le clergé qui tombait sous le feu croisé des lois au moment de prendre son option ? A quoi fut-il sensible pour se former un jugement considérant qu'il réagit à la fois politiquement, comme classe de la société, et religieusement, comme gardien autant que chef du peuple chrétien ?

Pareilles questions forcent à crever l'écume d'une pure argumentation juridique pour atteindre l'épaisseur humaine. Sans doute nous compliquons la tâche en répudiant l'histoire-robot pour accéder à une histoire « incarnée ». Si la première supporte allègrement les généralisations en préambule à quelque synthèse claironnante, l'autre descend humblement dans les cas d'espèce, cherche, ausculte cette humanité saisie dans son milieu naturel, éducatif et idéologique, dans son environnement où s'entremêlent des pressions directes ou médiatisées. Elle ne conclut avec modestie et ignorance que dans le cadre défini par l'enquête.

Plus qu'ailleurs, croyons-nous, il y a une véritable révolution copernicienne à opérer dans les nouvelles recherches. Il faut rompre avec la démarche empruntée par les grands travaux dont nous parlions : la faiblesse de leur interprétation réside dans ces thèses incontrôlées qui pèsent comme des préalables, des abstractions, dont personne ne sait plus l'origine exacte. Il y a aussi des « chaînes » qui forment toute une tradition. Nous aurons l'occasion plus loin d'en fournir une dangereuse illustration. Il y a aussi des cadres classiques d'enquête dont on voit après coup qu'ils mutilent la réalité : point de vue juridique, quelle valeur conserve-t-elle du point de vue sociologique lorsqu'on sait qu'elle sanctionne, en 1791, pour de nombreux cas, des démembrements, qu'elle brise une unité par laquelle s'expliquent la formation d'un clergé, l'évangélisation des fidèles, les différences de pratique religieuse, les niveaux économiques et les traditions régionales ? De sorte que l'historien du clergé de Seine-et-Oise, par exemple, doit sans cesse revivre la réalité révolutionnaire de son diocèse en se référant au pays Chartrain, au pays Mantois, à la Brie, etc... Bref, il doit tenir compte des antécédents d'Ancien Régime d'un diocèse constitué de fraîche date pour aboutir à des conclusions aussi disparates que la personnalité de chacun de ces pays (1).

Déjà l'heureuse association de la sociologie et du droit suffirait, semble-t-il, à suspecter fortement la dichotomie entre serment « religieux » et serments « politiques ». Bien des réactions locales, à condition d'en concevoir l'ampleur et l'enracinement dans un cadre d'enquête historiquement compris, expliquent ainsi pourquoi la Constitution civile demeure mêlée aux conflits post-thermidoriens lors même qu'elle n'a plus force de loi d'Etat.

Au moins avons-nous la preuve *a posteriori* de la nécessité d'une enquête minutieusement conduite de la physionomie du serment constitutionnel tant en raison de son caractère propre que des conséquences futures sur l'attitude du clergé révolutionnaire jusqu'au Concordat. On ne saurait

---

(1) L'abbé Eich se heurte à ces difficultés pour le diocèse de la Moselle calqué sur le nouveau département alors que toute la vie religieuse de ce diocèse de 1789 à 1792 ne se comprend qu'en fonction des influences meusiennes et tréviroises facilement isolables du noyau messin, dans *Histoire religieuse du département de la Moselle pendant la Révolution...*, Metz, 1964.

donc être assez rigoureux sur les questions de statistiques conçues non pas comme une sèche arithmétique, mais comme base de l'interprétation sociologique.

I

LE SERMENT CONSTITUTIONNEL : PROBLÈMES DE STATISTIQUE ET D'INTERPRÉTATION

Parcourons les chapitres consacrés à son étude dans les monographies y compris les plus récentes (2) et l'on sentira combien des auteurs même avertis demeurent presque tous préoccupés d'aboutir à des pourcentages globaux d'assermentés et d'insermentés comme s'il s'agissait encore de contrôler les chiffres lancés par Sagnac, en 1906, dans son fameux article : *Etude statistique sur le clergé constitutionnel et le clergé réfractaire en 1791.*

Que peuvent signifier de tels pourcentages qui ignorent l'évolution de la législation en matière de serments au cours de l'année alors qu'apparaissent de nouvelles catégories non prévues initialement par les décrets des 27 novembre-26 décembre 1790 ? Au moins, objectera-t-on, ces approximations statistiques apportent-elles des éléments intéressants. Elles marquent un progrès sur la querelle entre Mathiez, l'abbé Sicard et le chanoine Pisani au sujet de l'apport des Réguliers au clergé constitutionnel parisien sans que la discussion mentionne d'un bord à l'autre un seul chiffre (3) !...

Assurément, mais nous ne pouvons plus nous satisfaire de si peu. D'où les remarques qu'inspire la récente publication de J. Girardot sur la Haute-Saône (4). S'agissant d'un

(2) J. Eich, *op. cit.* — J. Bricaud, *L'administration du département d'Ille-et-Vilaine au début de la Révolution, 1790-1791*, Rennes, 1965.

(3) B. Plongeron, *Les réguliers de Paris devant le serment constitutionnel...*, Paris, 1964, p. 320-321.

(4) « Conseils pratiques pour l'étude de la Révolution en Haute-Saône », dans *Bull. hist. écon. et soc. de la R. F.* (1964), 1965, 3e partie p. 97-107.

guide d'études on ne peut que le louer de précieuses indications d'archives, des repères chronologiques et de son compendium législatif. En revanche, on ressent la défaillance d'une méthodologie élaborée, quand elle est sacrifiée au profit de données conventionnelles.

On comprend difficilement l'intérêt d'un bilan général des serments au 31 décembre 1791 lorsqu'on nous rappelle ce décret du 29 novembre qui bouleverse la situation : aggravation de la législation première en vigueur depuis la fin de 1790 avec obligation de prêter le serment pour tous les ecclésiastiques non encore visés. Le roi ayant refusé sa sanction, le décret n'était pas applicable. Le fut-il en Haute-Saône ? S'en est-on servi comme moyen de pression ? De toute évidence, deux pointages s'imposaient : l'un *avant,* l'autre *après* le décret.

Autre point : quoique l'auteur distingue les curés, les vicaires, les professeurs familiers ou aumôniers et les chanoines non fonctionnaires publics, on note l'absence des réguliers (p. 99-100). Le fait qu' « en Haute-Saône les congrégations d'hommes étaient squelettiques » (p. 106) ne dispense pas de les inclure dans une statistique qui s'emploierait à éclaircir le terme trop vague de « Congrégations d'hommes » et les diversifierait en congrégation séculières et en congrégations régulières.

Ces réserves faites, nous adhérons pleinement à la problématique de J. Girardot : « Une question aussi délicate exigerait une position neutre : est-ce possible pour l'historien ? mais ceux qui ont élaboré cette loi et celles qui en sont dérivées n'étaient pas neutres et ne voulaient pas l'être. Puisqu'un jugement impartial ne nous est pas permis, il est préférable de ne pas essayer de départager ceux qui, à l'époque, étaient pour ou contre, mais de comprendre les sentiments profonds qui les animaient et les raisons qui les poussaient dans un sens opposé » (p. 97).

La documentation permettra rarement d'accéder par voie directe à la compréhension de leurs sentiments profonds, car pour un prêtre qui explique son adhésion ou son refus de la Constitution civile du clergé, quatre-vingt-dix-neuf se taisent ou jurent en silence. Les autorités révolutionnaires s'évertuent à éliminer des procès-verbaux, les restrictions ou les professions de foi sujettes à des interprétations trop prudentes du serment prêté. Même lorsque ces précieux témoignages subsistent, ils doivent être confrontés avec les éléments statistiques surtout quand les explications demeurent équivoques. La municipalité ou le département auront-ils, en fin de compte, retenu ce serment ou bien auront-ils mis en demeure le constitutionnel douteux de se prononcer plus clairement quitte à ce que ce dernier, pressé dans ses derniers retranchements, revienne entièrement sur sa déclaration première proférée du bout des lèvres ? A ce niveau, la statistique devient l'instrument privilégié de l'interprétation sous réserve de répondre à quelques conditions.

La première qui sous-tend toutes les autres exige de respecter les incidences de la législation, générale et locale, applicable au cadre d'étude. En conformité avec les lois nationales, plusieurs stades sont à contrôler par la statistique :

1° Les prestations de serments de janvier-février 1791. Elles correspondent aux décrets des 27 nov.-26 déc. 1790, publiés le 2 janvier 1791 et exécutoires dans la huitaine à compter de cette date. Elles visent uniquement les évêques, les curés et tous les fonctionnaires publics ecclésiastiques. L'expérience prouve que le concept de « fonctionnaire public » demeure assez flou selon les municipalités responsables.

2° Un double mouvement s'opère de mars à mai. Une nouvelle vague de serments qui accompagne généralement l'installation officielle de l'évêque constitutionnel et de son administration, mais en concomitance avec un premier reflux massif après la condamnation romaine de la Constitution civile du clergé (brefs *Quod Aliquantum,* du 10 mars et *Charitas,* du 13 avril).

3° Le mouvement de juin. Quoique fonctionnant difficilement, les séminaires du clergé constitutionnel conduisent quelques nouveaux prêtres à l'ordination qui viendront accroître d'autant d'unités les fonctionnaires publics en place.

4° Les troubles de l'automne. Pendant toute l'année la législation s'est aggravée : à la suite des fonctionnaires publics, c'est-à-dire en gros le clergé paroissial, sont astreints au serment les prédicateurs (5 février-28 mars), les chapelains et aumôniers des hôpitaux et des prisons (15-17 avril). Enfin, le 29 novembre, obligation est faite à tous les ecclésiastiques, même non fonctionnaires publics, de prêter serment sous peine de perdre leur traitement ou leur pension, de se voir prévenus de révolte et, en cas de troubles, éloignés de leur résidence sans préjudice de dénonciation aux tribunaux. Bien que le roi refuse de sanctionner ce décret et que, par conséquent, il soit illégal, il est connu. Maintes municipalités s'en servent comme d'un moyen de pression auprès des réfractaires : certains jurent, cependant que d'autres commençant à percer les intentions des législateurs, se rétractent précipitamment et que quelques-uns émigrent.

Compte tenu des interprétations et des perturbations locales qui peuvent modifier le schéma général, ce sont quatre pointages correspondant aux stades décrits qui doivent jalonner l'étude statistique pour 1791. Ils doivent être effectués non d'après des *chiffres* mais d'après des *noms* surtout lorsqu'il s'agit d'études urbaines. Pour Paris, par exemple, nous avons constaté que si les effectifs par paroisse se maintiennent dans une relative stabilité entre janvier et juin 1791, le personnel s'est renouvelé pour les trois quarts : défection ou appel hors de Paris des jureurs de janvier, remplacés par des prêtres souvent étrangers au diocèse, au cours de l'été. Cette remarque nous conduit à la seconde condition à laquelle doit se plier cette étude statistique : l'élaboration des catégories de jureurs.

En 1949, Mgr Leflon préconisait la politique suivante : « L'idéal serait que l'on dressât pour chaque département trois statistiques distinctes : une des séculiers fonctionnaires, une des séculiers non fonctionnaires, une des réguliers. On possèderait ainsi tous les éléments nécessaires pour asseoir un jugement d'ensemble et complet » (5).

Ce serait, en effet, l'idéal si nous pouvions admettre l'hypothèse de la stabilité du clergé au cours de la période. Or, nous savons bien que cette stabilité est illusoire. Les monographies ont montré que la caractéristique de ce clergé au début de la crise révolutionnaire serait plutôt son extraordinaire mobilité dans un phénomène conjoint aux villes et aux campagnes. Mobilité du clergé paroissial : selon des processus souvent compliqués, on constate des osmoses départementales. Les zones réfractaires voient leurs paroisses désertées par des prêtres qui s'enfuient ou se cachent. Elles attirent des prêtres étrangers au diocèse en quête d'aventures ou d'un traitement de fonctionnaire public. Les zones d'implantation constitutionnelle doivent évacuer ailleurs le trop-plein de leurs effectifs après la réduction du nombre des paroisses opérée par la Constitution. A ceci s'ajoute la légion des éternels instables surexcités par ce temps de troubles et d'autres facteurs personnels : ainsi l'évêque Fauchet attire dans le Calvados ses anciens confrères parisiens et cède à Paris des membres du clergé normand. Ces prêtres étrangers sont à distinguer du clergé incardiné au diocèse parce qu'ils témoignent rarement de leur discrétion. Ils apportent un nouvel esprit politique et religieux et insufflent à leur région un patriotisme qui influe bientôt sur la courbe des serments observés avant leur arrivée. S'agit-il d'ailleurs pour eux d'un simple stage annonçant d'autres errances ou d'une implantation définitive ?

Il faut poser la même question pour l'autre élément instable du clergé qui forme un monde à part : celui des Réguliers. D'ordinaire, les auteurs ne les distinguent pas du clergé paroissial ou, en tous cas, ne s'y intéressent pas en tant que tels. Or, bien plus que leurs confrères diocésains, les religieux apportent avec eux une autre mentalité ressor-

(5) J. Leflon, *La crise révolutionnaire, 1789-1846*, p. 1949 (*Histoire de l'Eglise*, dir. Fliche et Martin, t. XX, p. 71) — Cf. aussi J. Camelin, « Pourquoi et comment dresser par diocèse une liste exacte et quasi officielle du clergé constitutionnel », dans *Rev. d'Hist. Egl. de France*, 1937, p. 327-328.

tissant à l'éducation spirituelle et théologique reçue dans leur Ordre ou dans leur communauté. Autant de facteurs qui, doublés du régime de leurs vœux, apportent une originalité propre à troubler les législateurs.

Le Frère Denis, des Ecoles Chrétiennes, cherche à expliquer son cas particulièrement embrouillé aux administrateurs de Montauban. Le 1er décembre 1791, il se sent gravement menacé par la rumeur d'une suppression des Congrégations. Mais de quelles Congrégations ? Celles à vœux solennels sont déjà supprimées, sauf quand elles sont vouées à l'éducation publique (décret du 30 novembre 1791). Pratiquement les communautés relevant de cette catégorie sont à vœux simples : on les nomme « congrégations séculières »; elles conserveront l'existence légale jusqu'au décret du 18 août 1792. A quel régime exactement obéit la Congrégation des Frères des Ecoles Chrétiennes ? Voilà ce que veut éclaircir le Frère Denis pour justifier ses scrupules en face du serment :

« J'ai appris qu'il a été présenté, à l'Assemblée Nationale, par vos prédécesseurs, une pétition de la part des frères profès des Ecoles chrétiennes dans laquelle il est dit qu'en cas de suppression l'Assemblée doit du moins laisser les profès de cet institut dans la possession de leurs biens, ou leur accorder une juste indemnité, c'est-à-dire une pension. Je vois, Messieurs, une injustice formelle dans cette pétition. Il faut distinguer, dans ce corps, trois sortes de sujets : des profès, des non-profès et des novices.

Les *profès* sont ceux qui ont fait des vœux : mais ce sont des vœux simples qui n'ont jamais été reçus dans le civil.

Les *non-profès* ne sont distingués des profès que parce qu'ils n'ont pas fait ces vœux simples, entièrement inconnus dans l'Etat.

Du reste, ils ont les mêmes emplois et ils rendent les mêmes services au public (...)

Les *novices* sont ceux qui sont occupés pendant une année entière aux exercices de piété. »

Pour sa part, il appartient à la Congrégation depuis sept ans; il professe, enseigne et fait réciter « le catéchisme de la Constitution (...) [Car] depuis longtemps je désire me conformer à la loi du serment des fonctionnaires publics, mais je ne puis y adhérer sans abdiquer le Corps sur le champ;

autrement je serais exposé à toutes sortes de disgrâces tant de la part de mes supérieurs que d'autres personnes » (6).

Cet aveu, entre bien d'autres, détruit le motif souvent invoqué par les auteurs : les réguliers et membres des Congrégations ne tombent pas sous les décrets des 27 novembre-26 décembre 1790. Ils devraient requérir, au contraire, l'effort des chercheurs. Nous nous en sommes suffisamment expliqué dans notre thèse pour ne pas nous répéter. Toutefois, pour mieux souligner la nécessité d'une analyse statistique incorporée à la physionomie du serment constitutionnel, nous croyons utile de reprendre les suggestions que nous inspirait l'expérience parisienne (7) complétée, depuis, par d'autres.

Les informations statistiques ne deviennent proprement intelligibles que lorsqu'elles s'inscrivent sur une double grille. La première comporte les pointages à des moments précis de l'année 1791; la seconde recense les catégories d'ecclésiastiques. Le principe de différenciation de ces dernières répond à la nécessité de distinguer les motivations et les intérêts propres à chaque corps ecclésiastique. La grande division s'opère naturellement entre le monde paroissial et celui des congrégations, lui-même subdivisé en communautés régulières — presque toutes éteintes juridiquement en 1790 — et en communautés séculières qui conservent le droit à l'existence jusqu'en août 1792.

Dans le cas du clergé diocésain, il faudrait isoler le clergé attaché au diocèse, c'est-à-dire les prêtres incardinés et autorisés avant 1789, des prêtres étrangers arrivés après 1790.

Dans le cas des religieux, même processus : d'un côté les affiliés ou assignés dans les couvents circonscrits par l'enquête; de l'autre, ceux qui viennent de l'extérieur soit à titre définitif, soit à titre temporaire.

Une mise en place correcte de ces données de base implique obligatoirement, répétons-le, le recours à des *états nominatifs*. Ils peuvent être reconstitués, quand ils n'existent

(6) *Arch. nat.*, F17 1692.
(7) B. Plongeron, *op. cit.*, p. 432-433.

plus, à partir des archives départementales et diocésaines, mais aussi, pour le clergé diocésain, grâce aux registres d'insinuations ecclésiastiques, une source encore peu exploitée par les historiens. Pour le clergé régulier, on consultera la sous-série D XIX des Archives nationales (8). La pratique de cette sous-série apprend qu'il faut se méfier des états récapitulatifs qui sont souvent erronés par rapport à la ventilation des effectifs surtout lorsque le scribe bien intentionné veut minimiser le total des « réfractaires ». Les registres de pensionnaires ecclésiastiques (9) et les états de paiement de fonctionnaires publics ecclésiastiques conservés dans les archives départementales demeurent également très précieux pour suivre la mobilité de ce personnel au cours de la période envisagée. Enfin, on s'exposerait encore à une analyse tronquée si l'on ne prévoyait pas pour chaque grande catégorie une rubrique « rétractés ». On sait à quelles difficultés se heurte la constitution de cette rubrique étant donné l'étalement des rétractations jusque dans la période post-concordataire. Il sera, en bien des cas, plus aisé de saisir les rétractations quasi immédiates, autrement dit celles qui furent enregistrées au cours de 1791.

Ici, encore, le qualitatif ne doit pas s'effacer derrière le pur quantitatif, comme l'indique l'exemple suivant. Le 2 novembre 1791, le Directoire du département du Haut-Rhin prend des dispositions pour « le maintien de la tranquillité publique ». Grâce à cet alibi, il voudrait organiser le culte salarié sans redouter l'obstruction des insermentés. Le meilleur moyen n'est-il pas de les regrouper tous à Colmar et de les tenir en surveillance ? Les Réguliers inquiètent assez les

---

(8) Sur l'emploi de ces sources, on relira avec profit V. Carrière, *Introduction aux études d'histoire ecclésiastique locale,* Paris, 1934-1940, 3 vol., t. I « Les sources manuscrites » — C. Berthelot du Chesnay, « Le clergé diocésain français au xviiie siècle et les registres des insinuations ecclésiastiques », dans *Rev. d'Hist. mod. et contemp.,* t. X, oct.-déc. 1963, p. 241-269. Bien des éléments sont à retenir également de l'étude exemplaire de D. Julia, « Le clergé paroissial dans le diocèse de Reims à la fin du xviiie siècle », *ibidem,* t. XIII, juillet-sept. 1966, p. 195-216.

(9) *Arch. nat.,* AD XIX F 40 B.

autorités pour que Jourdain, secrétaire général, apostille une des circulaires envoyées à Grégoire (10) :

« Il est à remarquer que tous les Prêtres qui ont resté dans ce département, à l'exception d'un très petit nombre de septuagénaires et d'octogénaires infirmes qui ont été reclus à Colmar ou qui, par grâce, ont été authorisés à résider dans leurs communes, tous les autres ont prêté tous les sermens et fait toutes les soumissions exigées jusqu'à ce jour. Comme il en est quelques-uns cependant qui aujourd'hui disent aux uns qu'ils n'ont pas juré, aux autres que c'est avec restriction (même mentale), c'est qu'ils ont rétracté et ce sont surtout des moines; alors ils se croyent être de niveau avec ceux qui n'ont pas juré. »

Reste une troisième condition pour cette analyse qui peut modifier, selon les régions, la grille des pointages et même celle des catégories. Nous voulons parler de l'interprétation des lois et décrets dans les départements.

La souplesse est telle qu'en certains cas, il en résulte presque une nouvelle législation locale. Ceci s'explique pour différentes raisons.

La première tient à l'abondance et parfois à l'obscurité des décisions de la Constituante particulièrement en matière religieuse. Le Comité Ecclésiastique est saisi journellement de demandes d'interprétation pratique, de suppléments d'information, voire de nouvelles directives pour l'exécution de tel décret. Non pas que les administrateurs locaux soient forcément débordés par leur tâche, mais il leur arrive d'emprunter ce biais pour provoquer l'arbitrage du Comité dans leurs différends. Ceux-ci, les monographies l'ont prouvé, demeurent fréquents et vifs à propos des questions religieuses entre les directoires de département et les municipalités. Généralement les uns s'emploient à freiner l'ardeur patriotique des autres, d'où des confusions et des initiatives qui gauchissent la physionomie du serment.

J. Girardot évoque ce problème en Haute-Saône. « Quoique toute modification de la formule du serment prescrite *ne varietur* fût interdite et eut pour effet de le rendre nul,

---

(10) *Bibl. Soc. Port-Royal,* Collect. Grégoire, vol. 154, pièce 18, p. 11.

nombreuses furent les municipalités qui ne tinrent aucun compte des restrictions et considérèrent la formalité comme accomplie. Le Directoire du département adopta une position identique en ce qui concerne *certains* (11) curés; il établit une distinction assez subtile entre les restrictions qui selon lui n'attaquèrent pas le serment et celles qui le rendaient nul, de sorte que les listes conservées aux archives de la Haute-Saône sont incomplètes et ne concordent pas avec celles des Archives nationales qui sont antérieures ». (*Op. cit.*, p. 99).

On pourrait multiplier les exemples de semblables distorsions; elles appellent d'utiles réflexions non plus seulement pour l'analyse statistique mais pour l'interprétation proprement dite.

Les implications politiques, théologiques, pastorales, économiques et territoriales des prestations de serment ne peuvent sans doute échapper à une interprétation d'ensemble.

Peut-être pensera-t-on moins à l'importance d'une étude sur la répartition des âges à l'intérieur des groupes d'assermentés et d'insermentés. Lorsque celle-ci est menée en corrélation avec une enquête concernant, d'une part, les foyers de vocations sacerdotales ou religieuses et, de l'autre, les classes d'âge de l'ensemble du clergé du diocèse, elle peut rendre raison de bien des jugements traditionnels, tel celui qui continue à faire porter le mouvement patriotique presque uniquement sur les jeunes. C'est ainsi que tous les enquêteurs qui se sont livrés à cette analyse dans le mouvement des abdications sacerdotales pendant la Terreur ont pu constater non sans surprise qu'en maints endroits les « jeunes » ont mieux résisté que leurs aînés (12).

Cette observation nous renvoie une fois de plus, pour l'interprétation ultime, à l'étude des mentalités. C'est le talon d'Achille de l'historien des serments malheureusement forcé

---

(11) C'est nous qui soulignons la discrimination opérée par les autorités selon des critères qui mériteraient des éclaircissements.

(12) *Les prêtres abdicataires pendant la Révolution française* (sous la direction de M. Reinhard), *Actes du Cong. des Soc. sav., Lyon* (1964), Paris, imp. nat., 1965, p. 205.

de constater sur ce point la pauvreté de sa documentation. Aussi bien n'a-t-il pas encore découvert tout le parti à tirer de ce qui est sa nature immédiate : les formules de serment elles-mêmes.

La formule adoptée par la Constituante s'énonçait ainsi : « Je jure de veiller avec soin sur les fidèles du diocèse (ou de la paroisse) qui m'est confié, d'être fidèle à la nation, à la loi et au roi et de maintenir de tout mon pouvoir la Constitution décrétée par l'Assemblée Nationale et acceptée par le Roi ». Pourquoi donc parler *des* formules du serment ?

Parce qu'en de nombreux endroits, ainsi qu'on nous le rappelait en Haute-Saône, les jureurs assortissent le texte officiel de considérations ou restrictions nuancées ou dithyrambiques qui prennent des allures de profession de foi destinée à éclairer sur leurs vrais sentiments les témoins — autorités locales et fidèles — de la cérémonie. Parce qu'aussi et peut-être d'une manière plus fréquente, ils ne se décident à prononcer la formule rituelle qu'après un préambule qui tient lieu quelquefois de sermon.

A Dammartin, au diocèse de Meaux, on mène un grand tapage autour du « revirement » du prieur-curé, le Génovéfain Yves Bastiou. Comment ce curé patriotique, une intelligence théologique, pouvait-il refuser de reconnaître le nouvel évêque constitutionnel, en juin 1791, après avoir prêté serment le 4 février ? Breton tout d'une pièce, le religieux était apprécié de ses ouailles pour ses manières franches et même carrées. Yves Bastiou, dans une longue lettre publiée intégralement, fait rare dans les journaux catholiques, tient à dissiper l'équivoque.

Il rappelle d'abord aux autorités municipales :

« Ne craignez pas de répondre, Messieurs, que l'Assemblée Nationale ayant décrété, le 4 janvier dernier, que le serment prescrit par le décret du 27 novembre « sera prêté purement et simplement sans qu'aucun des ecclésiastiques puisse se permettre d'explications ou de restrictions » ; votre prieur-curé n'a point prêté ce serment, non seulement parce qu'il s'est permis un préambule très étendu mais parce que son discours contenoit des explications, des exceptions et des réserves équivalentes à la restriction proposée par M. l'Evêque de Clermont et rejettée par l'Assemblée. »

Or, entre-temps, parvient la condamnation romaine portant précisément sur les matières spirituelles que Bastiou avait exceptées de son serment grâce à un long préambule. Se rétracte-t-il ou n'est-il que conséquent avec ses intentions émises en février ? Il doit tirer la municipalité d'un grand embarras :

« ... Quant à ce qui vous concerne vous-mêmes, MM., vous êtes excusables, même aux yeux des corps administratifs supérieurs d'avoir permis, le 6 février dernier, un préambule et des explications que le décret du 4 janvier défendoit, puisque cette loi ne vous est parvenue que le premier mars suivant. D'un autre côté, vous avez dû vous contenter des exceptions que j'ai faites puisque j'ai déclaré « me soumettre à la nouvelle constitution française, sans autres restrictions que celles que le christianisme commande, sans rien réserver que les droits spirituels de l'église. »

Si vous m'avez entendu dire, sans en témoigner de surprise, dans le discours où j'ai développé mes sentimens sur cette constitution que les décrets de l'Assemblée relatifs au clergé, ne sont que des loix civiles, qui ne peuvent avoir que des effets civils, sans rien déranger dans l'ordre établi par les saints canons, vous ne pouvez, Messieurs, mériter d'être blâmés par qui que ce soit, puisque l'Assemblée elle-même, par l'organe de l'un de ses présidens (l'abbé Grégoire), a reconnu que tous les objets qui appartiennent essentiellement à l'autorité de l'église, sont hors du domaine de toute puissance humaine et que par conséquent l'exception du spirituel est de droit; ne fut-elle pas même énoncée comme elle l'est dans mon préambule ? Vous avez donc eu raison de déclarer, dans votre procès-verbal, que mon préambule est « très chrétien et très patriotique et qu'il a été généralement applaudi » (13).

Pour avoir prêté une oreille peut-être un peu distraite à ce préambule et s'être contenté à bon compte de la formule officielle, la municipalité de Dammartin n'avait pas perçu néanmoins les véritables intentions de son curé. De sorte que celui-ci, quoique ayant satisfait aux prescriptions légales, n'était rien moins qu'un « semi-constitutionnel » et l'avait

---

(13) Cit. dans *Annales de la Religion et du Sentiment*, t. I, p. 550-556. Sur toute cette affaire, B. PLONGERON, *op. cit.*, p. 110-114.

toujours été moins par opportunisme politique que par souci théologique.

Bien des historiens s'exposent à une pareille mésaventure en ne retenant que le contenu formel d'une prestation de serment. Il est malheureusement rare, admettons-le, d'avoir la possibilité de reconstituer « l'acte » complet d'une prestation de serment. En revanche, une attention plus grande devrait être prêtée aux termes de la formule énoncée. Certains contiennent des variantes par rapport au schéma officiel. Or, ces variantes apparaissent dans une même région, se répétant d'une prestation à l'autre et laissent pressentir des stéréotypes : mots d'ordre; effets tactiques reçus ou élaborés, en cas d'hésitation personnelle, chez un confrère du doyenné quand celui-ci s'impose comme chef de file ou comme lumière théologique. Derrière l'apparente originalité des déclarations, on décèlerait assez rapidement certaines expressions, voire certaines tournures de phrase qui témoigneraient de courants collectifs politico-théologiques dans le diocèse.

Ainsi l'interprétation du serment déjà favorisée par une fine et rigoureuse analyse statistique déboucherait-elle sur une réelle étude des mentalités : courants en présence, propagateurs de ces courants, « relais » locaux, etc... en s'attachant non seulement au clergé, mais aussi aux laïques influents sur la détermination de leurs prêtres (14). L'une des variantes les plus connues revient à ajouter, comme Bastiou, à la fin de la formule officielle : « sous réserve du spirituel » ou « des choses spirituelles » ou « exceptant formellement les objets dépendans de l'autorité spirituelle ». Elle définit la plupart du temps la position des semi-constitutionnels, c'est-à-dire de ces curés qui tout en adhérant à la Constitution civile du Clergé pour des motifs pastoraux refusent de rompre avec Rome et de communiquer avec l'évêque intrus. Pris dans un

---

(14) A propos d'une profession de foi d'attachement au Siège Romain signée le 8 mai 1791, par les curés du nord de Melun, le chanoine Bridoux ajoute : « De presbytère en presbytère, la feuille circule. Il serait facile de reconstituer les lieux de réunion, les confrères présents », dans *Histoire religieuse du département de Seine-et-Marne pendant la Révolution,* Melun, 1953, 2 vol. in-8, t. I. Malgré le parti pris pour le clergé réfractaire, de bons exemples de tout ce que nous avons dit, p. 51; 124; 133.

véritable dilemme, l'attitude de l'évêque de Clermont leur fournit opportunément un moyen terme.

Ce dernier, au cours de la séance du 2 janvier 1790 à l'Assemblée, avait voulu expliquer pourquoi il ne prêterait par le serment sans y apporter des restrictions. S'étant vu refuser la parole, il fit imprimer son discours dans lequel il reprenait la formule exacte du serment, mais il ajoutait « exceptant formellement les objets dépendans de l'autorité spirituelle ». Grâce à la presse qui s'en fit le très large écho, l'évêque venait de créer sans le savoir un tiers parti : nombre de ceux qui se rallieront à sa position mentionneront expressément son nom en définissant à leur tour leurs attitudes individuelles. Il paraît intéressant de savoir combien de prêtres français engagés dans le ministère suivirent cet exemple parce qu'ils constituent le personnel le plus sensible à la conjoncture de l'année 1791.

Tôt ou tard, ils devront sortir de cette déclaration dont la dangereuse équivoque n'apparaîtra clairement à la municipalité qui enregistra le serment que bien plus tard dans l'année. Il ne semble pas que, sommés de s'expliquer clairement, ils aient alors opté pour le nouveau régime. Au contraire, surtout à l'automne, ils ont préféré démissionner de leur cure, se sont formellement rétractés et ont pris le chemin de l'émigration. Notons au passage que, pour eux, la condamnation pontificale de mars-avril n'apparaît pas entièrement décisive, tant est grande la complexité de leur situation. Toutefois une conclusion précise sur ce problème demeure suspendue à l'entreprise d'une enquête systématique.

A l'inverse, les préambules patriotiques des constitutionnels convaincus fournissent de précieux éléments pour ce vocabulaire des Lumières auquel s'emploie M. Dupront. On s'inspirerait heureusement des principes qu'il a posés dans sa communication au Congrès de Lyon à propos des cahiers de doléances (15) pour pénétrer ce que certains historiens appellent *l'Aufklärung catholique*.

---

(15) A. DUPRONT, « Cahiers de doléances et mentalités collectives », dans *Actes du Cong. des Soc. sav., Lyon* (1964), t. I, 3e partie, p. 375-377. Cf. pour le langage, infra, p. 205.

Ce ne sont là, faut-il le redire, que des suggestions fort incomplètes et trop générales, mais que l'expérience d'une région corrigerait et enrichirait aisément. Il nous a semblé que la méthodologie dont elles s'inspirent pourrait s'implanter sans grandes difficultés dans ce secteur le mieux connu de l'historiographie religieuse révolutionnaire. Il en va tout autrement lorsqu'on aborde le second serment de Liberté-Egalité, qui baigne dans une grande confusion malgré des affirmations tranchées.

II

LE SERMENT DE LIBERTÉ-ÉGALITÉ : GENÈSE D'UN « COMPLOT » DE L'HISTORIOGRAPHIE

Déjà affrontés dans la complexe question du serment constitutionnel, les historiens ont refusé de perdre leur latin à propos de ce nouveau serment d'août 1792 dans lequel certains contemporains avouaient eux-mêmes « ne voir rien de clair ». La condamnation de Rome toujours attendue, souvent anticipée, mais jamais promulguée, la formule du serment : « Je jure d'être fidèle à la Nation et de maintenir la liberté et l'égalité ou de mourir en les défendant » apparemment sans signification religieuse, l'attitude de réfractaires, personnages importants de l'Eglise, se décidant à déférer à ce serment constituèrent des faits décisifs pour porter la question sur le terrain rassurant du droit juridique.

Le serment était-il licite ou non ? L'atmosphère de la Séparation, dans les années 1904-1914 régnait sur les discussions entre les auteurs. Elle joua son rôle pour faire basculer définitivement le débat dans un sens politique. Grâce à quoi, aujourd'hui, on conclut à cette licéité puisque l'autorité religieuse ne l'a jamais formellement réprouvée.

Et l'on a raison... à condition de faire litière des interventions — importantes quoique officieuses — de Rome provoquant de nouveaux remous dans la conscience agitée du clergé. A condition, aussi, de disjoindre ce conflit politico-religieux de l'autre, point crucial de cette histoire, celui des massacres de Septembre. A vrai dire, il fut facile de minimiser la première et d'éluder la seconde tant que les auteurs ignorèrent qu'ils étaient peut-être victimes d'une mystification née des premiers récits sur les massacres parisiens.

Jusqu'à maintenant, nul auteur, à quelque tendance qu'il appartienne, n'a contesté sérieusement que les prêtres des Carmes soient morts pour avoir refusé le serment. Nous verrons donc pourquoi la question doit être reposée; à quelles fins ensuite répondait un habile montage des récits. Mais suivons d'abord les arguments de l'historiographie religieuse moderne dans le débat de la licéité du serment non pas seulement pour l'intérêt rétrospectif du problème mais pour les indications méthodologiques qu'il suggère.

Pour Mathiez, aucun mystère : les assermentés de 1792 font preuve d'un adroit calcul politique dont feraient bien de s'inspirer leurs confrères du XXe siècle afin de résoudre aussi astucieusement qu'eux le conflit entre l'Eglise et l'Etat : « Les soumissionnaires, répète-t-il (16), comme on les appela (aujourd'hui on les appelle les soumissionnistes) étaient des politiques, des opportunistes qui comprenaient admirablement que la France ne voulait plus de royauté et qu'à solidariser l'Eglise avec la royauté, on détruirait celle-là, sans rétablir celle-ci. Très habilement, ils eurent l'air de s'accommoder de la République, ils essayèrent d'endormir ses défiances et ils firent des progrès rapides ». Et voici la morale de l'histoire : « Cette tactique des soumissionnaires aurait

(16) Il les étudie une première fois à propos des « divisions du clergé réfractaire » dans ses *Contributions à l'histoire religieuse de la Révolution française*, Paris, 1907. Il reprend toute la question en renforçant son opinion dans *La Révolution et l'Eglise*, Paris, 1910, p. 181; 221; 276.

été celle de la grande majorité du clergé d'aujourd'hui, s'il n'était tombé dans l'esclavage de Rome ».

Le malheur, pour cette thèse, vient de ce que précisément les soumissionnaires entendent bien demeurer dans la mouvance de Rome à la différence des constitutionnels qui, s'ils multiplient leurs protestations d'attachement au Saint Siège, n'en agissent pas moins en toute indépendance. Mathiez feint d'ignorer l'attitude des autorités révolutionnaires nullement éblouies par ces témoignages de civisme. Elles savent que, soumissionnaires ou non, les prêtres non constitutionnels persistent dans leurs sentiments romains et les traitent en conséquence au moment où s'organise la chasse aux prêtres en août 1792. L'enjeu exact de la controverse, ses dimensions réelles, apparaissent pleinement à travers l'exemple fameux de M. Emery, Supérieur général de la Compagnie de Saint Sulpice : « Conscience du clergé parisien », comme l'a dépeint l'un de ses premiers biographes.

Théologien universellement écouté et respecté, adversaire déclaré de la Constitution civile du clergé, il prête le serment de Liberté-Egalité à la section du Luxembourg. La stupéfaction et la réprobation à peine contenue se répandent, à cette nouvelle, dans les milieux romains et le clergé émigré. Sans doute ses défenseurs rappellent-ils inlassablement que le Sulpicien a prié la Section d'inscrire sur le procès-verbal les restrictions dont il accompagnait son acte. Il n'empêche qu'il maintient le principe et plaide courageusement la cause de tous ceux qui l'ont imité auprès du futur Cardinal Maury, évêque de Montefiascone, et de l'interprète du Pape lui-même, le cardinal Zelada, qui s'emploient à lui faire désavouer son geste. L'émotion est à son comble, car il ne vient à l'idée de personne que Monsieur Emery tenterait de s'opposer à la volonté de Rome si celle-ci se manifestait officiellement. Nous savons, notamment par la correspondance romaine des prêtres des Missions Etrangères de Paris, que l'on cherche à arracher cette condamnation au Saint-Père... Elle ne viendra pas et nous avons tout lieu de croire qu'elle fut toujours retenue au dernier moment par respect pour Monsieur Emery. Des membres du clergé émigré le disent à mots couverts (16 *bis*). Quant aux avantages de l'astucieuse tactique décrite par Mathiez, qu'on en juge : confiscation du Séminaire, emprisonnement sous la Terreur du soumissionnaire... et préventions tenaces contre lui de la part de certains confrères sous l'Empire (17).

Mais, après ses contemporains, le saint homme allait connaître les tracasseries des historiens. N'avait-il pas écrit au début d'avril 1793 à l'un de ses détracteurs ?

« Vous y qualifiez bien durement le serment du 3 septembre [1792] (18). Votre avis est qu'il est plus impie, plus perfide, plus exécrable que le premier. Nous n'en avons pas jugé ainsi à Paris. La très grande majorité des plus savans et des plus vertueux ecclésiastiques qui sont encore dans la capitale et qui ont cru devoir préférer le service des fidèles à la pureté personnelle que donne la déportation, a cru qu'il ne renfermoit rien d'illicite et qu'on pouvoit le prêter dans ces circonstances. Ainsi ont pensé le Général de Saint-Lazare et tous les Lazaristes, le Supérieur de l'Institution et tous les Oratoriens qui étaient demeurés fidèles, le Supérieur des Séminaires du Saint-Esprit et de Saint-Marcel; les Messieurs de Saint-Nicolas qui ont échappé au massacre de Saint-Firmin, le syndic de la Faculté et la très grande partie des docteurs de la Maison de Sorbonne; quelques évêques restés à Paris, comme Mgr l'Evêque de Die, le doyen de nos évêques. Une notable partie des prêtres détenus aux Carmes au jour de leur martyre étoit sous l'opinion qu'on pouvoit le prêter. Les ecclésiastiques enfermés à Saint-Firmin au nombre de 92 parmi lesquels se trouvoient presque tous les docteurs de la Maison de Navarre pensoient de la même manière. Je tiens ces faits de deux ecclésiastiques échappés l'un du massacre de Saint-Firmin et l'autre de celui des Carmes. » (19)

(16 *bis*) Cf. infra, p. 237.

(17) M. Boiret, procureur du Séminaire des Missions Etrangères de Paris, apprenant de Rome, en 1805, qu'il est question de rétablir les trois sociétés missionnaires de France sous la direction d'un Conseil des Missions apprécie sévèrement chaque membre de ce Conseil « composé du card. Fesch, président, son substitut et le 1er aumônier de S. M. Imp. Il y aura deux évêques dont on ne donne pas le nom, les Srs Brunet, Bilhère et Emery qui étoit Supérieur général de S. Sulpice et partisan du Serment de Liberté-Egalité de la soumission. Je vous laisse à faire vos réflexions sur la composition de ce conseil ». *Arch. des Miss. Etrang. de Paris* (M. E. P.), vol. 39, f° 635, lettre du 6 juillet 1805.

(18) La formule du 14 août était devenue applicable à tous les citoyens le 3 septembre.

(19) Cit. par O. Delarc, *L'Eglise de Paris pendant la Révolution française*, t. II, p. 337 et s.

Au moment où allait commencer l'enquête historique pour le procès de béatification des prêtres massacrés aux Carmes, ce témoignage d'une personnalité notoire, s'appuyant elle-même sur une liste impressionnante d'autorités religieuses, risquait de tout compromettre. Car, si les futures victimes des Septembriseurs inclinaient — au moins pour une fraction — pour ce serment et si ce serment était licite, où trouverait-on la preuve de leur héroïcité ?

Les plus célèbres historiographes de la France religieuse révolutionnaire se jetèrent dans la bataille en tant que savants et en tant qu'informateurs historiques de la cause dont le vice-postulateur fut Mgr de Teil (20). C'est en 1917 que les deux champions s'opposèrent : d'une part le chanoine Pisani, chef du parti « parisien » et favorable à Monsieur Emery, de l'autre le chanoine Uzureau, membre de la commission des Martyrs angevins, qui représentait les « provinciaux ». Deux optiques, deux conceptions qui risquaient d'aggraver les malentendus à travers articles, études, attaques et réponses qui étourdissaient les érudits.

Nous avons heureusement retrouvé à la Bibliothèque Historique de la Ville de Paris la correspondance du chanoine Uzureau avec le Conservateur qu'il veut gagner à sa cause en rassemblant ses propres arguments et ceux de la partie adverse (21). Ces documents, nullement destinés à la publication, précisent utilement des positions acquises jusqu'à maintenant. D'un style souvent passionné et confus, truffés d'allusions à des querelles personnelles, ils obligent à extraire ce qui se rapporte à notre sujet.

L'objet du débat roule sur deux questions :

1° — Quel serment fut exigé des prêtres emprisonnés et massacrés le 2 septembre ? Le chanoine Pisani venait de souligner l'importance de cette question, car « si le serment

(20) Mgr R. de Teil, *Evêques et prêtres martyrisés à Paris aux Journées de Septembre 1792. Articles du procès de béatification;* s. l. n. d. (édit. multigraphiée) — *Martyrs de septembre 1792 à Paris, réunion de la Commission chargée de promouvoir la cause de béatification et rapport de Mgr R. de Teil... 25 juin 1903; réunion et rapport du 15 juin 1907,* Lille, (s. d.).

(21) *Bibl. Hist. Ville de Paris,* ms. 767, f° 4 à 23, lettres de 1917-1918.

que les prêtres emprisonnés n'avaient pas voulu prêter cessait d'être exigé, ce n'était plus pour confesser leur foi qu'ils donnaient leur vie et le titre de martyrs pourrait leur être contesté » (22). L'auteur vise le serment constitutionnel rendu caduc par le 10 août. Uzureau repousse cette hypothèse avec indignation et répond que c'est bien le serment de Liberté-Egalité et lui seul qui fut déféré aux prêtres le 2 septembre. Pisani et Uzureau admettent sur ce point le témoignage de Monsieur Huillier, le secrétaire de Mgr de La Luzerne, évêque de Langres. Reste à savoir quel rapport existe entre le serment de 1791 et celui de 1792.

2° — Le nouveau serment est-il solidaire du premier ? Le chanoine Uzureau pour répondre par l'affirmative invoque l'étude du R. P. Misermont. Ce Lazariste venait de mettre le feu aux poudres avec sa nouvelle publication (23). Uzureau apportait, à quelques nuances près, sa caution aux thèses qu'il résumait ainsi : « 1) Le serment du 27 nov. devint caduc le 10 août (la disparition du Roi annulait radicalement toute la Constitution civile, cf. Misermont, p. 146). 2) Dès lors, *en droit,* il ne peut être déféré aux prêtres emprisonnés après le 10 août. 3) *En fait,* il ne leur fut pas déféré. 4) Le serment des 10-14 août fut déféré à bon nombre de victimes de septembre. J'admets parfaitement ces quatre thèses quoique les deux dernières aient besoin d'être poussées un peu plus que ne le fait l'auteur. » (24)

Nous voici désormais au cœur du litige. Pour Uzureau et Misermont, « ce nouveau serment était solidaire du premier dans l'esprit des martyrs et aussi dans l'esprit du législateur et de la commune de Paris ». Puis après cette étonnante assertion : « Pour nous, comme pour Mgr de Teil (vice-postulateur de la cause), ils sont tous des victimes de la Constitution civile du Clergé... » (25). Le chanoine d'Angers cite

---

(22) Dans *Polybiblion,* année 1917, p. 265.
(23) L. MISERMONT, *Le Serment à la Constitution civile du clergé. Le Serment civique et quelques documents inédits d'archives,* Paris, 1917.
(24) *Bibl. Hist. Ville de Paris,* ms. 767, lettre du 24 avril 1917.
(25) Lettre du 19 août 1917.

l'exemple suivant à titre de preuve péremptoire : « Un Sulpicien, M. Hourrier est arrêté le 16 août et interné aux Carmes. Son frère Antoine, qui était garde national, vient le trouver en prison et lui propose de le sauver s'il voulait faire le serment. Il refusa et fut martyrisé. Mgr de Teil et Cie (*sic*) veulent qu'il s'agisse du serment du 27 nov. 90. Ce n'est pas possible de la part d'un garde national à la fin d'août 92 : il s'agit de la formule du 10 août renouvelée le 14, 15 et 18 pour les ecclésiastiques d'autant que la Commune de Paris avait le 18 août ordonné à tous les Parisiens de faire ce nouveau serment ». (26)

Uzureau refuse donc de se joindre aux tenants de la thèse du serment constitutionnel, mais soutient qu'*en fait,* le serment de Liberté-Egalité n'est que le développement du précédent. Malheureusement son opinion repose sur des bases fragiles quant à la méthodologie et quant à la documentation. Sans cesse, il confond l'histoire du serment en province avec le drame parisien. « Pour les martyrs de septembre et pour nos prêtres de l'Ouest et en général de la province, il n'y avait qu'*un seul serment* dont la première formule avait été modifiée le 10 août... M. Emery ne fut jamais qu'un isolé avec sa petite colonie parisienne dans la France ecclésiastique qui rejetait le serment de 92 comme le premier dont il était le prolongement... Rome est avec nous puisqu'elle a déjà déclaré Vénérables, en juin 1916, les religieuses d'Orange guillotinées uniquement pour avoir refusé le serment de 1792 » (27). Puisque « Rome est avec nous », il était tentant de supposer qu'elle condamnait le serment comme conforme à l'esprit constitutionnel, ce à quoi s'était employé le P. Misermont, dans son ouvrage, en rassemblant toutes les interventions des prélats romains et français qui allaient dans ce sens, à défaut de la seule preuve qui aurait dirimé le procès : la condamnation par le Pape en personne.

Pisani et Mangenot qui n'ont pas à défendre la cause des Sœurs d'Arras, comme Misermont, ou celle des prêtres ange-

---

(26) Lettre du 3 décembre 1917.
(27) Lettre du 26 novembre 1917.

vins, comme Uzureau, exploitent facilement la faiblesse d'argumentation de leurs adversaires en ramenant la discussion sur son vrai terrain : les Carmes à Paris. On ne peut nier, rétorquent-ils en substance, que la licéité du serment de Liberté-Egalité fut sérieusement discutée entre les prêtres prisonniers tant aux Carmes qu'à l'Abbaye et à Saint-Firmin, sans aboutir à des conclusions nettes. Leur sentiment, à eux historiens, demeure que ce serment était purement civil et qu'il était en fait et en droit complètement distinct du précédent (28).

Ils récusent la position de repli d'Uzureau qui voudrait finalement diviser les assermentés de 1792 en deux classes. « 1) Ceux qui en le faisant entendaient adhérer à la Constitution civile du clergé, toujours loi d'état, et s'engageaient dans le clergé schismatique. 2) Ceux qui s'efforçaient de ne voir dans ce serment qu'une affaire purement civile et politique comme M. Emery. Il fallait une rare dose d'aveuglement volontaire, à mon avis, pour fermer les yeux sur le sens que prenaient les mots de Liberté et d'Egalité dans le jargon administratif du temps. Nos prêtres angevins ne s'y trompèrent pas et tous (sauf 2) refusèrent le serment à leur passage à Nantes » (29). Le débat tournait de plus en plus à l'aigre, lorsqu'en 1926, Rome béatifia les prêtres massacrés aux Carmes... Chacun crut voir dans cet acte la réponse qu'il cherchait...

La querelle serait sans importance et nous aurions renoncé à en faire état, étant donné son côté déplaisant, si l'autorité, la bonne foi et le retentissement littéraire de ses auteurs n'en avaient marqué l'historiographie pour cinquante ans... voire plus. D'autres érudits cherchent toujours et fort activement à faire triompher la cause des victimes religieuses de la Révolution dans leur région. Nous savons par la correspondance échangée avec eux que les équivoques subsistent parce qu'on continue d'utiliser les études d'Uzureau, de Pisani et de Misermont...

---

(28) *Ibidem*, ms. 798, f° 103, lettre de Mangenot du 8 juillet 1918 au même correspondant.
(29) Lettre du 14 mai 1917.

Si nous voulons les relire avec un œil neuf, il est temps d'en dénoncer l'insuffisante méthodologie qui, abstraction faite de la passion due aux hommes, à l'époque et aux objectifs poursuivis, sollicite deux conclusions. D'une part, la nécessité de substituer le contexte politique et religieux dans lequel évolue au plan local la législation sur le serment de Liberté-Egalité. Les départements, les autorités de province réagissent différemment à l'annonce du bouleversement politique provoqué par le 10 août. Par surcroît, les réactions religieuses varient selon le succès de la législation mise en place l'année précédente, selon le degré de sensibilité religieuse et surtout selon le processus de déchristianisation amorcée ou non dans la région considérée.

Une piste de recherches est lancée par le chanoine Uzureau lui-même : en combien d'endroits, comme dans l'Ouest, les autorités ont-elles obligé les prêtres à souscrire au serment selon la même formule utilisée depuis le 27 novembre 1790 ? Quels remaniements furent apportés à cette formule originelle ? Pour quels motifs ? En tout état de cause, il faut s'attendre à une physionomie de ce serment de 1792 beaucoup plus riche en contrastes que celle de 1791 et d'un intérêt certain pour tâter le pouls de la province qui vibre aux événements parisiens.

Mais, une fois encore, le débat nous aura instruits sur les excès d'une étude juridisante au mépris de toute sociologie. On se prend à sourire devant ces auteurs qui se portent garants des intentions et de l'Assemblée et de la Commune de Paris et... des victimes. On serait prêt à se fâcher lorsqu'on les surprend en flagrant délit d'extrapolations spécieuses. N'est-ce pas le cas à propos de l'attitude des autorités romaines face au serment de 1792 ? L'accord est total pour la voir apparaître *après* les événements de septembre ? Quelle importance lui conférer dès lors pour supputer les motivations des prêtres prisonniers, si ce n'est une justification *a posteriori* que répudie l'histoire ?

Jamais des érudits de cette classe n'auraient commis une pareille bévue s'ils n'avaient été emportés par l'élan de leur argumentation juridique, au point d'oublier ce que tentait de leur rappeler sagement l'un de leurs arbitres universitaires : les documents de la cause étaient trop ignorés et trop dispersés pour qu'un historien vraiment digne de ce nom puisse prétendre à une autorité définitive dans la querelle des serments imposés aux ecclésiastiques (30). Peut-être qu'en voulant tenir cette porte ouverte vers l'avenir pressentait-il qu'une quête des documents — rarissimes, nous ne le savons que trop, en ce qui concerne les massacres de Septembre — amènerait les générations suivantes à reprendre le dossier en entier et à s'attaquer au vrai problème en cause : le drame du 2 septembre tel que l'ont vécu les victimes.

Pourtant l'espoir s'avérait mince. Depuis le temps que les historiens en débattaient, les archives publiques et privées avaient été inlassablement fouillées, la littérature existante passée au crible sans que les massacres livrent leur mystère, c'est-à-dire leur interprétation « définitive », malgré d'excellents travaux sur le sujet, en particulier celui de P. Caron (31).

Il fallait se résigner... lorsqu'en dépouillant les riches papiers révolutionnaires du Séminaire des Missions Etrangères de Paris, nous trouvâmes les *Lettres à un Ami sur l'enlèvement des prêtres de la Communauté des Eudistes et le massacre fait le 2 septembre 1792 dans le couvent des Carmes à Paris — Par un prêtre échappé au carnage* (32). A dire vrai, elles avaient été publiées dans la revue des Pères Eudistes en 1938 (33) sans connaître l'audience qu'elles étaient susceptibles de recevoir de la part des chercheurs. Nous ne saurions

---

(30) G. Audiat, *Un bon ouvrier de la vérité, M. l'Abbé Uzureau et le serment de Liberté-Egalité*, Paris, Picard, 1918, 16 p. in-8.

(31) P. Caron, *Les massacres de septembre*, Paris, 1935.

(32) *Arch. des M. E. P.*, vol. 1055, « Clergé de France-Révolution », f° 21 à 54.

(33) Dans la revue *Les Saints Cœurs de Jésus et de Marie*, année 1938, par les P.P. Georges et Malabeuf, à la suite d'une mention de J. Herissay, « Septembre 1792 », dans *La Revue des Deux-Mondes*, 8e série, t. XVII, 1937, p. 613-636. Nous devons la communication de cette publication, ainsi que plusieurs renseignements à l'obligeance du P. Berthelot du Chesnay.

dire pourquoi ces lettres parfaitement accessibles, semblèrent rester si longtemps inconnues avant que d'être méconnues.

L'auteur a été identifié avec l'abbé Joseph Saurin né à Marseille en 1733, entré chez les Jésuites de la Province de Lyon en 1753. Après la suppression de la Compagnie de Jésus, il réside à Paris à partir de 1765 et devient pensionnaire de la maison eudiste des Tourettes (34) sans toutefois appartenir à cette Congrégation (35). Nous verrons dans quelles circonstances il fut appréhendé, incarcéré et sauvé du massacre. A la fin de septembre, il se réfugie à Rome.

L'examen interne des lettres permet de conclure qu'elles furent rédigées vers la fin de mars ou le début d'avril 1793. Saurin mentionne, en effet, qu'il vient d'apprendre l'attentat dont Manuel fut victime à Montargis. Or, cet attentat eut lieu à la mi-mars 1793. A Rome, il entre en relations avec les deux Missionnaires de Paris, MM. Boiret et Descourvières, qui prennent copie du texte de leur confrère. Les archives de la Société la gardent encore. Aucun autre indice ne peut aider, jusqu'à maintenant, à la découverte des minutes non plus qu'à la personnalité du destinataire. Telle quelle, cette longue narration dont nous ne pouvons publier que quelques extraits — plus conformes à la copie que ceux cités par les PP. Georges et Malabeuf — contient de précieuses informations sur les rôles du P. Lenfant, le jésuite ex-confesseur du Roi, de M. Hébert, supérieur des Tourettes et successeur du P. Lenfant à la Cour.

Entrons sans plus tarder dans les sentiments de l'auteur afin de mieux dégager la valeur de son récit :

« Première lettre :

« J'obéis au p. G. (36) et je tâche de vous satisfaire vous-

---

(34) Sur le climat révolutionnaire aux Tourettes en 1791-1792, cf. B. Plongeron, « Les Eudistes à Paris devant le serment constitutionnel » dans, *Notre Vie*, t. IX, mai-juin 1962, p. 68-80.

(35) A. Guillon. *Martyrs de la Foi pendant la Révolution française*, Paris, 1821, 4 vol. in-8; t. I, p. 197.

(36) Ce n'est pas l'abréviation du Père Général. Jusqu'en 1866, les Eudistes appelaient leur Général « Très Honoré Père ». M. Hébert n'était pas le coadjuteur du Supérieur Général, Pierre Dumont, baptisé à Clécy (Calvados), le 8 février 1723, élu Supérieur Général le 3 octobre 1777,

même, mon cher ami... Je vous diroi comment je fus arraché de ma chère solitude, détenu captif avec un grand nombre de prêtres vénérables. Je vous parleroi de la manière dont on nous traitoit dans notre prison et de l'emploi que nous y faisions de notre tems. Je rappeleroi des souvenirs amers, j'en viendroi à la terrible catastrophe qui termina la sainte carrière de tant de confesseurs de la foi, de plusieurs confrères que nous honorions (...) tous disparus en quelques instans, tous perdus pour nous dans l'interval d'un soir. Vous désirez des détails : je feroi mes efforts pour vous contenter mais il ne me sera pas possible de remplir aujourd'hui ma tâche entière. De pareils récits sont trop douloureux pour les faire tout d'une halène. Je vous écrirai en plusieurs fois et cette lettre ne sera que le commencement de ma triste narration. »

Deux autres lettres suivront, en effet, sans que l'abbé Saurin cherche à contenir son émotion en évoquant ses cruels souvenirs. Souvent il bute sur l'événement, hésite, se reprend pour confirmer une circonstance ou infirmer une rumeur, toujours soucieux de revivre l'angoissante alternance des espoirs de survie qui fusent parmi les prisonniers et des abattements soudains quand la menace se précise. De toute évidence, l'auteur ne cherche pas à composer un récit pour la postérité. Non sans répugnance, il dépeint ce qu'il a vu, ce qu'il a vécu, comme l'un des quelques deux cents prisonniers qui s'entassent dans ce couvent transformé en geôle à la fin du mois d'août. Par là même, ces notations sont précieuses, malgré des erreurs sur des détails, parce qu'elles ne se réfèrent à aucun plan préconçu, à aucune thèse soutenue par quelques témoins, rescapés, comme lui, du « carnage ».

Il commence, et c'est l'objet de la première lettre, par raconter les circonstances de l'arrestation. Tout débute le 12 août à « 6 heures du soir » par une visite domiciliaire chez les Eudistes. « Un magistrat en écharpe » se porte à la tête d'une foule nombreuse pour cerner les Tourettes. Motif ? « Il dit que le peuple nous soupçonne de cacher des armes dans l'intérieur de la maison » (37). On pille, on retourne tout.

---

mort — interné à Caen — dans le couvent du Bon Sauveur, le 8 janvier 1796. Ce p. G. serait très probablement un ancien Jésuite comme Saurin. Saurin.

(37) Dans notre étude sur « Les Eudistes à Paris devant le serment

Quelques pensionnaires apeurés « s'enfuirent dans le jardin. Ils furent poursuivis, menacés du sabre et même du canon que l'on pointe contre eux et ramenés à la loge du portier où on les consigna ». La perquisition se poursuit tard dans la nuit sans aboutir à des résultats concluants, excepté

« l'enlèvement de trois ou quatre prêtres qui furent conduits à l'hôtel de ville ou maison commune et qu'on relâcha sur leurs réponses à l'interrogatoire qu'on leur fit subir. Il est à croire que les juges qui les entendirent n'étoient pas des membres du Comité secret. J'oubliois de vous dire que le portier de la maison manqua plusieurs fois d'être égorgé pendant cette nuit parce que les patriotes le prenoient pour un Suisse et que depuis le 10 aoust on massacroit ces malheureux étrangers partout où l'on en trouvoit. »

Accalmie, entrecoupée d'alarmes, quand « des commissaires de la Section nous avertirent qu'on venoit les fatiguer de dénonciations et de plaintes sur ce que nous disions la messe, nous confessions dans notre chapelle domestique dont la porte étoit fermée au public », ce récit se prolonge jusqu'au 30 à cinq heures du matin.

Ce jour-là, on fait lever tout le monde, ordre de s'habiller, rassemblement général dans la cour pour six heures. « Nous étions vingt-un tous en habit laïc ». La colonne s'ébranle à l'aube et gagne le poste de Section.

« Nous traversâmes les rues voisines de notre habitation. Celle des postes, celle des fossés Saint-Jacques où nous étions connus. Le peuple en nous voyant passer gardoit un morne silence. J'apperçus même des artisans qui s'enfonçoient dans leurs boutiques pour n'être pas témoins de ce spectacle et pour cacher leur douleur. Mais, loin de notre demeure, nous fûmes beaucoup hués, beaucoup injuriés. Nous trouvâmes à la Section plusieurs autres prêtres qui avoient été arrêtés en divers endroits (38). On nous envoya tous à l'hôtel de ville. La Section, comme je l'ai sçu après, n'avoit pas voulu se charger de la honte de notre emprisonnement. »

---

constitutionnel », nous avons montré que le commissaire de la Section de l'Observatoire avait plusieurs fois averti, les jours précédents, M. Hébert, d'une descente imminente. Il y avait trop d'allées et venues dans cette maison qu'on soupçonnait d'être une agence royaliste en relations avec des émigrés. Cette sollicitude des autorités sectionnaires est confirmée quelques lignes plus loin par le narrateur.

(38) M. Hébert avait été arrêté le 11 comme confesseur du Roi.

Longue et pénible attente à l'Hôtel de Ville. A dix heures, un officier de justice se présente.

« On lui dénonce des prêtres réfractaires arrêtés la nuit précédente ou dans la matinée de ce jour et traduits à son tribunal. Il jette un regard sur nous et il ordonne sans autre forme que nous soyons transportés à Saint-Firmin. M. Hermès, docteur de Sorbonne, ose représenter au magistrat qu'il seroit plus équitable de nous entendre avant de nous punir de prison, le prie de nous dire sur quels indices nous pouvions être réputés coupables et lui observe que ce refus de prêter un serment qu'il nous étoit libre, aux termes de la loi, de ne pas faire ne pouvoit constituer un délit. Le juge lui répond que des affaires plus pressantes que la nôtre l'occupent, qu'il étoit un serment que tout citoyen devoit prêter, que nous allions être conduits aux Carmes (et non plus à Saint-Firmin), où l'on viendroit bientôt nous lire le décret sur la déportation. Ceux qui n'y seront pas sujets, ajouta-t-il, seront tenus de vivre en commun à Port-Royal, dans cette maison fameuse par des querelles religieuses et sur le frontispice de laquelle on mettra dans peu : ci-gît le clergé. »

Cet « officier de justice », apprendra plus tard Saurin, s'appelait Manuel. Mais qui fut donc l'instigateur de l'affaire du 12 août chez les Eudistes ? Un procès-verbal de la séance tenue le 8 prairial an III à la Section du Théâtre Français érigée en commission d'épuration, à la suite de la loi du 5 prairial, permet de suppléer partiellement aux ignorances de Saurin. « Le citoyen Massé (39) dénonce Maillard présent à la séance et l'accuse d'avoir été un des plus ardens coopérateurs des arrestations et des mauvais traitemens faits aux malheureux habitans du Séminaire des Eudistes, rue des Postes, qui ont été presque tous massacrés. Il rend hommage à l'humanité du citoyen Henault auquel lui et quelques autres durent la vie dans ces jours d'horreur.

Henault rend compte de ce qui se passa dans une de ces visites inquisitoriales faites dans cette maison, de la peine qu'il eut à contenir les barbares suppôts des ordonnateurs

(39) Le citoyen Massé, n'est autre que le portier des Tourettes malmené dans la nuit du 12 août. François Macé, frère coadjuteur chez les Eudistes, mourut du choléra en 1832. Les Archives de la Congrégation conservent une lettre de lui : à la vérité, de ton peu amène pour ses anciens confrères accusés d'ingratitude à son égard.

des massacres de Paris. « Ils vouloient tout égorger. Maillard étoit un des plus effervescents. Il fut même obligé de le menacer de lui passer son épée dans le ventre, s'il ne restoit pas tranquille. Raquin jeune confirme ce qu'ont dit les préopinans. Il dit avoir tout vû et qu'il enleva du milieu des sabres, des bayonnettes et des poignards, le malheureux Lablandinière, vieillard respectable, qui fut sur le point d'être immolé. Il ne peut cependant assuré (*sic*) que Maillard fut du nombre.

Duchesne dit que Maillard étoit un des chefs et qu'il l'a vu conduire les Eudistes au Comité Civil ayant des épaulettes sur son habit. Maillard nie ce qu'on lui reproche et soutient qu'à l'époque dont il est question, il étoit à l'armée. On s'écrie de toutes parts que cela est faux... » (40). Maillard n'en sera pas moins décrété d'arrestation « comme ayant servi la cause des tyrans et participé aux crimes qui furent commis dans le séminaire des Eudistes ». Bien des détails concordent, on le voit, avec le récit de Saurin de la nuit du 12 août encore que rien ne permette de reconnaître formellement le « magistrat en écharpe » dans le septembriseur.

Au demeurant, l'important est de relever que cette première perquisition suivie de violences échappe à la responsabilité des autorités sectionnaires. Le fait semble assez courant au cours du mois d'août; certaines sections répugnent aux sévices contre les communautés même de prêtres réfractaires. Leur mansuétude ne laisse absolument pas présager la fureur de septembre. Les prêtres des Missions Etrangères, de la Section de la Croix Rouge, en témoignent à leur tour auprès de leurs confrères des colonies. Le résumé de leurs démêlés avec les autorités révolutionnaires ressemble beaucoup à celui de Saurin.

Dans la nuit du 14 au 15 août a lieu une descente de Marseillais au Séminaire. Ils brandissent une liste sous le nez du portier à peine vêtu et lui demandent où se trouvent les

---

(40) *Bibl. Hist. Ville de Paris*, ms. 749, f° 113. Il ne peut s'agir du célèbre septembriseur Stanislas-Marie Maillard dit *Tapedur*, mort à Paris, le 15 avril 1794, à 30 ans. Il est difficile de l'identifier avec ses homonymes relevés par P. Caron, « Recherches biographiques sur les Maillard », dans *La Révolu'ion française*, 1932, p. 61-70; p. 149-150.

suspects. Devant son ignorance, affectée ou réelle, ils enfoncent les portes et parcourent les longs couloirs. Le Séminaire abrite effectivement quelques pensionnaires dangereux. Ainsi :

« M. Bottex, curé du diocèse de Lyon, ancien député de l'Assemblée Constituante. Averti quelques minutes auparavant, M. Bottex s'étoit, croyoit-il, débarrassé de tous ses papiers compromettans, brochures et livres anti-révolutionnaires, en les jetant par la fenêtre sur le toit de l'ancien hôtel de l'évêque de Langres; malheureusement il avoit oublié sur sa table une lettre d'un émigré. Cette lettre fut apperçue, lüe à haute voix et aussitôt M. Bottex fut garotté et emmené à la Force où il fut massacré. »

Après cette visite, pour les amadouer on les régale de vin : « il y a d'honnêtes gens dans cette maison », disent-ils !...

Tout se passe différemment au cours d'une nouvelle perquisition, le 23, menée, cette fois, par les autorités sectionnaires. A sept heures du soir, les commissaires des Lombards tombent sur les prêtres qui prennent leur repas. Ils viennent vérifier si l'on n'entretient pas dans cette maison de correspondance suspecte.

« Tout le monde descendit alors au réfectoire. Pendant qu'on écrivoit le procès-verbal de la visite, quelque mauvais sujet de la section de la Croix Rouge dont dépendoit le Séminaire s'écria qu'il falloit conduire tous ces prêtres aux Carmes. Les commissaires s'y refusèrent en déclarant que leur mission étoit d'arrêter ceux-là seuls qui seroient coupables et que les prêtres des Missions Etrangères ne l'étoient pas. »

Bien mieux, au cours de cette visite fut découverte une valise renfermant des documents compromettants et appartenant au Supérieur, M. Hody. On la confisque et trois jours plus tard... le Supérieur va réclamer sa valise qu'on lui rend.

Le dimanche suivant, les autorités de la Croix Rouge sont de nouveau au Séminaire.

« Ils déclarèrent que la maison avoit de mauvais voisins qui leur avoient indiqué tous les endroits où l'on pouvoit se cacher. Ces voisins disoient avec déplaisir que tous ces commissaires étoient à leur arrivée comme des lions qui sembloient devoir tout dévorer et qu'à leur départ ils étoient doux comme des agneaux » (41).

Ainsi tant à la Croix Rouge qu'à l'Observatoire et aux Lombards, les commissaires veulent opérer dans la légalité et manifestent si peu d'animosité contre les prêtres réfractaires qu'ils prennent le risque de les avertir à mots couverts des perquisitions prochaines dans leurs maisons pourtant suspectées, à juste raison, de menées contre-révolutionnaires. Ceci à quelques jours des menaces et dans l'atmosphère déjà surchauffée de la capitale.

Il y a plus : si l'on a suivi attentivement le récit de Saurin on aura remarqué qu'à aucun moment les inculpés n'ont été astreints à prêter le serment, fût-ce pas Manuel lui-même et malgré les provocations de l'abbé Hermès. D'autres pressions plus directes vont-elles s'exercer au cours des circonstances immédiates du drame narrées dans la deuxième et la troisième lettre ?

Le témoin s'attache d'abord à l'atmosphère qui règne aux Carmes parmi les prisonniers et à leur emploi du temps jusqu'au dimanche fatal lorsqu'il y pénètre à son tour avec trente-cinq confrères placés sous la garde de la section du Luxembourg « composée de patriotes par excellence ».

« La nef de cette petite église contenoit déjà cent-vingt prisonniers. Les deux à-côtés, les chapelles, le sanctuaire tout étoit couvert de lits. On étoit obligé d'en retirer un certain nombre pendant le jour et de les mettre en tas pour ouvrir les passages nécessaires. »

Les détails sur la vie quotidienne concordent avec ceux qui furent publiés par ailleurs. Le matin : exercices de piété avec prière dite par l'archevêque d'Arles pour tous les prêtres privés de messe depuis qu'ils ont refusé les services d'un constitutionnel, repas à vingt-cinq sols servi à une heure dans l'église par un traiteur. L'après-midi : promenade dans le jardin pendant qu'on brûle dans la nef de l'encens et des grands baquets de vinaigre pour assainir un peu l'air empesté par cette surpopulation.

---

(41) *Arch. des M.E.P.*, vol. 36, f° 73-75.

« L'officier de service faisoit l'appel dans l'église à mesure que nous sortions et il le renouvelloit dans le jardin au moment de la retraite. On postoit des sentinelles sur les passages quand nous y allions et quand nous en revenions. Nous étions gardés à vüe dans le jardin même... »

L'abbé Saurin profite de la promenade pour mieux connaître ses compagnons, prêtres et laïcs. Il se renseigne sur les uns, converse avec les autres et fait cette importante remarque : « Un jour que la conversation tomba sur le dernier serment, Mgr l'Evêque de Saintes s'exprima en ces termes : « moi, je ne le feroi pas avec la grâce de Dieu ».

Le serment de Liberté-Egalité demeure donc une éventualité dont on discute aux Carmes comme l'affirmera plus tard M. Emery. Une certaine sérénité préside aux débats puisque les captifs croient toujours que le prix du refus de ce serment sera la déportation. Leur conviction commence d'être ébranlée le 31 août.

« Sur les onze heures du soir, on étoit venu nous signifier le décret concernant la déportation (42). Le lendemain, nous demandâmes à nos Section respectives notre élargissement à l'effet d'obéir au décret qu'on nous avoit notifié la veille et auquel nous étions tenus de nous conformer dans un très court délai. Les Sections nous renvoyèrent à la Commune, la Commune aux Sections et rien ne fut décidé. On ne vouloit donc pas nous déporter. »

D'où le nouvel aspect des choses : « Nous étions donc aux Carmes pour servir d'otages ou de victimes comme dit alors un de nos confrères ».

Le remue-ménage du samedi 1er septembre et de la matinée du dimanche renforce ce pressentiment tout en libérant des espoirs insensés. La garde doublée, la dispersion des groupes au cours de la promenade, la restriction des visites du dehors, l'ordre de se tenir prêt à régler le traiteur... est-ce la fin, ou la délivrance prochaine ?

« Dans la matinée du dimanche, nous nous acquittâmes envers le traiteur. Les plus attentifs parmi nos confrères attri-

(42) L'Assemblée ordonne, le 26 août, la déportation ou plutôt le bannissement de tous les prêtres réfractaires.

buant la conduite rigoureuse et l'humeur inquiète de nos gardes au chagrin que leur causoient le succès et les approches du duc de Bruswich (*sic*), nous recommandoient d'être plus circonspects que jamais dans nos paroles de crainte que les prétendus patriotes ne s'imaginassent que nous nous réjouissions des événemens qui excitoient alors leurs plus vives allarmes. »

Dès lors le doute n'est plus possible dans leur esprit : ils doivent se considérer comme otages, politiques s'entend.

Quelques heures les séparent du dénouement lorsque le tocsin sonne à Saint-Sulpice et que les massacreurs s'engouffrent dans la rue Saint-Hyacinthe aux accents du *Dies irae*. « Il étoit environ cinq heures, nous entrions à peine dans le jardin lorsque nous entendîmes des cris tumultueux qui partoient du côté de la rue de Vaugirard.

« Les gardes ne peuvent contenir les émeutiers qui enfoncent les portes de jardin et se répandent déjà parmi les plantations. L'impuissance des troupes régulières inspire à Saurin cette réflexion : « Mais dans cette supposition (qu'ils étaient submergés sous le nombre) pourquoi ne pas requérir les magistrats de la Section ? Pourquoi ne pas demander main-forte aux volontaires du poste le plus voisin ? Peut-être aussi que les uns et les autres refusèrent toute assistance, car autant la populace est féroce à Paris, autant le bourgeois est-il timide et pusillanime; et quant aux administrateurs de la Section du Luxembourg, je ne puis douter qu'ils ne connivassent avec les tyrans. »

Sans philosopher davantage, il s'abandonne aussitôt au fil des événements qui ensanglantent le couvent et ses jardins. Il n'est plus qu'un témoin oculaire, une victime désignée qui décrit les faits tels qu'il les voit sans se préoccuper de dresser un tableau d'ensemble. Son récit haché distingue toutefois quatre phases correspondant à son aventure personnelle.

1re phase : la tuerie dans le jardin. Certains prêtres, plus jeunes, grimpent dans les arbres et se laissent tomber dans les jardins voisins pendant qu'on continue de tirer sur eux. La fusillade s'interrompt un moment devant les protestations de l'Archevêque d'Arles. On en profite pour rassembler les prêtres traqués au pied de l'escalier du couvent et les refouler dans l'église au milieu d'une confusion propice à quelques évasions à travers les corridors.

2e phase : l'attente dans l'église. Les prêtres se donnent mutuellement l'absolution. Des meurtriers se tiennent dans une chapelle attenante au sanctuaire. « Ici les couleurs me manquent pour peindre la rage, la furie de ces hommes. Mais non. Ce n'étoit pas des hommes, c'étoit des êtres infernaux... La journée de Saint-Barthélémi, la mort récente de leurs frères sur les frontières formoient des chefs d'accusation contre nous; nous étions des fanatiques, des hippocrites, des séditieux, des fauteurs de tyrans : ils alloient sans plus différer nous punir de tous nos méfaits. « Près d'une demi-heure s'écoule ponctuée de coups de feu contre les derniers fugitifs dans le jardin.

3e phase : reprise du massacre, dans l'église, en deux temps. On s'adresse d'abord aux victimes rassemblées dans la nef. On les pousse dehors selon les bruits qu'entend le témoin, car lui-même, avec un petit groupe, se tient dans le sanctuaire lequel est séparé de la nef par une cloison. « Selon la conjoncture que je formois alors, on commençoit leur massacre dans le jardin. Je crois encore que c'est dans ce lieu ou dans des caves dont les soupiraux donnent dans cet endroit (43) que mes illustres confrères ont souffert le martyre mais je ne puis l'assurer ». Vient enfin le tour des prêtres toujours parqués dans le sanctuaire. « Allons, Messieurs, allons, deux à deux, dit un petit homme d'une phisionomie sinistre, vêtu d'un habit bourgeois et tenant un sabre nud et levé ». L'abbé se prépare à mourir au moment où il est reconnu par deux jeunes compatriotes marseillais. « La curiosité les avoit conduits aux Carmes... Ce sont les parisiens qui font ceci me disoient-ils » tout en le protégeant et en le conduisant à part au bas de l'église.

4e phase : les rescapés passent un jugement. Alors que retentissent les derniers cris des prêtres assassinés « un

(43) Ces caves existent bien, mais aucun autre récit ne fait allusion à cet endroit comme théâtre du massacre.

homme s'approcha de moi et m'addressa ces paroles : vous nous direz du moins le complot. Je dirai la vérité, lui répondis-je — Vous le sçavez donc le complot. Je n'ai point dit que je scusse le complot, j'ai dit que je déclarerai la vérité. Quant au complot, s'il y en a un, je l'ignore... — Tant pis pour vous... Si vous étiez un honnête homme, vous ne seriez pas ici ». Les fédérés, qui défendent Saurin, abrègent ce dialogue dangereux et lui font rejoindre un groupe de six à sept confrères à la faveur de la nuit tombante.

« J'ignore le sujet pour lequel on les avoit épargné. Conclure de cette distinction qu'ils avoient fait quelque serment condamnable, ce seroit leur faire injure et tirer une fausse conséquence comme on en jugera par le trait suivant ». Il rapporte le massacre du directeur des religieuses de la Miséricorde qui a refusé le serment sous ses yeux. Un exemple au milieu de beaucoup d'autres ? L'abbé Saurin qui est bien placé à Rome pour savoir qu'on cherche à accréditer cette thèse n'hésite pas à ajouter ce post-scriptum :

« Une remarque que je ferai encore ici est que le commissaire en parlant des prisonniers qui n'avaient pas subi le sort du plus grand nombre, n'allégua point pour motif un serment qu'ils eussent fait ou promis de faire. J'attribue cette distinction à des protecteurs, à quelques recommandations particulières. *Je n'ai entendu proposer le serment que dans deux occasions particulières. Je ne sache pas qu'on ait offert à tous les prisonniers l'alternative du serment ou de la mort. On n'en laissa pas le choix non plus aux prêtres qui furent massacrés le lendemain matin dans le Séminaire de Saint-Firmin* » (44).

Finalement, vers huit heures du soir, l'abbé Saurin toujours escorté des deux Marseillais qui s'ingénient à le faire passer pour un de leurs parents, marche avec les autres rescapés vers l'église Saint-Sulpice. Dans le chœur, siège un tribunal devant qui comparaît chaque inculpé sorti de la sacristie convertie en dépôt. C'est au cours du transfert à la sacristie que les Marseillais font évader le prêtre en utilisant

---

(44) P. S. au f° 51. Nous ignorons pourquoi il est absent du texte reproduit dans la Revue des *Saints Cœurs de Jésus et Marie*, p. 244.

une porte latérale cachée dans le pénombre. Une nuit noire favorise la fuite. Saurin se réfugie chez des amis et gagne Rome à la fin de septembre.

Assurément la publication intégrale de cette longue narration de trente-trois folios susciterait d'intéressants commentaires. Dans le cadre de cet exposé, bornons-nous aux remarques essentielles.

La plus caractéristique nous paraît ressortir à la trame même du récit : ce prêtre, indubitablement réfractaire et foncièrement hostile au mouvement révolutionnaire, rompt en quelque sorte avec les idées de son milieu en privilégiant sans cesse le plan politique par rapport au débat religieux, tout en se gardant de tomber dans la thèse. Pour lui, le massacre des Carmes est bien le résultat d'un complot révolutionnaire dans la hantise duquel vivent certains de ses confrères mieux informés ou plus passionnés. Pour ceux-ci ce complot est ourdi bien avant les revers français à la frontière : c'est ce que rapportent MM. Boiret et Descourvières sur le chemin de l'émigration.

« Comme des prêtres ne pouvoient voyager en sécurité avec leurs habits ordinaires, nous nous déguisâmes et nous partîmes le 20 mai par la diligence de Besançon. Nous eûmes, entr'autres compagnons de voyage, deux clubistes enragés. L'un de ceux-ci qui faisoit sa résidence à Pontarlier reconnut aussitôt le Sr Descourvières avant même de monter en voiture et ils s'apperçurent bientôt après que nous étions confrères, mais ils ne cherchèrent pas à nous faire de la peine. Seulement ils déclamoient souvent en général contre les nobles et les prêtres non jureurs (ils ne doutoient pas que nous fussions du nombre) et ils nous assuroient que le projet de les massacrer tous aussitôt que les troupes étrangères entreroient en France étoit très réel. Ils nous assurèrent de plus qu'il y auroit incessamment un décret qui ordonneroit l'exportation de tous les prêtres non jureurs hors du royaume » (45).

Saurin, lui, n'entre dans sa personnalité d'otage politique qu'au fur et à mesure des rumeurs inquiétantes, des menaces de ses gardes. Avec ses compagnons de captivité il

(45) *Arch. des M. E. P.*, vol. 319, f° 601.

se laissera prendre à la comédie du 31 août et des préparatifs de départ pour obéir au décret de déportation.

On remarquera aussi qu'il ne retient aucun propos réellement anti-religieux dans la bouche des soldats comme si ce qu'il entendait avivait sa conscience d'appartenir à une classe sociale, le clergé, abhorrée parce que propagatrice de la contre-révolution au même titre que la noblesse.

Pourtant, au milieu de cette réprobation haineuse qu'il sent se cristalliser autour de lui depuis son arrestation, il se garde de confondre les responsabilités. Certes, les sectionnaires du Luxembourg ne lui inspirent pas grande confiance et de dénoncer la criminelle incapacité de leurs chefs à mettre un terme à la boucherie. Il le fait d'autant plus nettement qu'il a reconnu l'attitude correcte et objective des autres sectionnaires auxquels il a eu affaire auparavant. Fait notable, il témoigne du rôle des parisiens parmi les émeutiers : peut-être faut-il voir là l'intervention des Marseillais qui lui sauvent la vie et sa propre qualité de Marseillais ? En tout cas, il apporte un nouvel élément dans cette question controversée.

Mais le plus étrange, le plus neuf de celui qu'il verse au dossier de l'histoire est, sans conteste, le caractère secondaire, pour ne pas dire fortuit, du serment.

Il se refuse à faire du drame des Carmes une lutte héroïque autour de cette question, il récuse par avance la fière légende du tribunal installé par Maillard dans l'étroit escalier du couvent, désignant d'un index vengeur chaque accusé après vérification de son identité sur le registre d'écrou. Il conteste le bref interrogatoire réduit au fameux dilemme : *le serment ou la mort*. Pas de tribunal, pas de Maillard, en un mot, pas de massacre scientifiquement préparé et perpétré explicitement en haine de la foi.

Indéniablement, Saurin qui se plaît à rendre hommage à ses compagnons tombés, qui convient sans difficulté qu'ils ont souffert le martyre, contredit la lignée des historiens qui fondent ce martyre sur le refus du serment. La majorité des prêtres des Carmes était sans aucun doute dans l'intention de repousser toute formule de fidélité au nouveau régime, mais elle ne s'est pas trouvée dans le cas de passer à l'acte. Bien mieux, la série d'arrestations dont il fut le témoin et les accusations lancées au cours de son internement s'apparentent à des motivations politiques plus que religieuses.

Ne serait-ce pas la raison de la mystérieuse sourdine mise à ce récit ? Car, on s'explique de moins en moins le silence dont on entoura le témoignage du rescapé des Carmes dans un moment où l'on glanait pieusement le plus modeste fragment concernant l'histoire du drame. Saurin n'est pas un inconnu puisqu'il figure parmi les *Martyrs de la Foi* de l'abbé Guillon : « L'abbé Saurin avoit recueilli avec beaucoup de soin des notices intéressantes sur les captifs de l'église des Carmes et chaque article étoit apostillé de notes marginales infiniment précieuses. Son manuscrit qu'il communiqua aux mêmes ecclésiastiques (MM. Vialar et d'Auribeau) a été rapporté par lui-même en France lorsqu'il y est revenu; et, tout en regrettant de n'avoir su où le trouver, nous désirons bien ardemment qu'il tombe en des mains capables de le faire servir à la plus grande édification des fidèles » (46).

Où est ce manuscrit ? Où sont les originaux de ses lettres ? Quel en était le véritable destinataire ? Si, comme on le prétend, Saurin s'est retiré en Provence après la Révolution, les bibliothèques de cette région pourraient peut-être un jour éclairer les chercheurs... Dans l'état actuel de nos connaissances, on ne peut écarter l'hypothèse suivante : tout en entourant l'homme d'égards, on s'employa à oublier son œuvre parce qu'elle s'inscrivait en faux contre le « complot » qu'ourdissaient certains témoins de l'historiographie religieuse. Leur réussite devait dépasser leurs espérances. Qu'on en juge plutôt.

L'Europe connut assez tôt l'histoire des massacres parisiens par le truchement de Barruel qui s'était mis à collectionner les témoignages, soit de prêtres échappés à la

(46) A. Guillon, *op. cit.*, t. I, p. 118.

tuerie et réfugiés en Angleterre, soit de ses amis émigrés qui recueillaient des informations de France. L'épisode des Carmes soulevait autant d'horreur que de curiosité au point que Barruel dut en rédiger la relation avant l'achèvement de son *Histoire du clergé pendant la Révolution française*. La première édition de cet ouvrage parut à Londres le 10 août 1793 et la seconde, en 1794, à Ferrare où vingt-cinq prélats italiens et français et quelques quatre cents prêtres français s'assemblaient en conférences ecclésiastiques (47).

De son livre à paraître, Barruel tira donc d'abord l'*Histoire de la persécution du clergé en 1793 à Paris :* trois grandes feuilles sans nom d'auteur, ni lieu, ni date, inlassablement recopiées et diffusées dans tous les milieux d'émigrés (48). Barruel avertit ses lecteurs qu'il « s'inspire » des témoignages de l'abbé Lapize de La Pannonie pour les Carmes, Jacques Flaut, curé des Maisons, et d'autres prêtres pour les autres lieux de massacre.

Bon nombre de ces « témoins » rapporte ce qu'ils ont entendu dire, avoue l'auteur dans l'édition de Ferrare, p. 91. L'harmonisation de sources aussi diverses, l'affirmation de faits souvent hypothétiques, la sûreté du style au service d'une conception politico-religieuse ont vite raison de la complexité du drame et de ses obscurités. Le Jésuite, on le sait, possède l'art des réquisitoires. Celui-ci sera implacable, d'une intrépide clarté dans l'organisation comme dans le déroulement de l'action : d'un schématisme terriblement accusateur et déjà justicier.

Les motifs du massacre ? L'auteur fait état de quarante-six arrestations le 13 août dans la section du Luxembourg, mais il mélange des prêtres appréhendés ce jour avec certains arrêtés la veille ou l'avant-veille par d'autres sections, particulièrement celle du Théâtre Français. « Ils étoient réunis devant le Comité. Le président demanda s'ils avoient prêté le serment prescrit par l'assemblée. Ils répondirent tous que

---

(47) Cf. infra, p. 235-236.

(48) Le missionnaire Chaumont informe ses confrères de Rome du travail de l'abbé Barruel qu'il fréquente à Londres. Il expédie la relation le 23 mai 1793. C'est elle qui figure encore aux *Archives des M.E.P.*, vol. 1057, f° 7 à 10.

non. Le président demanda s'il y en avoit quelque un qui voulut le prêter en ce moment. Ils répondirent que ici en ce moment ni jamais ils ne prêteroient un serment contraire à leur conscience. Le Comité prononça qu'il falloit s'assurer de leur personne et les enfermer dans l'église des Carmes, rue de Vaugirard auprès du Luxembourg ». Ils meurent, donc, pour avoir refusé le serment, à l'exclusion des délits de contre-révolution retenus contre eux par les révolutionnaires (réunions clandestines, entretien de correspondances avec l'étranger, imprimerie de journaux, libellés et pamphlets royalistes, etc...).

La thèse prend toute sa vigueur à l'heure du massacre. Aux Carmes « pour toute preuve que chacun de ces prêtres devoit être mis à mort, les brigands demandèrent : « avez-vous fait le serment ? Les prêtres répondirent non. Un d'entre eux ajouta : il en est, parmi nous plusieurs à qui la loi même ne le demandait pas parce qu'ils n'étoient point fonctionnaires publics. C'est égal, reprirent les brigands, ou le serment ou vous mourrez tous » (p. 73). Sans doute, reconnaît Barruel, tous les prêtres n'étaient pas d'accord sur le serment et de glisser une extrapolation désormais reprise par tous les historiens : « Parmi les théologiens qui ont discuté *dans la suite,* ce serment de liberté et de l'égalité, quelques-uns en ont jugé comme M. Flaut (partisan de la licéité), les autres ont semblé plus exacts et plus pressans » (p. 130).

Mais il ne suffit pas d'établir le motif d'accusation qui deviendra le mobile du massacre : il faut prouver que les inculpés ont bel et bien été jugés selon une volonté arrêtée des émeutiers de transformer une explosion collective et incontrôlée en une persécution systématique. « Afin de procéder plus méthodiquement au massacre des confesseurs, encore au nombre d'environ cent, ce même commissaire (Violet) qui les appeloit dans l'église, en promettant qu'il ne leur seroit point fait de mal, établit son bureau d'inspecteur auprès du corridor qui conduit au jardin désigné désormais sous le nom de *Parc aux Cerfs.* C'est devant lui que vont défiler les victimes. Prendre leur nom et s'assurer qu'elles ont été successivement immolées sera l'exercice de son autorité. Soit vestige d'humanité, soit lassitude du massacre, il en dérobera quelques-uns à la mort » (p. 135).

Après le procès, les exécutions — et non plus un massacre — dignes, sous la plume de Barruel, d'un tableau de peintre de batailles par l'ingéniosité dans la composition des groupes et l'ordonnance générale du mouvement. « Les gendarmes nationaux qui, de garde en ce jour et supérieurs en nombre aux assassins leur avoient laissé le champ libre sont, partie dans l'église, rangés en haie devant le sanctuaire pour tenir les victimes entassés sous la main des brigands, et partie, distribués dans l'intérieur de la maison, auprès des portes, pour empêcher le peuple de troubler les bourreaux. Ceux-ci ont pris leur poste au bas et sur le haut de l'escalier qui conduit au jardin. C'est là désormais le champ de l'holocauste. C'est là que, deux à deux, les prêtres furent conduits par ceux des brigands envoyés pour choisir leurs victimes. »

En l'an VIII, Sébastien Mercier, prolonge la vision du Jésuite en utilisant la scène du martyre de saint Etienne. « Les malheureuses victimes se prosternoient au milieu de la cour et se recueilloient un instant, abandonnés de la nature entière, sans appui, sans autre consolation que le témoignage de leur conscience; ils élevoient les yeux et les mains vers le ciel et sembloient conjurer l'Etre suprême de pardonner à leurs assassins. » (49)

Les milieux romains accréditent d'autant plus rapidement la version de Barruel que celle-ci, dans son fond, corrobore celle de l'informateur du Saint-Siège en France : le fantasque, le ténébreux abbé de Salamon, « Ame légère, esprit ondoyant, capable pour sortir d'un péril d'inventer d'invraisemblables romans et, en d'autres occasions, de rebâtir l'histoire selon les exigences de sa fantaisie ensoleillée », au sentiment bien indulgent de son dernier biographe. M. Charles Ledré a tenté, en effet, de percer le mystère de cette personnalité à l'aide des documents romains et comtadins jusqu'ici ignorés (50).

---

(49) *Le Nouveau Paris,* an VIII, édit. de 1862, t. I, p. 77 à 89. Sébastien Mercier se prétend témoin oculaire des massacres.

(50) C. Ledré, *L'Abbé de Salamon, correspondant et agent du Saint-Siège pendant la Révolution,* Paris, 1965, p. 48.

Il fallait à ce maître de l'histoire religieuse révolutionnaire toute son expérience et une patience non dénuée d'humour pour démêler le vrai du faux dans la vie de cet homme qui excelle à brouiller les cartes en donnant des versions différentes de sa propre existence... Ne commence-t-il pas par tricher avec son acte de naissance ? Ne se fabrique-t-il pas le titre « d'internonce » du Pape, quitte à le rendre encore plus invraisemblable en confondant les dates ? « En 1790, lors du départ du nonce Dugnani, j'avais été nommé par le feu pape Pie VI, internonce auprès de Louis XVI. Obligé de remplir en cette qualité toutes les fonctions de nonce apostolique, je reçus officiellement les différents brefs du pape contre la Constitution civile du Clergé et les transmis dans les formes canoniques aux archevêques métropolitains dont beaucoup étaient encore en France, à charge pour ceux-ci de les adresser officiellement à leurs suffragants respectifs », poursuit-il imperturbablement dans ses Mémoires rédigés vingt ans après les événements... L'affabulation ne lui fait pas peur puisque, comme le rappelle C. Ledré, le nonce quitta Paris non pas en 1790, mais seulement à la fin de mai 1791 (51).

Futile, hâbleur, dévoré d'ambition, Salamon n'en est pas moins un personnage redoutable parce qu'il a su se rendre important en Cour de Rome et indispensable à toutes les entreprises contre-révolutionnaires où l'entraînent ses amitiés politiques. Anti-monarchien résolu, on peut le croire, pour une fois, lorsqu'il déclare vouloir remettre « en entier les choses comme elles étaient avant 1789 sauf à corriger les abus ». Agent, au sens moderne du mot, il espionne le clergé constitutionnel et rend compte en d'interminables rapports au cardinal Zelada. Il s'attire même des félicitations du Saint-Siège pour son attitude courageuse dans la bataille du nouveau serment encore que le cardinal lui conseille d'attendre, le 5 septembre, avant de se prononcer. « Il se pourrait qu'on eut ici la première prise de position de Rome à l'égard du « petit serment », remarque C. Ledré (p. 162). Tant d'activités

(51) *Ibidem*, p. 103.

subversives devaient fatalement conduire à son arrestation le 28 août, à 2 heures du matin.

Plutôt que suivre le texte embelli des Mémoires de Salamon, C. Ledré utilise la copie d'une lettre au cardinal Zélada du 10 septembre 1792, avec réponse du cardinal, le 26, qu'il a découvertes dans la collection des manuscrits Ferrajoli de la Bibliothèque Vaticane. Nous serions en présence du premier récit connu et daté des massacres parisiens. Suivons-le donc.

La perquisition chez l'internonce a pour objet sa correspondance avec Rome; il nie l'avoir en sa possession. Devant sa résistance, l'autorité l'emprisonne à l'Hôtel de Ville. Il prétend avoir rencontré en ce lieu une délégation de prêtres envoyés par l'archevêque d'Arles et les évêques de Beauvais et de Saintes pour lui demander son avis sur le serment. C'est encore une contre-vérité puisque l'archevêque d'Arles lui avait écrit à ce sujet avant son arrestation et que Salamon lui avait prudemment répondu : « Je vous dirai que je ne me permettrai pas de blâmer ceux qui le prêteront, mais que, pour ma part, je suis bien déterminé à le refuser » (p. 167).

Dans la nuit du 1er septembre, il est enfin écroué à l'Abbaye et comparait, le 2, devant un tribunal présidé par Maillard. « Je me hâtai d'aller prendre place du côté opposé à la porte. Je vis arriver successivement tous mes camarades d'infortune. On commença par le vénérable curé de Saint-Jean-en-Grève. « Avez-vous prêté le serment ? » lui dit-on. Il garda le silence. Aussitôt quatre hommes avec des piques le saisirent et précédés de quatre torches, on vint le massacrer devant la porte » (p. 171). A sa suite, vingt-sept prêtres périssent. « Une députation de la section des *Marseillais* était venue pour demander la grâce de deux prisonniers d'une autre prison. Un opinant voulut s'opposer. « Arrive le tour de Salamon : interrogé sur les causes de son arrestation, il explique à Maillard qu'il a contrevenu à un arrêté de police sur le couvre-feu et qu'il se réclame de la protection de Hérault de Séchelles et de sa propre section, ce qui est accordé à l'instant !

La prolixité habituelle du prêtre Comtadin cède soudain devant une surprenante discrétion à propos des circonstances de cette délivrance miraculeuse. « Heureusement on ne m'a point parlé de serment », conclut-il... Pour quelle raison, puisque sa qualité de prêtre est reconnue et qu'il nous affirme que tous ses compagnons ont dû opter entre le serment et la mort ? D'ailleurs veut-il dire qu'on ne lui a point demandé le serment au tribunal de Maillard ou dans la nouvelle section qui l'adopte incontinent à sa sortie de prison ?

C. Ledré risque quelques explications (pp. 176-177) sans parvenir à résoudre l'énigme. Le voile se déchire à la lecture de l'ouvrage de Mlle J. Chaumié (52). Qui croira, en effet, que le pseudo internonce a pu sauver sa vie devant Maillard au prix d'un mensonge ? Il le peut si bien que lui-même avoue les noms de ses protecteurs sachant que Rome froncera le sourcil en apprenant son commerce avec Torné, l'évêque constitutionnel, et certains révolutionnaires abouchés avec le comité d'Antraigues.

Anti-monarchien comme eux, Salamon est très lié avec les amis du comte. Dans son rôle d'internonce : « il évitait Montmorin, mais s'adressait à Brissac. On sait que Montmorin était classé Monarchien par le réseau d'Antraigues et que Brissac était des leurs » (p. 401, n. 77, cf. aussi p. 372, n. 20). On ne manqua pas d'observer un intéressant synchronisme dans les arrestations de Salamon, de Despomelles et de Lemaître, agents d'Antraigues à Paris, arrêtés, tous les trois, dans la nuit du 29 au 30 août, presque à la même heure. D'Antraigues mande à Las Cas, le 18 septembre 1792, que « Pétion qui les reconnut ainsi que Hérault de Séchelles et Torné ordonnèrent qu'on les relâchât, qu'on était sûr qu'ils n'étaient pas monarchiens et qu'ils n'avaient pas été complices de la nuit du 10 août; sur cela, ils furent relâchés » (p. 241), sauf Salamon sur qui pesaient d'autres charges.

Lorsque Lemaître relate, les 5 et 7 septembre, les massacres, il presse d'Antraigues « d'assurer bien à Rome que le digne et très antimonarchien l'Abbé Salamon, est sauvé par miracle : MM. Torné et Hérault de Séchelles y ont mis une grande chaleur pour le tirer du sein des exécutés, avant-hier

(52) *Le réseau d'Antraigues et la Contre-Révolution, 1791-1793*, Paris, 1965.

seulement » (p. 245). Lemaître avait vu Salamon tout de suite après sa libération (p. 350, n. 55). Ainsi l'affaire est beaucoup moins claire que ne le voulait Salamon : derrière le courage tranquille, dont il orne son récit, se trament des manœuvres compliquées et stupéfiantes. Elles aboutissent au sauvetage inattendu des gens d'Antraigues, au cours des journées, par des sauveteurs encore plus inattendus : les gens de Pétion.

Aussi suivra-t-on avec la plus grande attention l'analyse de Mlle Chaumié : « Pétion et son groupe qui, depuis un an, luttèrent contre les constitutionnels de concert avec le Comité d'Antraigues, ont pu tenter de sauver ces hommes dont ils partageaient les haines et certaines convictions ». Toutefois, il faut se méfier des généralisations d'Antraigues : « Il voit juste lorsqu'il prétend que les chefs révolutionnaires (nous disons bien les chefs) s'attaquèrent principalement aux Constitutionnels. Il dit vrai lorsqu'il affirme que ses amis ont échappé à la vindicte révolutionnaire sans avoir recours à la corruption. Mais le réseau d'Antraigues était composé d'hommes qui avaient lutté contre le despotisme royal avant la Révolution et qui depuis étaient demeurés en liaison avec Pétion et certains Jacobins. Rien de comparable avec la plupart des victimes des massacres de septembre. Cependant les réactions n'ont vraisemblablement pas été aussi générales que le prétend d'Antraigues.

Quelques semaines plus tard la thèse de Lemaître et de Saint Meard ne pouvait plus être soutenue. Les royalistes, en effet, qui, au début, n'avaient ressenti qu'une indignation modérée, se servirent très vite des massacres de septembre comme instrument de propagande contre-révolutionnaire auprès des leurs. Ils n'avaient aucun intérêt à mettre la palme du martyre entre les mains des Constitutionnels. Dès lors, dans leur explication du 10 août, ce ne sont plus les Feuillants mais eux-mêmes qui seront les victimes des Jacobins. Cette nouvelle version était d'ailleurs accréditée du fait que la fureur des sections s'était attaquée aux prêtres réfractaires et aux parents d'émigrés. Les massacres de septembre cimentaient par le sang le lien entre la noblesse, le trône et l'autel.

Les hommes du XIXe siècle confondront désormais la

cause du roi et celles de la noblesse et du clergé qui pendant dix siècles avaient été séparées et même opposées » (p. 249-250).

Ainsi naquit le « complot » de l'historiographie des massacres transmuée en hagiographie. Le refus du serment en sonne l'heure ardente, sous la plume avisée des abbés Barruel et Salamon, oracles politico-religieux de la France contre-révolutionnaire.

Même un périodique, aussi anti-Barruelliste et pro-constitutionnel que les *Nouvelles Ecclésiastiques,* emboîte le pas. Tout y est dans leur récit de 1796; jusqu'au trait ultramontain, souligné par le Jésuite, des prisonniers qui, faute de pouvoir célébrer la messe s'unissent en pensée à celle du Pape : « Ils savoient sans doute à quelle heure le Pape a coutume de dire sa messe, car l'abbé Barruel dit qu'ils s'unissoient, à la même heure, à celle que célébrait à Rome, le premier des Pontifes... ». Secoué par une émotion légitime, le rédacteur accrédite de la même façon la thèse de la préméditation quand il présente Manuel venant lire le décret du 26 août aux Carmes : « Manuel n'étoit venu aux Carmes que pour compter ses victimes et prendre connoissance des lieux afin de disposer l'exécution (...). Ce même jour, on étoit déjà convenu de prix avec les ouvriers pour leur [aux victimes] creuser une large fosse capable de contenir deux cens cadavres. » — Dans l'ordonnance du récit des massacres figurent en bonne place la scène du tribunal présidé, cette fois, par le commissaire Violet et la terrible injonction « le serment ou la mort ». La conclusion broche sur toute la stupéfaction devant s'emparer des lecteurs jansénistes constitutionnels : « Nous n'avons parlé jusqu'ici que des Prêtres non sermentés qui ont été tués à Paris en vertu d'un complot formé par les chefs des impies » (53).

En 1797, La Harpe nimbe le « complot » de l'auréole. Sa passion de nouveau converti au catholicisme dote ainsi l'événement d'une dimension sacrale propre à forcer tous les respects et à susciter la vénération.

(53) *Les Nouvelles Ecclésiastiques,* du 9 septembre 1796, col. 75.

« Assurément les martyrs de Paris ne diffèrent en rien de ceux de Rome et la philosophie n'a jamais expliqué le courage de ceux-ci autrement que par le fanatisme. Leur attachement à leur foi n'a jamais paru aux philosophes que l'entêtement de l'erreur, un courage mal employé, une obstination déplorable; et ils ne peuvent parler autrement des martyrs François, puisque ceux-ci mouraient aussi pour leur foi, mouraient pour avoir refusé le *serment* contraire à leur conscience; puisque les horribles journées de septembre n'étaient à leur égard que la vengeance de cette glorieuse journée du 4 janvier 1791 où deux cent trente ministres de la religion prononcèrent au milieu de l'Assemblée Constituante, au bruit menaçant des tribunes et de la terrasse des Feuillans également remplies d'assassins, le refus de soumettre à un serment que leur croyance leur faisoit un devoir de rejeter; puisqu'enfin ceux qui consentirent à le prêter, ceux qu'on appelle encore *prêtres constitutionnels* ne coururent jamais aucun danger. » (54)

L'abbé Guillon, aumônier de la Reine, stigmatise hautement le scepticisme de certains confrères entêtés : « Avouerons-nous que même parmi les anciens du Sacerdoce, il en fut un qui sur l'annonce de notre *Martyrologe,* nous écrivit en 1818 : « La révolution a fait, il est vrai, de nombreuses victimes, mais non des Martyrs : si la haine de la religion est entrée pour quelque chose dans les massacres, ce ne fut qu'autant que ses zélés défenseurs contrarioient les vues de nos cruels réformateurs; ce sont des délits politiques et surtout l'attachement trop marqué à la royauté qu'on a voulu punir... » (55)

Sous la Restauration, une telle opinion relève tout bonnement du sacrilège surtout depuis 1816. A cette date, Joseph de Maistre, frémissant devant l'imminence du Concordat, porte sa caution de prophète de l'ultramontanisme à ce qui était encore une thèse controversée.

« Dans la pratique..., lance-t-il superbement, le clergé de

---

(54) *Du fanatisme dans la langue révolutionnaire,* Paris, 1797, 2e édit., p. 94-96.
(55) A. Guillon, *op. cit.,* t. I, p. XII-XIV.

France s'est toujours conduit d'après les saintes et générales maximes de l'Eglise catholique. Nous l'avons vu dans la question du serment civique qui s'éleva aux premiers jours de la révolution... L'histoire de l'Eglise n'a rien d'aussi magnifique que le massacre des Carmes et combien d'autres victimes se sont placées à côté de celles de ce jour horriblement fameux ! Supérieur aux insultes, à la pauvreté, à l'exil, aux tourments et aux échafauds, il courut le dernier danger lorsque, sous la main du plus habile persécuteur, il se vit exposé aux antichambres; supplice à peu près semblable à celui que les barbares proconsuls, du haut de leurs tribunaux, menaçaient quelquefois les vierges chrétiennes. Mais alors Dieu nous apparut et le sauva. » (56)

Cette leçon de la nouvelle Politique tirée de l'Ecriture Sainte fixait désormais une tradition accueillie avec chaleur et reconnaissance; celle de l'Eglise de la France de la Restauration enveloppée dans le manteau des martyrs des Carmes. En vertu de ce sang sacré, on lui fabrique un passé soudainement virginal, on fonde ses engagements temporels, on justifie son avenir triomphaliste.

Un coup de maître, à la vérité, en qui les uns verront un insolent défi à l'Histoire, les autres, une géniale interprétation de la Providence, mais que tous ressentiront comme une provocation. Une parmi beaucoup d'autres capables d'attirer au Sénateur Savoyard les hargnes ou les enthousiasmes de ses biographes sans pour autant mûrir la belle synthèse à laquelle l'homme et l'œuvre auraient droit. Deux récents ouvrages montrent assez le chemin qui reste à parcourir.

Dans une thèse d'histoire, à caractère plutôt philosophique, soutenue à l'Université du Minnesota (57), Richard Allen Lebrun confronte les principaux aspects de la pensée maistrienne à la philosophie scolastique, d'où le titre originel de son étude : « Union entre la pensée politique et la pensée

---

(56) *Œuvres complètes,* édition *ne varietur,* Paris, 1931, t. III, p. 274 et p. 280.

(57) Richard Allen Lebrun, *Throne and Altar, the political and religious thought of Joseph de Maistre,* University of Ottawa Press, 1965, x-170 p.

religieuse » qu'il eût été préférable de garder. Que cette union surgisse dans la lumière de la scolastique ne s'impose pas comme une évidence après la lecture du livre. Dans sa conclusion, l'auteur affirme bien que Maistre a lu et utilisé « les philosophes » à titre de décapant de sa propre pensée et d'antidote aux durcissements de son système politico-religieux et nous n'avons pas de raison d'en douter. Mais on admettra plus difficilement que son système profile le néo-thomisme du pontificat de Léon XIII et de Jacques Maritain. On se demandera pourquoi les célèbres *Métamorphoses de la Cité de Dieu* d'E. Gilson sont dispensées du label maistrien à moins qu'on reconnaisse une forte marque augustinienne dans cette « politique » thomiste, ce qui pourrait être le cas de Joseph de Maistre, lui-même, lisant Bossuet.

Comme quoi, R.-A. Lebrun aura fort à faire avec les philosophes qui l'attaqueront sur ses filiations idéologiques sans trouver grâce auprès des historiens qui lui reprocheront sa méthodologie. Pourtant les uns et les autres liront avec profit le chapitre sur *The Political theory* où se glissent de judicieuses remarques critiques, telle « son opposition à l'esprit prométhéen des Lumières et de la Révolution française, son insistance sur les doctrines classiques du catholicisme concernant la toute-puissance de Dieu ». Elles incitent à « exagérer les principes particuliers en négligeant les principes fondamentaux de la doctrine catholique » (p. 155).

Il est dommage que R.-A. Lebrun paraisse ignorer l'étude de C.-J. Gignoux puisqu'il ne la cite pas (58). Leur commune admiration pour l'auteur *Du Pape* les conduit à des résultats différents. Avec son collègue d'Amérique, C.-J. Gignoux serait prêt certainement à célébrer « la ferveur d'un prophète hébreu » qui anime Maistre, selon R.-A. Lebrun, mais avec cette différence essentielle que, pour lui, il s'agit d'un « prophète du passé, historien de l'avenir ». Entendons sous cette deuxième dénomination l'ennemi des « immortels principes de 89 » de qui la postérité serait redevable puisque « le phéno-

(58) C.-J. Gignoux, *Joseph de Maistre, prophète du passé, historien de l'avenir*, 1963.

mène essentiel de notre temps est précisément la dénonciation accélérée de ces principes » (p. 10). Les successives constitutions françaises depuis 1945, en seraient la preuve, du moins au sentiment très marqué de l'auteur !

Derrière ses voyantes options politiques, C.-J. Gignoux n'en saisit pas moins son héros avec une sorte d'intuition qui le porte à un propos d'historien des plus intéressants. Renonçant à l'inévitable dissection du système politico-religieux d'un homme à qui précisément il ne faut « pas demander un système politique en forme », il consacre son livre à une sorte de dynamique de la pensée maistrienne : genèse, tournants, sommets et influence. L'auteur distingue quatre étapes inaugurées par les quinze années savoyardes sous le signe « d'une recherche active de l'inconnaissable » et d'éléments aussi influents : « c'est peut-être à l'illuminisme que Maistre doit son goût d'annoncer l'avenir, la prescience et l'attente de l'élément novateur » (p. 49). Est-ce pour cela qu'il se voit taxer d'opinions libérales et de sympathies jacobines par ses pairs ? L'épreuve de l'émigration lèvera les équivoques. En un style alerte, voire piquant, se dessinent les personnages et l'atmosphère de « la cuisine de Lausanne ». Maistre se révèle à lui-même en prenant ses distances avec le martinisme. « Sous l'influence de l'abbé de Thiollaz et des autres familiers de la cuisine de Lausanne, il était devenu un ultramontain intransigeant » (p. 83) au tournant des années 95-96.

Les Considérations sur la France, en 1797, pamphlet contre B. Constant (qui le perdit dans l'esprit de Mme de Staël) et contre le Directoire, sanctionnaient cette évolution récompensée par un accueil flatteur dans l'entourage de Louis XVIII. Des imprudences diplomatiques et des avatars dans sa vie privée allaient tromper ses espérances de fortune jusqu'à l'ambassade en Russie. C'est à Saint-Pétersbourg « que sa doctrine a atteint sa pleine maturité. Il en avait construit l'essentiel dès Lausanne, mais les événements auxquels il a été mêlé l'ont enrichi d'expériences nouvelles et lui ont découvert des horizons non encore explorés, son génie créateur est maintenant au sommet de sa courbe » (p. 139).

Pour célébrer l'été de la pensée maistrienne, C.-J.

Gignoux entreprend une rapide mais substantielle exégèse des *Soirées* et, plus loin, celle de l'œuvre maîtresse : *Du Pape* (p. 180-189) avec une virtuosité empreinte de rigueur. A ce niveau, C.-J. Gignoux retrouve souvent l'analyse beaucoup plus didactique de R.-A. Lebrun et laisse la même insatisfaction. L'un et l'autre, victimes de leur fascination pour le théoricien du pouvoir théocratique, tournent court devant les aspects neufs qu'ils découvrent.

Le Maistre « européen », (59) tout aussi captivant, permettrait probablement de comprendre un paradoxe foncier du personnage : comment se fait-il que cet ultramontain providentialiste ait su conserver la sympathie et l'admiration de ses ennemis les plus implacables, les libéraux, comme Charles de Rémusat et ses amis ? Le Maistre économiste dont tout reste à découvrir, selon C.-. Gignoux, serait-il celui-ci, un prophète de son temps ? Car, et c'est un autre paradoxe que nous livrons aux spécialistes, pourquoi faut-il qu'irrésistiblement les historiens s'emparent de Maistre et accentuent son intemporalité — réelle ou apparente ? — en le confisquant à leurs fins personnelles, à leurs engagements politiques, à leurs doctrines d'école, quand on s'interroge encore sur son degré d'influence au cœur de son époque ?

Des surprises attendent de ce côté les chercheurs qui, à l'exemple du R. P. Deniel, s'emploieront à cette fin à des études de presse. Partant de quatre grands journaux et périodiques catholiques de 1815 à 1830, Le *Conservateur,* la *Quotidienne,* l'*Ami de la Religion et du Roi,* le *Mémorial Catholique,* il constate qu'en dépit des hommages rendus, Joseph de Maistre « n'exerce pas une influence déterminante sur l'*Ami* ni même sur l'ultramontain *Mémorial* ». De plus, les critiques

---

(59) C'est sans doute l'apport principal de la thèse de R. TRIOMPHE, *Joseph de Maistre. Etude sur la vie et sur la doctrine d'un matérialiste mystique,* Genève, 1968. L'ouvrage qui cherche à éclairer la pensée de Joseph de Maistre à travers notamment la Grèce et l'Allemagne (p. 375-577) vues de la Russie ne répond pas à notre question. Elle s'inscrit en faux sur plusieurs points, contre la genèse idéologique dégagée par C.-J. Gignoux dont le nom n'apparaît point dans la bibliographie. R. Triomphe incline à penser que le contenu contre-révolutionnaire monnayé en 1797, est déjà fixé en 1789 : « Le mois d'août 1789 acheva de fixer l'antipathie de Maistre à l'égard de la Révolution » (p. 135).

de son œuvre ont atteint assez de virulence pour qu'après 1824 — il meurt à Turin le 26 février 1821 — « sa gloire soit éclipsée par celle de Bonald et de Lamennais. » (60)

Aucun de ses rivaux n'aura néanmoins étouffé sa voix surtout lorsqu'elle s'élève avec majesté pour arracher le drame humain aux dimensions de celui de la Révolution française, à sa contingence terrestre et le hisser jusqu'à la spéculation métaphysique, après quoi, il devient invulnérable à la critique. C'est par là que le jugement de Joseph de Maistre s'avère redoutable. On aura beau dénoncer cette usurpation des fonctions divines aggravant l'autre : le martyre des Carmes originé à celui des premiers chrétiens par une simple déduction intellectuelle, il n'empêche qu'après lui, les historiens, chrétiens ou non, n'oseront plus s'attaquer à cette page d'Histoire sainte.

Dans son *Histoire de la Révolution française,* Louis Blanc encore impressionné par les leçons de Daunou, ouvre, en 1847, le récit des Carmes par cette phrase abrupte : « On commença par demander aux prêtres s'ils voulaient prêter le serment : ils firent, selon Peltier, cette réponse qui, en un tel moment, était héroïque : *Potius mori quam fœdari* ».

Que la tradition socialiste ait assumé une thèse à l'origine purement contre-révolutionnaire n'est pas le moindre intérêt de cette longue histoire du « complot ». Que les idéologies du XIXe siècle aient conclu implicitement une trêve pour célébrer unanimement l'héroïsme et la sainteté des prêtres des Carmes est un fait suffisamment rare pour nous inciter à la réflexion. Aussi bien l'historien moderne aurait-il tort de briser cette historiographie intégrée aujourd'hui au patrimoine national. Sous peine de déchaîner une polémique aux incalculables répercussions, il devra définir nettement son intention sans permettre qu'on la suspecte : replacer le sens et les conséquences du serment de Liberté-Egalité dans son véritable contexte c'est-à-dire celui qui fut vécu, senti, compris par le clergé français en 1792, à la fois sur le plan parisien

---

(60) R. Deniel, *Une image de la famille et de la société sous la Restauration,* Paris, 1965, p. 263-264.

et sur le plan régional, et faire justice de toute autre exégèse pouvant faire dévier son propos. Cela ne signifie pas qu'il devra exclure des contaminations essentielles à sa recherche comme nous allons le préciser.

III

CONSTITUTION CIVILE DU CLERGÉ ET SERMENTS POST-THERMIDORIENS

Les abbés Uzureau et Misermont, on s'en souvient, soutenaient que « le nouveau serment était solidaire du premier dans l'esprit des martyrs et aussi dans l'esprit du législateur et de la Commune de Paris » (61). Retenons leur insistance à lier organiquement les deux serments parce qu'effectivement ce problème fut évoqué par les controversistes en 1792. Ainsi le célèbre canoniste Maultrot écrit une *Consultation* dont le manuscrit est conservé à la Bibliothèque de la Société de Port-Royal.

Avec toute sa fermeté de janséniste anticonstitutionnel, il déclare sans ambage que le nouveau serment renferme l'ancien (62).

« Une preuve claire, écrit-il, que le nouveau serment renferme l'ancien, c'est que tous les prestres que l'on incarcère si arbitrairement et avec tant de barbarie parce qu'ils ont refusé l'ancien serment sont mis en liberté lorsqu'ils offrent de faire le nouveau; celui-cy renferme donc l'autre.

En un mot de deux choses l'une : ou l'on jure sur les termes de liberté et d'égalité pris en eux-mesmes ou l'on jure sur ces termes ainsi qu'ils sont entendus par l'assemblée, au premier cas, on fait un serment qui n'a aucun objet clair et distinct, ce qui n'est certainement pas permis, ce qui est prendre le nom de Dieu

---

(61) Cf. p. 41.
(62) *Bibl. Soc. Port-Royal,* pièces révolutionnaires, n° 7, salle Pascal.

en vain, au second cas, on jure de maintenir tous les décrets de l'assemblée qui renversent l'Eglise et l'Etat. »

Naturellement, il paraît capital de mesurer la portée de cette discussion. Qui — et où — en fait état ? Est-ce une controverse purement parisienne ou bien intervient-elle dans le cas de conscience des prêtres de province ? De toute manière, quitte à en définir les modalités, la liaison de la Constitution civile du clergé avec le serment de Liberté-Egalité doit être envisagée. Les historiens l'admettent. Il n'en va plus de même à propos des serments post-thermidoriens.

D'ordinaire on leur conteste le caractère religieux sous prétexte qu'ils sont déterminés par des formules strictement politiques. Ainsi en jugeait Mathiez à propos des soumissionnaires de l'an III. Or, il semble bien que les législateurs, comme les prêtres intéressés, aient été enclins à dépasser la lettre pour agir ou réagir selon l'esprit, soit directement, soit indirectement en référence à la question des constitutionnels. En voici quelques indices caractéristiques :

Le serment du 11 prairial an III vise la soumission aux lois pour exercer le culte sous cette forme : « Je reconnais que l'universalité des citoyens français est le Souverain et je promets soumission et obéissance aux lois de la République. »

La formule est bien politique, de l'avis du conseil des vicaires généraux qui administrent le diocèse de Paris au nom de Mgr de Juigné. En conséquence le Conseil estime qu'on peut prêter ce serment sans restriction ou modification. Averti de cette décision, le Saint-Siège blâme les vicaires généraux, à l'automne de 1795, et rappelle que « la question de la Souveraineté du peuple dans les principes des différentes constitutions données à la France depuis 1791 et dans ses effets tels que ce malheureux pays les éprouve n'est pas purement politique, mais elle appartient essentiellement à la religion... » (63). Il s'ensuit un flottement dans l'attitude des prêtres parisiens lorsque les vicaires généraux diffusent les conclusions de Rome. Ce qui explique le refus soudain des

---

(63) *Arch. des M.E.P.*, vol. 1055, « Clergé de France — Révolution », f° 209-219.

prêtres « romains » de se plier aux exigences de la loi du 11 prairial. Ils multiplient les oratoires qui prennent la suite des chapelles desservies par les réfractaires, au lieu de collaborer avec les autres soumissionnaires dans les églises de Paris ouvertes légalement.

En l'an VI, la situation empire. Le ministre de la police donne l'ordre, par circulaire du 3 floréal, à l'administration centrale de la Seine d'endiguer cette prolifération « d'oratoires catholiques ». Certains prêtres obéissent au bref de Pie VI *Pastoralis sollicitudo* du 5 juillet 1796 qui recommandait la soumission aux autorités civiles. Celles-ci ne conservent guère d'illusions sur ces ralliements forcés et incitent au contraire leurs fonctionnaires à redoubler de vigilance :

> « La plupart de ces édifices sont en même temps desservis par des prêtres qui, toujours séparés de ceux appelés constitutionnels, feignent d'être soumis aux lois et écartent, par des insinuations perfides les citoyens des temples publics, entraînent vers eux de nombreux prosélytes auxquels ils inspirent la haine du gouvernement républicain et le mépris pour les institutions et entretiennent dans le sein des familles des décisions funestes.
>
> L'abus de cette multitude d'oratoires, toléré plus longtems, entraîneroit les inconvéniens les plus graves et en les réduisant à la forme de ceux qui sont dans les maisons particulières, on parviendra à anéantir l'influence des prêtres papistes, à rapprocher peu à peu les citoyens divisés par des opinions religieuses, à rétablir la fraternité parmi les différentes sectes et à rendre plus facile la surveillance des cultes. »

En conséquence on réduira en forme d'oratoires particuliers tous les oratoires publics non compris dans les édifices accordés par la loi du 11 prairial (64). Sans doute verra-t-on dans les ordres du ministre le raidissement de l'administration après les 18 Fructidor, mais un bon témoin, M. Chaumont, confirme la méfiance des fonctionnaires. Quoique missionnaire des colonies réfugié à Londres, il tient des informations de première main sur la situation du clergé de France. La persécution déclenchée au 19 fructidor a été rendue possible,

---

(64) *Bibl. Hist. Ville de Paris*, ms. 767, f° 82.

selon lui, par certaines imprudences et par ces ralliements suspects :

« La déclaration proposée aux conseils pour être exigée des prêtres étoit ainsi conçue : *je déclare que je suis soumis au gouvernement de la République françoise,* au lieu de la formule prescrite le 19 fructidor : *Je jure haine à la Royauté et à l'anarchie. Je jure attachement et fidélité à la République et à la Constitution de l'an III.* Et on expliquoit qu'il ne s'agissoit que du civil et que l'on touchoit à rien de ce qui concerne la religion. Cette déclaration n'a point été décrétée et ne le sera point. Si le Directoire étoit bien persuadé que les prêtres reconnoîtroient la République, s'y soumettroient et lui seroient fidèles, s'il étoit convaincu qu'ils ne chercheroient point à aigrir les esprits contre lui et à travailler sourdement pour rétablir Louis XVIII sur le trône, je pense qu'il ne leur seroit point opposé et les laisseroit rentrer sans difficulté. Mais il faut avouer qu'il s'est commis des imprudences qui l'empêchent de se livrer à cette idée » (65).

Pourquoi ces imprudences ? D'où vient ce mauvais vouloir du clergé à l'égard du gouvernement et ses contradictions avec l'esprit de *Pastoralis sollicitudo ?* Il est malaisé d'en dégager toutes les raisons, mais on peut avancer qu'elles obéissent au processus suivant :

La législation persécutrice de l'an IV — lois des 7 vendémiaire et 3 brumaire — jette de nouveau le désarroi chez les prêtres non constitutionnels qui écoutent volontiers les missionnaires. Ceux-ci arrivent d'Italie et de Suisse à l'été de 1795 et appliquent les instructions édictées à leur intention par les évêques émigrés. Qu'elles émanent de Ferrare, de Constance ou de Fribourg, elles sont formelles : aucune prestation des nouveaux serments sans restriction religieuse à l'égard d'un pouvoir qui a aboli la royauté et instauré la constitution civile du clergé (66). Le Directoire aura beau, le

---

(65) *Arch. des M.E.P.*, vol. 37, f° 290, lettre de Londres du 12 septembre 1797 aux missionnaires de Rome.

(66) Un bel exemple d'un « missionnaire » trop empressé à se soumettre et rappelé à l'ordre par l'évêque de Rhosy, vicaire général de Besançon en émigration, dans J. Joachim, « La crise religieuse à Belfort, 1789-1802 » dans *Bull. Soc. Belf. d'Emulation*, n° 60, 1956-1957, p. 136-137. Sur l'intransigeance de Mgr de La Fare et ses répercussions dans le département de la Meurthe, P. Clemendot, *Le département de la Meurthe à l'époque du Directoire*, s. l. (1966), p. 144.

14 frimaire an V, abroger les effets de la loi du 3 brumaire, le Pape pourra conseiller la soumission aux lois, la réconciliation ne peut se faire sur des formules politiques tant que le contentieux de la question religieuse ne sera pas réglé. D'où la fronde ouverte et la flambée « romaine » des prêtres, plus intransigeants que le Pape à la veille du 18 Fructidor.

La querelle rebondit lorsque le 7 nivôse an VIII, un arrêté des Consuls remplace tous les anciens serments par une simple promesse de fidélité à la Constitution de l'an VIII. Le *Moniteur,* précisait qu'elle ne comportait qu'un engagement civil et ne touchait en rien aux matières religieuses. Rien ne devait donc en écarter les anciens adversaires de la Constitution civile. Pourtant les évêques émigrés se divisèrent passionnément, donnant des instructions contradictoires et entretenant une confusion que le Concordat ne parviendra pas à dissiper immédiatement.

En certains endroits, notamment dans l'Est et dans le Nord, on enregistre autant de refus que lors du serment de 1791 parce que, malgré les assurances du *Moniteur,* l'arrêté du 7 nivôse maintenait les lois de déportation. Le préfet du Haut-Rhin comprend la gravité de la situation et s'efforce de distinguer entre émigrés et déportés pour refus de serment. Il autorise ces derniers à rentrer, étant entendu que « cette autorisation ne sera toutefois que provisoire jusqu'à ce que le Ministre ait statué sur leurs réclamations » (67). Le préfet n'a pris cette initiative que lorsqu'il a compris que les prêtres de son département mettaient comme condition *sine qua non* à leur promesse de fidélité la rentrée de leurs confrères déportés.

Si l'on cherche à dégager les constantes de fait — et non plus seulement théoriques — des délicats problèmes religieux posés par les serments post-thermidoriens, force est bien de reconnaître qu'elles reposent sur un jeu délicat de coups

(67) J. Joachim, *art. cit.*, p. 166.

fourrés : les autorités républicaines ne cessent de proclamer que la Constitution civile du clergé ne jouit plus d'aucun effet et lui substituent des formules de fidélité strictement politiques, en apparence, mais elles agissent dans la pratique en prolongeant les lois de 1791, 1792, 1793 jusqu'à les rétablir, un moment, par la loi du 3 brumaire an IV.

Parfois s'opère officiellement une violation flagrante de ces principes, si l'on en croit le dossier L'Hermitte. Cet ancien vicaire de Saint-André-des-Arts, à Paris, veut rouvrir son église en ventôse-messidor an IV et se plaint de ce qu'on lui « demandoit de justifier de la prestation des sermens prescrits par des ci-devans prétendues loix certainement abrogées et contraires à la constitution actuelle ». Le ministre de la police Cochon, clôt la discussion en frimaire an V :

« Vous justifiez de votre subrogation aux droits du Citoyen Marlié défunt, mais non de prestation des sermens prescrits par les loix des 26 décembre 1790 et 26 août 1792 à tout fonctionnaire public prêtre ainsi que de celle des ministres qui comme vous doivent exercer le culte catholique dans l'oratoire André-des-Arts. Les intentions du Directoire à cet égard sont formelles et exigent ces preuves avant de prendre sur votre demande un parti définitif.

Vous êtes dans l'erreur, citoyen, quand vous prétendez que la seule obligation à laquelle soient tenus aujourd'hui les ministres du culte catholique, est la soumission ordonnée par la loi du 7 vendémiaire an IV; la loi du 3 brumaire n'est point rapportée; l'article 10 ordonne formellement l'exécution des loix des 26 décembre 1790 et 26 août 1792 déjà citées à l'égard de tout prêtre salarié alors par le gouvernement et jusqu'à ce qu'une nouvelle loi ait annullé ces dispositions, elles doivent recevoir leur exécution » (67 bis).

Un cas qui a fait jurisprudence, puisque La Harpe, à quelques semaines du 18 Fructidor, proteste toujours contre cette pratique arbitraire : « Que cette constitution civile fut conforme ou non au catholicisme, c'est ce que je suis absolument dispensé d'examiner puisqu'il y a longtems qu'elle est anéantie et que le gouvernement actuel ne reconnoit aucune religion quelconque ni aucun espèce de culte public. Mais ce

(67 *bis*) *Arch. nat.* F[7] 7192, doss. L'Hermitte. — Cf. P. Boucher, *Charles Cochon de Lapparent, conventionnel, ministre de la Police, préfet de l'Empire,* Paris, 1969.

qu'on ne peut concevoir... c'est qu'on traite encore, au moment où j'écris, de réfractaires et de rebelles ceux qui ont refusé d'adhérer à une loi qui n'existe plus... Que sera-ce si l'on ajoute que ces mêmes hommes sont aujourd'hui poursuivis comme réfractaires à la loi par la même autorité qui a détruit la loi ? » (68)

Le clergé ne se méprend pas sur le double jeu du Directoire et riposte dans le même style. Sans doute prête-t-il plus volontiers serment en l'an III qu'en 1791 ou même 1792, mais sa position reste tout aussi ambiguë. Ou bien les soumissionnaires multiplient les preuves d'incivisme républicain en raison de leurs propres convictions contre-révolutionnaires et ils agissent ainsi pour maintenir le culte coûte que coûte. Ou bien ils sont de bonne foi à l'égard de la République et les évêques émigrés (dont ils se considèrent toujours les sujets) leur rappellent qu'ils ne peuvent collaborer sans de formelles restriction avec le gouvernement en vigueur. N'est-il pas coupable d'avoir ruiné l'ancien ordre des choses et protégé l'église constitutionnelle ? De sorte qu'autorité civile et clergé feignent de s'accorder sur des formules matériellement acceptables, mais toujours grevées des hypothèques laissées par la Constitution civile (69).

Cheval de bataille des prêtres contre-révolutionnaires, regret de maints Thermidoriens, elle entretient inlassablement la polémique qui, tantôt s'élève en contrepoint, tantôt interfère brutalement dans le difficile dialogue engagé entre Eglise et Etat après la Terreur. L'impossible orchestration de l'ensemble entraîne des dissonances insupportables : ce sont les grands affrontements de vendémiaire an IV et de fructidor

(68) *Op. cit.*, p. 12 et 13. Les premiers exemplaires *Du fanatisme dans la langue révolutionnaire* sont saisis par la police au lendemain du 19 fructidor an V.

(69) P. Clemendot, *op. cit.* mentionne deux religieux qui « ont employé les manœuvres les plus capables pour entretenir la division et l'esprit de fanatisme dans le canton de Belleau. Ils ont provoqué des rassemblements religieux dans des lieux écartés et secrets. Simonin a prêté le serment exigé par la loi du 14 fructidor, mais il a dissimulé cette démarche « à ses sectaires » et il a déclaré devant l'Administration municipale du canton de Belleau qu'il considérait son serment comme nul, parce qu'il l'avait prêté hors de son canton », p. 288, n. 83.

an V, entre-coupées de faux accords parfaits, tel le rapprochement esquissé en l'an VIII.

Sur une aussi longue durée, une certaine accoutumance psychologique se crée : on lit dans le répertoire de l'adversaire, on prévoit et on déjoue des effets repris jusqu'à l'usure On le surprend à se plagier lui-même et l'on reprend pour un temps l'initiative du mouvement. Somme toute, le clergé s'évertue à trouver la faille qui lui permettra de desserrer l'étau : qu'importe les situations boîteuses ou distendues. Le principal est de durer et de survivre au-delà du régime persécuteur, du caprice d'un système répressif auquel manque la cohérence pour lui conférer ce caractère implacable vers lequel il tend.

Tout cela souligne davantage l'importance du facteur temps. La meilleure garantie de survie du clergé non conformiste demeure, à travers le péril terroriste imminent, son endurcissement devant la succession des épreuves endurées depuis 1790. Que serait-il advenu dans le cas d'une situation explosive le saisissant à froid ? La réponse est simple : tout son comportement devant le serment en eût été modifié en raison même des traumatismes causés en semblable conjoncture politique.

C'est ce que révèle un dernier aspect du problème que nous nous contenterons d'évoquer faute d'études spécialisées sur ce sujet.

IV

LES APPLICATIONS DIFFÉRÉES DE LA LÉGISLATION ANTI-RELIGIEUSE

Elles concernent directement un premier groupe de pays touchés tardivement par l'élan révolutionnaire : régions frontalières, transformées en nouveaux départements, tels le Mont-Blanc et le Mont-Terrible; pays annexés comme la Belgique. Un second groupe peut être indirectement attaché :

c'est celui des colonies dont l'histoire révolutionnaire reste à écrire presque entièrement. Les distances avec la métropole, le statut particulier du clergé colonial, le régime politique et social de certaines possessions françaises durant le conflit révolutionnaire posent le problème d'une législation anti-religieuse différée en même temps que des conditions originales du serment.

Savoie française et piémontaise (Annecy et Chambéry) avec la Maurienne se voient brutalement mises à l'heure révolutionnaire dès septembre 1792 : elles vont former le département du Mont-Blanc. A l'aube du lundi 3 décembre 1792, le président de la Commission provisoire d'Administration du département reçoit les décrets des 27 et 29 novembre 1792. La Convention proclamait la réunion de la Savoie à la France et le département du Mont-Blanc « le 84e de la République ».

Naturellement, seuls seront autorisés désormais à exercer, les prêtres assermentés. Mais de quel serment peut-il s'agir ? Le chanoine Gros s'interroge (70) : il ne saurait être question du serment de 1790, inconnu en ces régions et rendu caduc après les événements du 10 Août. On pense alors, en bonne logique, au serment de Liberté-Egalité qui serait revêtu, pour la circonstance, des mêmes effets que le serment constitutionnel.

C'est bien ce qui semble ressortir du procès-verbal de la Commission provisoire du département. Après avoir enregistré les félicitations des autorités pour leur entrée dans la France révolutionnaire, le 3 décembre, il mentionne :

« Ce même jour le citoyen Arnauld, ci-devant capucin, demande qu'il soit offert, le jour suivant, un sacrifice à l'Etre Suprême en action de grâces de l'incorporation à la République française et d'être en même temps admis à jurer le premier, dans le Département du Mont-Blanc: il gardera et défendra au péril de sa vie, s'il le faut, la Constitution civile du clergé. Cette pétition convertie en motion par plusieurs Membres est adoptée à l'unanimité, avec mention civique de l'offre du pétitionnaire, quant au serment » (71).

---

(70) Chanoine L. Gros, *Le clergé de Maurienne pendant la Révolution (1792-1802)*, Chambéry, 1965.

(71) *Bibl. Soc. Port-Royal*, collect. Grégoire, vol. 102, pièce 76. *Procès-verbal de la Commission provisoire... du lundi 3 décembre 1792*, p. 9.

Etait-ce pourtant aussi clair pour les ecclésiastiques du département fraîchement créé ? L'osmose juridique entre les effets religieux d'un serment tombé en désuétude et les effets civils du seul serment encore en vigueur favoriserait-elle les prestations républicaines d'un clergé, force de l'opinion locale ? La pression des émigrés, les incursions des Piémontais et bientôt la contagion contre-révolutionnaire née de la révolte de Lyon en 1793 mirent aux abois les commissaires de la Convention comme les représentants à l'armée des Alpes.

En l'absence de ses collègues Jagot et Grégoire détachés dans les Alpes-Maritimes, Hérault de Séchelles s'occupe sérieusement du culte au printemps de 1793. Il s'inquiète officiellement des « deux causes des maux du département du Mont-Blanc : les prêtres et le refus des assignats ». Pour Pâques, il invite le gardien des Capucins d'Annecy à envoyer un religieux à Cruseilles, qui manque de curé (72). Partout, ils se cachent, ces curés, et obligent Hérault à composer un écrit en faveur du serment.

Dans son *Dialogue pour les citoyens des campagnes du Mont-Blanc entre un électeur et l'un des commissaires de la Convention nationale sur le Serment civique que la Loi exige des prêtres,* il cherche à convaincre de l'orthodoxie de la formule de 1792. Il utilise, souvent, des arguments théologiques qui laissent penser que Grégoire n'était pas étranger à l'entreprise (73).

Il insiste sur le caractère pacifique de la formule : « Je jure de maintenir de tout mon pouvoir la liberté et l'égalité ou de mourir en les défendant et de veiller avec soin sur les fidèles qui me sont confiés... ». Ce sont exactement les termes du décret du 14 août 1792, corrigés par l'amendement du 3 septembre.

« *L'Electeur.* — Mais rien ne paroît plus juste. Cependant le serment éprouve de grandes difficultés dans nos campagnes, comment cela se fait-il ?

---

(72) A. Kuscinski, *Dictionnaire des Conventionnels,* Paris, 1919, p. 331.
(73) *Bibl. Soc. Port-Royal,* collect. Grégoire, vol. 32, pièce 11. Brochure de 47 p. in-8, de l'imprimerie de l'armée des Alpes (s. d.).

Le Commissaire — Je m'en vais vous l'apprendre : 1° Les citoyens des campagnes manquent encore d'instruction à cet égard. Ils s'effrayent mal à propos du serment comme s'il attaquoit la religion Catholique, Apostolique et Romaine, tandis que l'Assemblée Nationale a déclaré solennellement qu'il n'étoit pas en son pouvoir d'y porter atteinte.

2° Parmi les prêtres, les uns ont la bêtise de craindre d'être maltraités par les Piémontois dont on leur fait envisager en espérance l'impossible retour; les autres ont peur de perdre leurs bénéfices, leurs dîmes, leurs droits casuels, en un mot, les rentes qu'ils se font hypothéquées sur les vivans et sur les morts. Ils ne veulent donc point d'un Serment qui les obligeroit de faire à leur Patrie le sacrifice de quelques intérêts pécuniaires et comme ils n'oseroient pas en convenir, ils mettent la religion en avant, et font semblant de trembler pour elle.

3° Les aristocrates et les ci-devant nobles qui commencent à présent (il est temps) à montrer beaucoup de religion, profitent de cette obstination pour essayer de brouiller tout le monde et de susciter des troubles civils à l'aide de quelques mots théologiques qu'eux-mêmes n'entendent pas. En conséquence, ils engagent les prêtres à se coaliser entr'eux, en leur promettant à chacun une pension lorsqu'ils n'ont pas le premier sol pour la payer, ni même l'intention.

L'Electeur. — Il faut pourtant qu'il y ait contre le serment quelque difficulté bien réelle puisque l'on voit tant de bons prêtres s'y refuser, comme si on venoit leur faire une proposition de la part du diable » (pp. 13-15).

Le Commisaire devra faire donner l'artillerie de la controverse sur la distinction entre le spirituel et le temporel pour triompher de son contradicteur. Le résultat sera si maigre et la situation si périlleuse qu'un des successeurs d'Hérault, Albitte, n'hésitera pas à employer les grands moyens.

Chargé d'organiser le gouvernement révolutionnaire dans l'Ain et dans le Mont-Blanc, le 8 janvier 1794, il déclenche une campagne de déchristianisation qu'il couronne, au début de février, par une célèbre formule d'apostasie soumise à tous les prêtres. C'est le terrible « serment d'Albitte », cause d'une violente persécution dont tous les réfractaires et assermentés de la région se souviendront longtemps. La plupart des ecclésiastiques résisteront admirablement et préfèreront la déportation, voire la mort, en des scènes bouleversantes.

Les équivoques se dissipent brutalement et les assermentés en 1792 vont faire la preuve de sentiments héroïques qu'on leur dénie souvent. L'abbé Nicolas Anthonio, d'Annecy, en informe Grégoire le 29 mai 1797. Il rapporte que M. de Lazary, chanoine émigré de la Collégiale d'Annecy, engage, de Martigny-en-Valais, trois de ses confrères à rétracter leur serment civique. Parmi eux, le chanoine Fontaine, âgé de quatre-vingts ans. L'émigré manque à ce point de tact qu'il ose faire allusion à certaines paroles prononcées par l'octogénaire pendant la persécution d'Albitte.

« Vous me dites, Monsieur, que quand on me proposa de souscrire la formule infernale d'Albitte, je m'écriai d'un ton de repentir : *ah ! je n'en ai déjà que trop fait* (sans doute en prêtant le serment civique).

Mais, dites-moi, Monsieur, quel est ce pieux calomniateur qui a cru faire mon éloge, en me prêtant l'expression d'une âme repentante qui se reproche un crime ? Non, Monsieur, non... Je ne suis pas assez peu conséquent pour désavouer jamais une démarche prescrite par des principes que la raison et la foi s'accordent à canoniser... »

Et le correspondant de Grégoire précise : « On remarque entr'autres preuves qu'il donna pour la foi, celle où porté jusqu'à l'enthousiasme, au moment où plongé dans les cachots, on annonçait l'arrivée du proconsul Albitte pour provoquer à l'apostasie, il s'écria, en fléchissant les genoux : *Non, mon Jésus, n'aïe pas peur ! Jamais je ne te renierai...* »

Mystère de la conscience religieuse en Révolution... digne de forcer le respect de l'historien. Sacrifice, en vérité, inutile si l'on en juge par les désastreuses conséquences du serment d'Albitte. Désormais les prêtres assermentés, quel que soit leur courage sacerdotal, deviennent objet de haine en Savoie. Cinq d'entre eux s'en ouvrent à Grégoire, le 3 octobre 1797 :

« Aussitôt après la persécution, tous les prêtres, un bien petit nombre excepté, se sont empressés de réclamer contre cet acte de violence, ont fait leur profession de foi, soit leur rétractation. (...) Malgré ce, l'adhésion à la formule quoique extorquée et seulement extérieure a fait la plus mauvaise impression, surtout sur cette portion du peuple qui manque de lumières et qui est la plus nombreuse; de sorte que par un défaut de confiance de la part des fidèles fomentés par les agitations de quelques prêtres réfractaires et déportés rentrés qui ont blâmé même le serment civique et discrédité les prêtres soumis aux lois, il n'existe aucun culte dans ce Département... » (74)

Ce blocage dans la psychologie collective en face de la valeur et des circonstances politiques entourant les différents serments se rencontre-t-il ailleurs sur les frontières françaises ? Pour être moins dramatique, la situation helvétique offre quelques analogies.

Dans le Jura bernois, en ce pays d'Ajoie soudainement englobé dans la France sous le nom de département du Mont-Terrible, c'est en avril 1793 qu'arrive de Paris « tout un ballot de loix ». Certes, les prêtres du nouveau département n'ont pu jusqu'alors totalement évincer le spectre révolutionnaire. En tant que frontaliers, ils ont vu passer et s'installer la cohorte des prêtres et évêques émigrés de France qui les ont sensibilisés aux événements. Les voici, à leur tour, en quelques jours aux prises avec la persécution, emportés sans répit dans le tourbillon, aiguillonnés et affolés par ces Français de la Révolution. Menaces, représailles et dispositions réglementaires se confondent à cadence accélérée sous les mots de « serment », « déportation », et « mort dans les vingt quatre heures ».

Comment prendre le temps d'élaborer une tactique ou de réfléchir un tant soit peu sur ce régime constitutionnel dont leurs confrères français balancent les avantages et les inconvénients depuis plus de deux ans sans parvenir à rien de clair ? Comment échapper à la double pression qui les étouffe : la révolutionnaire qui vient de « l'intérieur », la contre-révolutionnaire animée par tous les réfugiés qui encerclent, à l'est, leur territoire ? Dans ces conditions, les épithètes juridiquement adéquates de « jureur » et de « non jureur » prennent des colorations psychologiques toute nouvelles et l'on n'a aucune peine à suivre J.-R. Suratteau lorsqu'il conclut

---

(74) *Bibl. Soc. Port-Royal,* Correspondance Grégoire, Carton *Mont-Blanc.* Lettres des 29 mai 1797 et 12 vendémiaire an VI.

qu' « en face de ces bataillons de prêtres réfractaires, Suisses ou non, émigrés rentrés, « missionnaires », le clergé jureur était d'une quasi nullité » (75). Sauf à rappeler que leur épreuve de fidélité ne présente plus que des analogies et non une identité avec celle qui se déroule en France.

Elle se rapproche davantage de celle des prêtres belges. Pour eux, comme pour les Suisses, le patriotisme n'est qu'un produit d'importation. Toutefois, pour les Belges, le problème politique se complique. La persécution particulièrement odieuse qu'ils endurent les repousse dans les bras du régime autrichien pour lequel ils n'avaient guère de sympathie. Certaines régions refont quelque unanimité catholique autour du Saint-Siège. Il en résulte pour les prêtres belges assermentés des difficultés supplémentaires qui les obligent à une tactique beaucoup plus subtile que les constitutionnels français jusqu'à la fin de l'occupation. Minoritaires et « collaborateurs », ils lisent les formules de serments post-thermidoriens avec des lunettes spéciales. Ainsi à propos du serment du 19 fructidor an V. Il circonscrit des milieux urbains où se pressentent des intérêts linguistiques, culturels et économiques qui pèsent lourdement sur l'attitude du clergé local.

Alors que les prêtres flamingants d'Ypres refusent, par fidélité aux coalisés, toute prestation à la République française, le clergé régulier et séculier de la ville de Liège et de ses faubourgs apporte l'hommage de la Wallonie. Le 14 septembre 1797, le synode diocésain présidé par un vicaire général se prononce pour la soumission exigée aux termes de l'article XXV de la loi du 19 Fructidor. Les prêtres assemblés publient ce bulletin triomphal :

« Au reste, nos prêtres se portent en foule à la maison commune pour y prêter le serment. Les employés chargés de l'enregistrement ne pouvant suffire à expédier tous ceux qui se présentent, on a été obligé de remettre plusieurs d'entr'eux à quelques jours en leur donnant acte de leur démarche. Il y en a déjà plus de 500 inscrits. » (76)

---

(75) J.-R. Suratteau, *Le département du Mont-Terrible sous le régime du Directoire (1795-1800)*, Paris, 1965, p. 262.
(76) *Annales de la Religion*, t. V (1798), p. 568-569.

Selon un auteur, il faut tenir compte des subterfuges. Les assermentés prétendent « que le serment condamné par les décisions pontificales en 1798-1799 n'était pas le serment de haine, mais le serment condamnant la Constitution civile du clergé en 1791. C'est ce qu'on peut lire dans un opuscule anonyme, paru en 1800, sous le titre *De la condamnation du serment de Haine* (77) ». Ce à quoi on peut rétorquer qu'il ne s'agit pas d'un subterfuge, mais d'une opinion fondée sur les faits. D'un autre côté, le refus du serment de Haine à la Royauté s'enveloppe de certaines subtilités politiques dans lesquelles excelle, par exemple, le cardinal-archevêque de Malines.

Fort nettement, il défend son clergé de prêter un serment : la religion l'interdit, parce qu'elle interdit toute haine, soit « qu'elle se rapporte à la personne d'un roi, soit qu'elle regarde l'état de royauté lui-même ». Il éprouve le besoin, après cela, d'apaiser le commissaire de la République qui l'interroge : « Vous voudrez bien faire connoître au gouvernement que ni moi, ni aucun membre de mon clergé, n'aurons la moindre difficulté de promettre, même sous serment, s'il le faut, de ne jamais coopérer ni directement, ni indirectement au rétablissement de la royauté en France. » (78)

A bien des égards, ces implications socio-politiques nées d'un statut particulier se rencontrent dans la mosaïque coloniale.

*
* *

Indépendamment des événements révolutionnaires marqués par la guerre civile comme par la lutte française contre les Anglais, les colonies présentaient, du point de vue religieux, une très grande complexité. Elle a fait reculer bien des auteurs et, par contraste, apprécier les travaux des PP. Cabon,

---

(77) F. Clayes Bouuaert, *Les déclarations et serments imposés par la loi civile aux membres du clergé belge sous le Directoire (1795-1801)*, Louvain, 1960, p. 38.

(78) *Réflexions d'un publiciste sur un écrit ayant pour titre :* Eclaircissemens sur le serment de haine à la royauté, s. l. n. d. [germinal an VI], 23 p. in-8.

Janin et Rennard (79) auxquels on peut ajouter le court essai de W. A. Trembley et les publications de Mgr M. Jan (80). Toutefois ces études n'envisagent que l'histoire religieuse des Antilles françaises et ignorent la question du serment. Un prochain article de G. Debien permettra de faire le point pour la Martinique sous la période concordataire (81). Cette modeste moisson historiographique est donc loin de rassembler, et l'ensemble des aires coloniales contrôlées par le clergé français et, dans les aspects locaux, les données politico-religieuses nécessaires à l'éclairage de notre sujet.

Rappelons donc, d'abord, l'étendue des missions françaises. En Amérique, des deux îles de la Martinique et de la Guadeloupe, la première comptait vingt-neuf paroisses dont douze aux Dominicains qui fournissaient le Préfet Apostolique; parmi les vingt paroisses de la Guadeloupe, huit relevaient encore des Dominicains et les autres, soit des Carmes, soit des Capucins. Sainte-Lucie, avec ses huit paroisses réparties également entre les Franciscains et les Dominicains, faisait administrativement partie de la Martinique. Sur la Côte Ferme, la Guyane, avec Cayenne, sa capitale, était devenue, en 1777, le fief de la Congrégation du Saint-Esprit destinée, dans l'esprit du gouvernement, à remplacer les Jésuites. Membre de la Congrégation, le Préfet Apostolique administrait vingt prêtres en 1789. Les Spiritains avaient encore pris pied, en 1765, à Saint-Pierre et Miquelon; ils prenaient en charge un certain nombre d'Acadiens transportés au Canada après son abandon par la France. Les cinquante-deux paroisses de Saint-Domingue impressionnaient les Domi-

---

(79) R. P. A. Cabon, *Notes sur l'histoire religieuse d'Haïti. De la Révolution au Concordat (1789-1806)*, (*Port-au-Prince*, 1933), 520 p. — R. P. J. Janin, *La religion aux colonies françaises sous l'ancien régime* (de 1626 à la Révolution), Paris, s. d. (1942), 234 p. in-8. — Abbé J. Rennard, *La Martinique — Histoire des paroisses — Des origines à la Séparation* (Thonon-les-Bains), 1951, 349 p. in-8.

(80) William A. Trembley, « The status of the Church in Saint-Domingue during the last years of the French Monarchy, 1781-1793 » dans *Carribean Studies*, I, n° 1, (avril 1961), p. 11 à 18 — Mgr M. Jan, *Port-au-Prince — Documents sur l'histoire religieuse* (Port-au-Prince), 1956, 527 p. in-8, ainsi que *les Congrégations religieuses au Cap-Français Saint-Domingue 1681-1793* (Port-au-Prince), 1951, 234 p. in-8.

(81) G. Debien, « Le clergé de la Martinique et le Concordat », dans *les Annales des Antilles* (à paraître).

nicains par leur superficie considérable. Des Capucins les aidaient, mais la partie française ne possédait pas de Préfet Apostolique.

L'Afrique était surtout le territoire des Lazaristes, principalement au Sénégal dans les deux comptoirs de Saint-Louis et de Gorée. De l'autre côté du continent, les deux grandes îles Bourbon (de la Réunion) et surtout de l'Ile de France (Maurice) réunissaient, dans la première, douze prêtres, curés ou vicaires; dans la seconde, une dizaine de missionnaires.

Parallèlement aux Spiritains, les Prêtres des Missions Etrangères de Paris s'implantaient en Asie, de concert avec les Lazaristes et d'autres Réguliers : les Comptoirs des Indes (Pondichéry, Mahé, Yanaon, Chandernagor et Karikal); l'Indochine et la Chine.

Ces quelque deux cent cinquante prêtres du clergé colonial, en 1789, ne représentent sans doute qu'un groupe infime au regard de la masse des ecclésiastiques de la France métropolitaine. Mais, précisément, parce qu'administrant de grands territoires, jouissant d'une influence décisive auprès de sociétés mixtes et disposant de moyens non négligeables sous la protection de la Monarchie, leurs actes politiques et religieux prennent un relief inusité. Comment le percevoir exactement dans l'invraisemblable bigarrure des juridictions ecclésiastiques et des obédiences religieuses dont témoignent ces missionnaires ? Encore éviterons-nous de parler de ceux qui se trouvent dans une situation limite, comme les Capucins isolés dans les missions de la Grenade, de Saint-Vincent, de Saint-Eustache et de Saint-Martin lorsque ces colonies tombèrent aux mains des Anglais en 1763 !

De toute évidence deux problèmes juridiques se posaient au moment du vote sur la Constitution civile du clergé. Comment s'appliquerait-elle aux colonies ? Et, pour résoudre cette question, comment tiendrait-elle compte du triple statut des missionnaires, tantôt simples séculiers, tantôt relevant d'Ordres frappés d'extinction en 1790, tantôt appartenant à des Congrégations séculières reconnues légalement jusqu'au décret de suppression du 18 août 1792 ?

Comme pour le régime civil, la Constituante écartait

provisoirement le clergé colonial de sa législation religieuse. Etait-ce suffisant ? Certes non, car ce provisoire ne pouvait tenir compte de la complexité de la juridiction ecclésiastique. Le P. Janin s'est efforcé de la préciser à propos du statut canonique de chaque colonie après le Concordat (82). Théoriquement, cette juridiction était représentée par les préfets apostoliques, nommés par la Congrégation romaine de la Propagande. « Elle nommait quand il y avait lieu un préfet ou un vice-préfet régulier, mais sans protester contre ce qui s'était fait auparavant. Le préfet nommé prenait l'administration telle qu'il la trouvait sans avoir à revenir sur le passé. Dans les pouvoirs donnés par Rome aux Préfets, il y avait celui de se nommer un remplaçant ou un successeur en cas de nécessité, c'est-à-dire s'il n'y en avait pas un de désigné officiellement dans ce but. Ce remplaçant qui portait le titre de vice-préfet exerçait ses pouvoirs jusqu'à ce que Rome en ait décidé autrement ». Pratiquement, les Préfets Apostoliques, en tant que membres d'un Ordre ou d'une Congrégation, tenaient le plus grand compte des directives reçues de leur maison généralice. Avec son sens habituel des simplifications, le Premier Consul pense résoudre le problème par le décret du 2 juillet 1802 : « A l'avenir les préfets apostoliques seront nommés par le Premier Consul. Ils recevront du pape leur mission épiscopale et de l'archevêque de Paris leur mission ordinaire ». — C'était étendre à toutes les colonies, le cas particulier de l'île Bourbon en 1789. Il n'y avait qu'un seul Préfet Apostolique pour les deux îles françaises de l'Océan Indien : en 1754, après de multiples tractations, l'archevêque de Paris s'en était vu confier la nomination en qualité de Commissaire du Saint-Siège.

Les prêtres des Missions Etrangères protestaient, encore en 1805, contre le décret impérial en rappelant les différences essentielles qui existaient entre les trois grandes sociétés missionnaires : « Chez eux [les MM. de Saint-Lazare et du Saint Esprit], le supérieur étoit à peu près absolu et étendoit

(82) R. P. J. Janin, *Le clergé colonial de 1815 à 1850*, Paris, 1936, p. 21-22 et chap. VII « La juridiction ecclésiastique aux colonies », p. 128-158.

son autorité jusque sur les missions (...). Mais pour nous, c'est tout autre chose. Ce mode [un supérieur général, préfet apostolique désigné par l'Empereur] renverseroit de fond en comble notre ancien régime ». Et de se féliciter, le 30 avril, « qu'on ait nommé [M. Bilhère] supérieur du séminaire et non pas supérieur des missions. Ainsi chaque évêque restera supérieur dans sa mission... » (83).

Qu'adviendra-t-il de tous ces prêtres lorsque, coupés de tout, leurs supérieurs locaux demeurant sans instructions, ils devront prendre parti dans le conflit révolutionnaire tel qu'il se dessine sur leur propre territoire ? Sans entrer ici dans les événements politiques eux-mêmes fort embrouillés et explosifs, comme à Saint-Domingue, les motivations psychologiques doublent les questions juridiques, surtout quand elles se teintent d'intérêts économiques.

Les Capucins des Antilles, par exemple, remâchaient depuis longtemps leur amertume devant le sort que leur faisait le Gouvernement : leurs prédécesseurs, les Jésuites, partaient en missions, c'est-à-dire dans les paroisses de la colonie, avec un cheval, trois esclaves et un traitement de quatre ou cinq mille livres par an. Eux, les Frères Mineurs, ne recevaient qu'une très modique pension, ce qui les forçait à chercher un supplément pécuniaire au détriment de leur ministère. Au cours de la seconde moitié du siècle, les séculiers renforcent les rangs des religieux de moins en moins nombreux. G. Debien en tire une conséquence immédiate : « Il n'y a aucun doute que les colons ont toujours voulu avoir le clergé sous leur dépendance et sa prédication sous leur contrôle. C'était relativement facile en face des ecclésiastiques séculiers, très mêlés, sans cohésion, en marge d'une hiérarchie stricte et ne pouvant opposer aux colons une résistance qui comptât » (84). En 1797, Besson, ci-devant bénédictin, et vicaire apostolique constitutionnel pour la partie française de Saint-Domingue, remarque que les six prêtres de la partie

(83) *Arch. des M.E.P.*, vol. 39, f° 566, lettre du 23 avril 1805; f° 575, lettre du 30 avril 1805.

(84) G. Debien, « La christianisation des esclaves aux Antilles françaises aux XVIIe et XVIIIe siècles », dans *Rev. d'hist. de l'Amérique française*, t. XX, mars-juin 1967, p. 525-555; p. 99-111.

nord de l'île sont plus à l'abri que leurs confrères de la partie sud qui, eux, sont persécutés, « à cause de leur attachement au malheureux reste des blancs, de leur dévouement aux vrais principes de l'égalité, à cause de l'estime, de la confiance et du respect dont ils honorent les noirs » (85).

Il est d'autant plus frappant de noter qu'à travers leurs disparités canoniques, sociales, politiques et économiques, « curés des noirs » et « curés des blancs » semblent, dans leur isolement, faire preuve d'une surprenante cohérence en face du serment qui leur est proposé sous un jour particulier.

En guise d'illustration, arrêtons-nous seulement au cas de la Guyane et à celui de Pondichéry. Outre qu'il s'agit de missionnaires de Congrégations différentes, évoluant aux antipodes, ces deux brèves études indiquent une documentation qui attend les chercheurs.

Les vingt prêtres de la Congrégation du Saint-Esprit, sous la conduite de leur préfet apostolique Jacquemin, n'attendirent pas le vote du statut colonial par la Constituante, le 23 juin 1791, ni les directives de leur séminaire parisien de la rue des Postes. Jacquemin et son second, Ducoudray, s'étaient prononcés rapidement pour une collaboration active avec les nouvelles autorités de Cayenne. En tant que membres de l'Assemblée Coloniale, ils entraînèrent cinq de leurs confrères, curés des environs, à prêter le serment civique, le jour de l'Ascension, 2 juin 1791. L'un d'eux, M. Moranvillié, vicaire à Cayenne, sera élu peu après Président de l'Assemblée Coloniale pendant que Jacquemin deviendra Président de la Commission intermédiaire de l'Assemblée et Ducoudray, secrétaire. En face de ces cinq missionnaires constitutionnels, surgit un parti réfractaire mené par l'ardent Breton et par Hochard, curé de Sinnamary. La lutte entre les deux factions reste encore circonscrite lorsqu'à Cayenne on apprend, le 15 septembre 1791, « l'enlèvement du Roy et de la famille royale ». L'événement de Varennes suscite une émotion profonde et entraîne une cascade de mesures répressives dans la colonie. Le gouverneur

(85) *Annales de la Religion*, t. VI (1797), p. 54-55.

par interim, Benoît, commandant de l'artillerie, cherche vainement à modérer cette ardeur civique. Dans l'après-midi du 15, l'Assemblée Coloniale vote un décret déterminant l'avenir du clergé de la Guyane :

« L'Assemblée Coloniale considérant que l'Assemblée Nationale n'a encore décrété aucun mode d'organisation pour les missionnaires de cette colonie, qu'il ne peut y avoir dans l'empire français aucun fonctionnaire public s'il ne se soumet à la loi du serment civique et voyant avec peine l'opiniâtreté de plusieurs missionnaires desservant les paroisses de cette colonie qui, malgré l'indulgence de l'Assemblée à leur accorder un tems suffisant pour revenir, persistent dans leur refus et leur désobéissance à la loi, anullant en outre le second arrêté du mois de juin par lequel elle permettoit aux non-conformistes d'exercer leurs fonctions jusqu'à l'arrivée des commissaires et ce, pour cause d'abus et de troubles qu'un plus long délai pourroit entraîner, a décrété et décrète... »

Suivent trois articles dont le premier donne un délai de six jours aux réfractaires pour se mettre en règle, faute de quoi « ils partiront pour la France par la première occasion » (86).

Trois missionnaires seulement se laisseront impressionner par le décret. Quelques jours plus tard, le clergé constitutionnel de la Guyane comptait dix membres en tout. L'état des paiements des fonctionnaires publics mentionne, le 1er octobre, que huit autres plus deux maîtres d'école du collège persistent dans leur refus : « Ces huit missionnaires sont ici portés pour mémoire étant sans fonctions à compter du 23 septembre aux termes du décret de l'Assemblée Coloniale (87) ». Parmi les réfractaires figurait Legrand qui organise, en qualité de préfet Apostolique « romain », une résistance énergique au clergé du conformiste Jacquemin.

Contrairement à ce qu'on pourrait croire, le serment à la Constitution civile du clergé n'avait qu'une relative importance. Ses effets juridiques ne tenaient qu'à une initiative privée, celle de l'Assemblée de Cayenne. Il en allait autrement

---

(86) *Arch. nat.*, Colonies C 14, correspondance générale, 1791, reg. 67, f° 72 et f° 185.

(87) *Arch. nat.*, Colonies C 14, 91 (supplément); carton 4, doss. (1790-1808).

avec le serment de Liberté-Egalité, applicable, cette fois, par ordre de la Législative, à toutes les colonies. Il provoquait le clergé colonial à un véritable choix au moment où, par décret du 10 septembre 1792, l'Assemblée supprimait les préfets apostoliques.

Ceci explique que, dans son rapport à la Convention du 1er vendémiaire an IV, le préfet Jacquemin prend pour critère le serment de 1792 et non celui de 1791. Après dix-huit ans passés au collège et à l'hôpital de la Miséricorde de Sedan, plus vingt ans de mission à la Guyane, honni par ses confrères et admiré pour sa simplicité et sa charité par Grégoire, il écrit avec lassitude :

« J'arrive de la Guiane française où j'étois préfet apostolique à mon départ. La religion étoit dans la plus triste situation. La majeure partie des missionnaires aïant refusé *le serment exigé par l'assemblée législative* s'étoient émigrés en païs étranger; les autres au nombre de quatre n'étant plus salariés par la république étoient fort mal à l'aise. Les nouveaux citoïens qui ont naturellement beaucoup de goût pour la religion, les habitans presque tous ruinés par le décret de la liberté [des esclaves] ne peuvent guère les aider quoi qu'ils aient les uns et les autres la meilleure volonté (...) Les prêtres qui ont refusé le serment à Caïenne se sont retirés les uns à Surinam chez les holandois, à S. Barthélémy, à S. Thomas et à S. Croix chez les Danois et les Suédois et les autres à la nouvelle Angleterre. Il y a dans tous ces lieux des églises et même un évêque à Baltimore. On m'a demandé plusieurs fois si je voulois exercer mon ministère, qu'on me salariroit. Il y a à New-York une église catholique déservie par un prêtre irlandois, à Philadelphie, il y en a deux dont une est aussi déservie par des irlandois et l'autre par des prêtres allemands (...) A Boston, l'église est déservie par deux prêtres français émigrés. Le concours du peuple y est très grand. A Halifax, capitale de la nouvelle Ecosse, il y a aussi une église catholique; elle est déservie par un irlandois qui est très considéré même par les Anglois et qui jouit de la plus grande estime. Il m'a été d'un grand secours dans ma pauvreté après notre naufrage. Il dépend de l'évêque de Québec. Le gouverneur m'a offert une place dans une paroisse composée de Canadiens parlant tous françois... » (88)

---

(88) *Bibl. Soc. de Port-Royal,* correspondance Grégoire, Carton *Colonies.* Fragments manuscrits du rapport officiel.

Ainsi, l'ancien préfet apostolique révèle discrètement deux choses : d'une part, la pression « américaine » sur les prêtres assermentés qui préfèrent demeurer pauvres plutôt que de connaître un exil doré au prix de l'émigration et, d'autre part, l'indifférence du Nouveau-Monde au problème du serment révolutionnaire. Car, en offrant un poste à Jacquemin, l'évêque de Québec n'ignorait ni la personnalité ni les convictions patriotiques de son hôte.

A l'inverse, certaines sociétés missionnaires parviennent à renforcer les éléments réfractaires au serment, en organisant des envois clandestins de nouveaux missionnaires. Des Missions Etrangères de Paris partent deux jeunes prêtres pour la Chine, via Lorient, le 16 janvier 1791. Du 5 octobre 1791 : « Nous nous occupons des moyens de faire passer 4 missionnaires pour la Chine et trois pour la Mission Malabare; nous ne savons pas si nous pourrons réussir. Au reste, nous avons écrit à Londres à l'effet d'obtenir leur passage sur des vaisseaux anglois. » Le 16 janvier 1792, sept autres missionnaires partent de Lorient « aux frais du Roi; c'est la grâce que vient de nous accorder le Ministre de la Marine. » Ils devront cependant attendre leur embarquement jusqu'au mois de mars (89). Les Lazaristes envoient, de leur côté, les jeunes prêtres Clet, Lamiot, Pesné à Macao. Ils embarquent à Lorient le 10 avril 1791, sans qu'ils aient été astreints au serment, et débarquent à Macao, le 15 octobre. Pierre-Vincent Minguet, Lazariste breton ordonné prêtre au Portugal, sera le dernier à parvenir à Macao, le 9 septembre 1793 (90).

C'est l'un des prêtres des Missions Etrangères, parti par le convoi de mars 1792, qui expliquera à M. Boiret, procureur à Rome, la situation religieuse à Pondichéry en 1792-1793. A cette date, et avant le siège par les Anglais en août 1793, le Comptoir est gagné par une vive effervescence. La décision de retirer les troupes européennes, en septembre 1789, et donc de laisser Pondichéry sans défense, a été regardée comme un acte de trahison. La nouvelle que Tippou-Sahib a déclaré la

---

(89) *Arch. des M.E.P.*, vol. 35, f° 471 et f° 479.
(90) J. Van den Brandt, *Les Lazaristes en Chine, 1697-1935. Notes biographiques*. (Pékin), 1936, p. 11-13.

guerre aux Anglais, ne fait qu'augmenter l'inquiétude. « La Révolution de Paris », comme on dit là-bas, ne sera vraiment connue que par la flûte *La Bienvenue,* le 22 février 1790. Mais le problème de l'évacuation de Pondichéry ou de sa défense demeura le véritable élément révolutionnaire : au mois de mars, le Comptoir se voyait doter à la fois d'une municipalité et d'une Assemblée Coloniale qui ne stimulaient le zèle que de quelques européens. Le 20 juin 1791, l'évêque de Dolicha, sacré le 5 novembre 1786, consacrait la cathédrale de Pondichéry au milieu d'un grand concours de peuple. Mgr Champenois Nicolas (1734-1810), missionnaire à Pondichéry depuis 1777, devint supérieur en titre de la mission Malabare le 8 novembre 1791. C'est lui qui accueillit son jeune confrère, M. Hébert, au mois d'août 1792. Les choses ont considérablement évolué, encore que la situation demeure paisible jusqu'à l'arrivée des commissaires civils, Dumorier et Lescallier, le 1er octobre. Européens et indigènes continuent de se passionner pour la défense de leur ville jusqu'au drame du mois d'août 1793 (91) :

« Nous trouvâmes les choses fort tranquilles, ici, lorsque nous y arrivâmes en août 1792. Il paroissoit que toute la ville désapprouvoit tout ce qui se passoit en France. Nous restâmes deux mois à Pondichéry, M. Dubois et moi, et ensuite on nous envoïa à Carical. Cependant il étoit arrivé à Pondichéri des commissaires qui commencèrent à y répandre l'esprit de la liberté. On apprit bientôt après le détrônement du Roi, l'érection de la République et les horreurs ont accompagné ces événements. Sans plus tarder, on voulut planter à Pondichéri l'arbre de la liberté. On voulut aussi le planter à Carical où nous étions. Cette cérémonie devoit être accompagnée d'un Te Deum. On crut à Pondichéri qu'on pouvoit absolument y assister. Quatre de nos Messieurs y assistèrent. On voulut que Mgr y fut en personne; il le refusa absolument. Les soldats firent grand bruit. On lui envoïa plusieurs députations, il tint ferme et resta tout le temps à l'église, disposé à plutôt se laisser tuer que de se rendre à ce qu'on demandoit de lui. Il a dit que quoiqu'il crut qu'on pouvoit absolument assister à cette cérémonie, il n'avoit pu prendre sur lui de le faire, qu'il y sentoit une répugnance invincible. Cepen-

---

(91) H. Castonnet-Desfosses, « La Révolution et les clubs dans l'Inde française », dans *La Révolution,* année 1883, p. 233-248; p. 383-392.

dant on s'appaisa et on ne lui fit aucune violence. [Le surlendemain de la fête de Pâques 1793] vers les onze heures, dans la crainte qu'on en fit, il sortit de Pondichéri et se rendit à Madras. Après son départ, les patriotes vinrent disant qu'il ne suffisoit pas qu'on eût assisté au Te Deum, qu'il falloit qu'on prêta le serment de maintenir la liberté et l'égalité. Nos MM. furent très embarrassés; il y en eut qui crurent qu'on pouvoit le prêter. Deux des nôtres et deux Capucins le prêtèrent. Nos deux MM. mirent des conditions à leur serment et expliquèrent ce qu'ils entendoient par liberté et égalité. Avant le siège de Pondichéri, Mgr fit sortir de la ville les deux pères qui avoient fait le serment et ils ont fait une rétractation.

Après la prise de la ville, Mgr est rentré et les choses sont comme elles étoient auparavant. Pour nous qui étions à Carical avec un ancien jésuite, nous ne pûmes nous déterminer à chanter le Te Deum vu surtout que nous étions bien assurés qu'on nous demanderoit de prêter le serment. Nous prîmes donc le parti de nous retirer à Trincbarre [Tranquebar], ville appartenant aux Danois. » (92)

On devine aisément le parti qu'on tirerait d'un répertoire des formules exigées et de celles qui furent réellement prononcées; d'un calendrier détaillant les grands événements généraux dans lesquels s'insèrent les prestations de serments. Les quelques exemples empruntés à l'Europe révolutionnaire comme au monde colonial annoncent le hiatus existant entre les batailles de l'historiographie d'hier et les objectifs à atteindre pour celle de demain.

L'histoire des serments, sous l'impulsion du « complot » historiographique, a fait fond sur un dangereux postulat : celui du contenu juridique des formules. Assurément la grave polémique entretenue, sur ce thème, entre les autorités civiles et la hiérarchie romaine y incitait grandement. Victimes, une fois de plus, d'un cartésianisme souvent fatal à l'intelligence de l'Histoire, les auteurs ont cru pouvoir disserter de la nature des formules jusqu'à distinguer des serments « religieux » et des serments « politiques » en affectant à chacun un coefficient de malice.

(92) *Arch. des M.E.P.*, vol. 37, f° 49; lettre du 1er septembre 1794.

Ils n'avaient pas tort de s'en tenir aux textes officiels à condition de ne pas les couper du contexte humain, de conserver leur visée consistant à différencier nettement la valeur de chaque prestation, de se livrer par catégories d'ecclésiastiques à une analyse statistique la plus ventilée possible. Ce faisant, ils auraient eu déjà quelques doutes sur l'interprétation rationnelle de la législation elle-même.

La physionomie des serments, de la Constituante au Consulat, nous apprend à récuser des données réputées fermes jusqu'alors. D'abord il n'y a pas à proprement parler de serments « religieux » et de serments « politiques », mais tout simplement des serments qui prennent leur importance en fonction des événements; ils influent sur une conscience religieuse beaucoup plus que le contenu objectif de la formule.

Dès lors, « le » serment — dit « constitutionnel » — perd sa suprématie puisque nous lui avons vu substituer, en bien des cas, le serment de 1792 — « Liberté-Egalité » — auquel on s'accordait pourtant à ne reconnaître que des effets civils. Ni la République française imposant la formule, ni Rome hypnotisée par sa licéité, ne semblent avoir prévu cela. Le bouleversement législatif est même parfois plus profond : ainsi, à Cayenne, où le « vrai » serment légal gît dans la formule de 1792 et non dans celle de 1790; le « serment d'Albitte » de 1793, pour illégal et éphémère qu'il soit, stigmatise autrement le clergé savoyard que le serment civique; le serment de Haine à la Royauté, qui ne suscite les réticences françaises que pour des motifs d'opportunisme politique, prend un caractère crucial pour le clergé belge. Quant aux missionnaires de l'Inde provoqués au serment de 1792, en 1793, ils comprennent rapidement que le raidissement révolutionnaire des Comptoirs vient moins du contre-coup de « la Révolution de Paris » — alors entrée dans une autre phase — que de l'imminente attaque des Anglais. Remarquons d'ailleurs que ceux-ci haïssent les prêtres assermentés, sorte de monstres jacobins, quand le clergé d'Amérique, catholique romain, lui réserve un accueil fraternel.

Par l'élimination du postulat d'une législation claire et respectée se dégage, pour l'histoire de la conscience religieuse en Révolution, une seconde constatation : La mobilité d'une option au long du conflit de dix ans, même pour les fractions du clergé qui se sont prononcées en 1790-1792. Pourquoi ?

Parce que le problème des serments n'intéresse pas exclusivement des « ecclésiastiques » torturés entre la théologie et la politique. L'historiographie classique a eu souvent le défaut de nous présenter ce débat de conscience comme mûrissant en vase clos. Or, la plupart des prêtres sont ou deviennent responsables de fidèles à partir de 1790. Leur geste personnel prend une signification collective dont il faudra, dans les recherches futures, déterminer la nature. Il semble, d'après ce que nous avons étudié, que beaucoup de paroisses — réfractaires ou constitutionnelles — se passionnent, en définitive, moins pour l'option de son pasteur que pour l'authenticité sacerdotale qu'il conserve dans son attitude. Les constitutionnels — rappelons-nous le cas du Mont-Blanc — signalent maintes fois à Grégoire que leurs confrères sont discrédités avant tout quand ils ont notoirement failli à leur caractère de prêtre. Les populations se refusent à admettre les circonstances atténuantes même lorsqu'elles ont la preuve d'une violence annihilant toute volonté en face d'un serment « apostat » ou que leurs prêtres ont agi par pure tactique.

De la sorte, l'histoire des serments devient un problème de sociologie religieuse et entre, pour sa totale compréhension, dans la grande explosion déchristianisatrice qui doit maintenant nous occuper.

CHAPITRE II

LA DÉCHRISTIANISATION

Dans sa lettre communiquée au colloque de Lyon, en 1963, le doyen G. Le Bras déclarait « qu'il serait très important de connaître à fond l'état du christianisme en France l'an 1789. Quelle empreinte ont donnée aux populations urbaines et rurales aux diverses régions, aux classes et professions, des conceptions aussi variées que celles du jansénisme, du quesnellisme, des missionnaires bretons ? Quel a été le succès des oppositions philosophiques et sociales ? Quand on aura constaté que le christianisme était vacillant, le problème de ses pertes au XIXe siècle sera clairement posé : les causes de l'abstention quasi totale des classes ouvrières et de l'attiédissement des campagnes seront déjà entrevues » (1).

Un tel programme ne demande rien d'autre aux historiens de la période révolutionnaire que rendre compte du recul du christianisme dans la France du XIXe siècle. Il est même frappant de constater qu'en se multipliant, les travaux d'histoire et de sociologie religieuse du monde contemporain renforcent ces données jusqu'à les ériger en postulat.

(1) Cit. dans *Cahiers d'Histoire* des Universités de Clermont-Lyon-Grenoble, tome IX, 1964, p. 96.

N'est-il pas posé en raison même d'une historiographie qui a véhiculé l'expression de « déchristianisation révolutionnaire » comme une sorte de phénomène institutionnel dénué de mystère ? Pourtant les obscurités ne manquent pas autour de la naissance du mot, de son contexte et de son maniement. Déjà, au début de ce siècle, les plus grands maîtres devenaient victimes de ses ambivalences. Témoin l'ardente polémique entre A. Mathiez et A. Aulard qui vulgarisa la formule. Celui-ci en faisait l'arme de choix de la « dictature » de Robespierre; il en fallait moins pour faire bondir Mathiez qui résumait la querelle de cette manière :

« D'après M. Aulard, Robespierre s'est mis en travers « du mouvement hébertiste » pour deux motifs, un motif religieux et un motif politique. Le motif religieux : « Ame mystique, Robespierre était enthousiaste du néo-christianisme de J.-J. Rousseau. Ce n'est pas le dogme qu'il attaquait : il reprochait seulement aux prêtres d'avoir défiguré et compliqué le dogme. » — Le motif politique : « Le mouvement [de déchristianisation] menaçait l'existence même du gouvernement... » (2).

Convenons qu'il est difficile d'accumuler autant de malentendus en si peu de mots, de chaque côté... Le religieux — du moins ce qu'Aulard donne pour tel — et le politique se confondent comme la notion de « révolutionnaire » se réduit à la phase robespierriste et à l'an II. Les progrès de l'historiographie, depuis cette controverse de 1909, n'ont pas été assez décisifs, en ce domaine, pour nous dispenser de remettre en question cette fausse idée claire, objet de notre propos.

D'emblée, la notion de déchristianisation révolutionnaire suggère un phénomène d'une violence inouïe, une sorte de délire collectif dont la force explosive tient à sa courte durée : en gros de l'automne 1793 au printemps 1794. Cette insurrec-

---

(2) A. Mathiez, *La Révolution et l'Eglise*, Paris, 1910; ch. III, « Robespierre et la déchristianisation », p. 66-147.

tion anti-religieuse est si typique dans ses formes que les manuels la présentent volontiers en génération spontanée grâce à un net découpage historique. Du point de vue de l'histoire religieuse, cette présentation impose pratiquement une solution de continuité entre les grands événements de 1790 à 1792, marqués par la Constitution civile du clergé et les prestations de serment, et la Terreur placée sous le signe de la déchristianisation. Il est donc admis que la déchristianisation révolutionnaire et la période terroriste se recouvrent, ce qui conduit à des impasses pour l'histoire des mentalités.

Tout se passe comme si, fascinés par ce volcanisme et oublieux des ambiguïtés du vocabulaire, les auteurs avaient peu à peu opéré une réduction de la déchristianisation à la phase révolutionnaire et de la phase révolutionnaire à la grande Terreur.

Selon, les optiques, on considérera le phénomène pour une aberration psychologique, une erreur politique, la synthèse des névroses, « des folies de brumaire » ou, en sens contraire, l'exaltation du patriotisme révolutionnaire dans l'idéal de l'an II. Elles débouchent sur la conclusion autorisée de R. Cobb : caractère passager de ce phénomène, fragilité de la déchristianisation (3).

Une sérieuse contradiction apparaît dès lors entre la recherche des historiens du XIXe siècle et la constatation de leurs collègues de la période révolutionnaire. S'il est vrai, en effet, que les prodromes de la déchristianisation contemporaine s'affirment au cours du XVIIIe siècle, comment l'intervalle « révolutionnaire » ne recélerait-il que de l'éphémère et du fragile ? Comment admettre qu'à la charnière de 1789-1799, les mentalités aient sombré spontanément dans le paroxysme, généralisé en France, de la Terreur ?

N'est-on pas, en somme, en train de perpétuer ainsi le schéma des pseudo-périodisations qui faisait déjà difficulté pour les serments, de dissocier le « ponctuel » et le « continu » ? Dans le problème des serments, le « ponctuel » consiste assurément dans la prestation des prêtres en 1791 et

(3) Dans *Bull. Soc. Hist. moderne*, douzième série, n° 3, séance du 4 octobre 1964, p. 8.

demande, nous y avons insisté, une analyse statistique soignée. Mais la valeur de cette prestation ne se dégage qu'à travers le débat toujours ouvert de la Constitution civile du clergé jusqu'au Concordat, voire après. Ce débat traverse la période spécifiquement terroriste : il contamine en quelque sorte le « ponctuel » de l'an II : qu'on pense à l'action, durant ce laps de temps, des prêtres assermentés abdicataires; il entre en facteur dans les termes de la déchristianisation. Il y entre à côté de nombreuses autres interférences, politiques, économiques, idéologiques, lesquelles emportent finalement le phénomène de l'an II fort loin de son point d'origine. Ce qui revient à se soucier du caractère multiforme de chaque phénomène ponctuel en prenant garde à ne pas les soustraire à leur durée révolutionnaire. En prenant garde aussi à ce que cette multiformité permet d'employer les mêmes mots pour exprimer des réalités différentes.

L'historiographie générale ne pourra réinscrire le phénomène « déchristianisation révolutionnaire » sur la courbe du mental collectif qu'au prix de cette discipline méthodologique, préalable à toute analyse. Afin d'en assurer la nécessité et le bien-fondé, nous commencerons par examiner les choses dans l'état où les présente l'historiographie la plus actuelle et la plus suggestive. Une conception d'ensemble de la déchristianisation terroriste, en effet, n'a encore jamais été établie, à notre connaissance. La confrontation d'opinions qui va surgir nous mettra en mesure de dissiper des équivoques fondamentales. Il y a plus; l'étude des formes conduira à celle de l'objet du phénomène qui revient à la question : à partir de quoi une chrétienté peut-elle être dite en voie de déchristianisation ? Etant entendu que ce néologisme inconnu du XVIIIe siècle peut signifier un état, une attitude mentale, ou une action (4). Il nous restera enfin à suggérer quelques applications à la période révolutionnaire de l'emploi de cette méthode « objective » que forgent actuellement les contemporanistes.

---

(4) Mme Marcilhacy a montré que Mgr Dupanloup, évêque d'Orléans, avait sans doute introduit la notion avant la date retenue par Littré. En 1869, il parle de « société déchristianisée » pour viser un état de choses alors que Littré s'en tient à l'action déchristianisatrice, dans *Cahiers d'Histoire...*, p. 103.

I

DONNÉES ACTUELLES DU PROBLÈME : UNE MORPHOLOGIE DE LA DÉCHRISTIANISATION TERRORISTE

Entre les monographies riches d'informations, mais de type purement descriptif et les ouvrages armés d'une « thèse » (5) se situent les travaux de R. Cobb, J. Dautry, D. Ligou, A. Soboul et M. Vovelle qui ont plus particulièrement frayé les voies à une explication s'appuyant sur des données historiques. La confrontation des différents points de vue permet de dégager quelques grandes lignes du mécanisme de la déchristianisation. En schématisant quelque peu, il paraît répondre à trois sortes de modalités externes : géographique, sociale et politique. De leur combinaison dépend le double mouvement interne de déchristianisation : négatif et positif.

*
**

A). — *Les modalités externes.*

Sous l'aspect géographique, il faut nettement distinguer un mouvement urbain, à l'instigation des clubs et des sociétés populaires et un mouvement rural, dérivé du précédent et chargé, comme dit R. Cobb, de porter « la terreur au village ». Cette terreur propagée dans les campagnes constitue l' « effort entrepris pour secouer le poids des habitudes » (6), et tout particulièrement les habitudes religieuses, ce qui nous place sur le terrain des forces profondes ou enracinées dans les populations aux prises avec les courants nouveaux, spécialement terroristes. Important problème pour l'étude des mentalités sur lequel nous aurons à revenir.

---

(5) Un bon résumé des théories sur la déchristianisation depuis Aulard dans J. LEFLON, *La crise révolutionnaire 1789-1846* (*Histoire de l'Eglise*. Dir. Fliche et Martin, t. XX, p. 104-105). R. COBB, dans *Les armées révolutionnaires*, Paris, 1963, 2 vol. in-8, t. II, p. 637, n. 1, critique « la thèse fantaisiste » des historiens robespierristes pour qui la déchristianisation serait le fait « de quelques démagogues douteux ».

(6) R. COBB, *Les armées révolutionnaires*, t. II, p. 687.

La constatation d'un antagonisme villes-campagnes n'est pas nouvelle. Elle ne devient pourtant un fait acquis, pour notre période, que depuis la publication de remarquables thèses d'histoire sociale. E. Le Roy Ladurie observe les premiers signes d'un fléchissement religieux des communes suburbaines au cours du XVIIIe siècle, alors que l'ensemble des campagnes languedociennes demeurent traditionnalistes quoique déjà gangrenées parfois par une autre pré-déchristianisation (7). Quant à P. Bois dans son magistral tableau des *Paysans de l'Ouest,* non seulement il reprend l'affirmation de M. Reinhard pour qui la chouannerie représente bien « la lutte des campagnes contre les villes », mais n'hésite pas à conclure : « On en vient à penser que tout au moins dans ce pays de bocage, la Révolution est un fait spécifiquement urbain, et que, passées les premières manifestations d'enthousiasme relatif du printemps de 1789, les campagnes ne l'ont pas comprise » (8). Pour le Sud-Est, M. Vovelle met en évidence le contraste ville-campagne dans le mouvement des abdications sacerdotales, encore qu'avec nuances : « Dans les Maures, autour de Cogolin, Grimaud et la Garde-Freinet, une zone de déchristianisation se distingue sans être liée à l'influence d'un centre urbain important » (9).

L'Ouest, le Sud-Ouest, le Sud-Est forment des bastions ruraux parfois démantelés par un autre dimorphisme plaine-montagne, ceinturés d'un réseau urbain trop lâche pour les entamer profondément, avec pour seule échappée, la mer. Les riverains, d'ailleurs, sont loin d'adopter les mêmes attitudes mentales de l'Atlantique à la Méditerrannée : alors que P. Blois relève l'attitude « patriote », quoique obstinément religieuse des marins des Sables-d'Olonne se faisant l'écho des « villes » par-dessus les campagnes, M. Agulhon oppose le

---

(7) E. Le Roy Ladurie, *Les paysans du Languedoc,* Paris, 1966, 2 vol. in-8. Spécialement l'annexe 45, p. 890 : « Données sur la pratique religieuse entre 1677 et 1772 ».

(8) P. Bois, *Paysans de l'Ouest,* Le Mans, 1960, p. 601 et p. 609.

(9) M. Vovelle, « Prêtres abdicataires et déchristianisation en Provence », dans *Les prêtres abdicataires pendant la Révolution française* (sous la direction de M. Reinhard), *Actes du Cong. des Soc. sav.,* Lyon, 1964, t. I, p. 55.

traditionalisme et la piété vivaces sous la Révolution des gens de mer à l'ouverture laïcisante des terriens (10).

La situation change totalement lorsque les campagnes sont irriguées par les routes, qu'elles subissent, en quelque sorte, un quadrillage urbain. L'abbé Platelle, qui publie le journal d'Alexandre Dubois, curé de Rumegies, dans le Tournaisis, de 1686 à 1739, est frappé par l'étendue et la rapidité d'informations de son auteur : « ce qui, ajoute-t-il, pourra corriger l'idée excessive qu'on se fait parfois de l'isolement des villages sous l'Ancien Régime » (11).

Nuances et oppositions dans le débat villes-campagnes relèvent évidemment des structures agraires qui favorisent les revendications sociales où se mêle le religieux dans le cadre des représentations socio-culturelles des populations. L'historien de la déchristianisation ne saurait ignorer ces processus engagés depuis des décennies lorsque survient la crise révolutionnaire. A. Soboul fait bien de rappeler, à cet égard, que l'histoire du mouvement déchristianisateur est aussi liée « à l'esquisse d'une nouvelle politique sociale » (12).

B) — *Le double mouvement interne.*

Toutefois il serait grossier de penser l'analyser en distinguant massivement les campagnes des villes. Ce n'est pas le moindre mérite du livre de R. Cobb que d'avoir distingué dans le mouvement urbain, générateur de la déchristianisation, deux personnels : civil et militaire dont il décrit les actions au cours de son grand chapitre VI « les armées révolutionnaires et la déchristianisation ».

Lorsqu'elle est menée par le personnel civil, elle se charge des pressions directes de la ville, de l'influence parisienne. Celle — passagère quoique efficace — des représentants en mission, mais surtout de « *leurs délégués,* de cette foule bario-

(10) M. AGULHON, *La sociabilité méridionale,* Aix, 1966, 2 vol. in-8, t. I, p. 164-165.
(11) *Journal d'un curé de campagne au XVIIe siècle,* Paris, 1965, p. 26.
(12) Dans *Bull. Soc. Hist. moderne* du 4 oct. 1964, p. 9.

lée de commissaires révolutionnaires, *apôtres civiques,* hommes de ville, *missi* des sociétés urbaines » sachant trouver des hommes de liaison sur le plan local. Pour R. Cobb, l'action de ces proconsuls de haut ou bas lignage constitue le facteur décisif (p. 683) des menées anti-religieuses. Elles recèlent de mystérieux mélanges de force, de contrainte, de persuasion et cette mixité évolue au gré des ordres et de la conjoncture gouvernementale.

Au contraire, « l'athéisme militaire » incarné dans les armées révolutionnaires s'extériorise dans la violence — non préméditée ? — dans une sorte de nihilisme aveugle. Razzias religieuses de ces modernes bédouins sur le fellah français stupide de terreur; plus désireux d'exercer leur force que de promouvoir la guerre sainte de la Révolution.

A ces deux sources du recrutement des déchristianisateurs correspondraient deux manières d'opérer. Côté des militaires, la déchristianisation prendrait un caractère *forcé et négatif*. Celle inspirée par les civils comporterait des aspects *spontanés et positifs :* prêches athées, culte de la Raison, religion civique, etc... (p. 676). R. Cobb met-il bien sur le même plan spontané et positif, comme nous avons cru le comprendre? Pour sa part, M. Vovelle oppose franchement déchristianisation spontanée et déchristianisation *active,* « onde propagée en province depuis la poussée parisienne de brumaire an II ». La première forme le support de la seconde (13). Il reste cependant à démontrer que la déchristianisation active résulte d'un mouvement fomenté par Paris.

Contre cette opinion traditionnelle, A. Soboul s'était déjà élevé, dans sa thèse, en montrant que l'initiative en matière de déchristianisation, au cours de l'été de 1793, revenait aux départements et non à Paris (14). Nous avons pu confirmer cette observation à propos de la courbe des abdications sacerdotales qui correspond au paroxysme déchristianisateur de la capitale. La phase aigüe de ce mouvement tient tout

---

(13) « Prêtres abdicataires... en Provence », p. 47. — « Déchristianisation spontanée et déchristianisation provoquée dans le Sud-Est », p. 5.
(14) A. Soboul, *Les sans-culottes parisiens en l'an II,* Paris, 1958, p. 290-291.

entière dans la période 10 brumaire-10 frimaire et nous faisions remarquer qu'en province elle déborde largement sur les mois précédant brumaire (15). Les formes anarchiques de la déchristianisation militaire, qui font pièce souvent à l'œuvre des déchristianisateurs civils, fournissent un argument supplémentaire en faveur d'une véritable décentralisation de la déchristianisation. Si l'on ajoute encore cette auto-déchristianisation rurale présentée par M. Vovelle lui-même, il faut bien admettre que « l'onde propagatrice » émise par Paris n'a de réalité qu'en accordant la prépondérance absolue aux agents gouvernementaux chargés d'opérer en province.

Au lieu d'une prépondérance, R. Cobb insiste plutôt sur les interférences et les conflits des modalités politiques de la campagne de déchristianisation. Il distingue (p. 637) une déchristianisation légale et répressive et une déchristianisation révolutionnaire.

La première, voulue et contrôlée par le Gouvernement, reviendrait à mettre le pays sous sa coupe pour « maintenir l'ordre à l'intérieur et accélérer la mobilisation économique des ressources nationales », ce qui n'est pas sans rappeler l'opinion d'Aulard. Elle aurait pour objectif l'enlèvement des cloches et de l'argenterie, c'est-à-dire qu'elle se bornerait aux formes primaires de l'action anti-religieuse.

La déchristianisation « révolutionnaire », autrement dit, selon la terminologie de R. Cobb, anti-gouvernementale, serait aux mains des agents chargés, certes, de la déchristianisation légale, mais qui, outrepassant leur mission, agiraient pour leur propre compte et participeraient à une sorte de rébellion. Ce que le Comité de Salut public veut briser et juguler dans la période nivôse-pluviôse. Cette déchristianisation anti-gouvernementale aboutit à « la fermeture des églises, l'interdiction du culte, l'abjuration obligatoire et le mariage, parfois imposé, des anciens prêtres ». Louis de Cardenal (16) avait

(15) B. Plongeron, « Les prêtres abdicataires parisiens », recueil cit. dans *Actes du Cong. des Soc. sav.*, Lyon, 1964, t. I, p. 19.
(16) L. de Cardenal, *La province pendant la Révolution. Histoire des clubs jacobins, 1789-1795*, Paris, 1929.

déjà perçu le décalage existant, à propos des directives en matière de politique religieuse, entre la Société-mère des Jacobins de Paris et ses filiales de province, bien avant le drame de ventôse.

A cette date, le tournant décisif est pris. Dans leur lutte à mort contre les Hébertistes, les Robespierristes récupèrent la situation et font triompher le modérantisme en matière religieuse, indispensable pour réconcilier le pays. L'athéisme militaire chancelle depuis l'estocade fatale du décret du 14 frimaire sur le désarmement des armées révolutionnaires. Il paraît significatif que la déchristianisation légale cherche alors à s'appuyer sur les sociétés populaires. R. Cobb cite la lettre d'un habitant du Gard qui se plaint des conséquences impolitiques de la déchristianisation — dans ses formes « révolutionnaires » — en date du 25 pluviôse (p. 680, n. 141), mais se refuse à admettre l'opinion d'A. Soboul pour qui le Comité de Salut public était nettement hostile à ces exagérations anti-religieuses. N'oublions pas, soutient R. Cobb, que « Jeanbon-Saint André, Prieur et Collot ont tous favorisé les initiatives déchristianisatrices lorsqu'ils se sont trouvés en mission dans les départements bretons et lyonnais. » (p. 637, n. 1).

Sans doute... mais ils apposent leur signature, solidairement avec leurs collègues du Comité, au bas d'une lettre-circulaire précisément destinée aux sociétés populaires. On cite souvent la circulaire du 4 nivôse adressée par le Comité de Salut public aux représentants en mission : on leur recommandait de ménager le « fanatisme sincère » et de surveiller à cet égard, leurs délégués. La circulaire que nous mentionnons s'adresse, elle, directement aux sociétés populaires. Ce long document, d'un exceptionnel intérêt, fut envoyé de Chalons à l'abbé Grégoire qui a porté de sa main la date : ventôse an II. Toutefois le même document conservé à la Bibliothèque Historique de la Ville de Paris mentionne dans le coin gauche de la première page la date manuscrite du 20 pluviôse, plus plausible dans le contexte politique. Bien qu'il ne soit pas déterminant, un argument milite en faveur de cette dernière date : l'absence, parmi les signataires, de Saint-Just, en mission à l'armée du Nord du 3 au 25 pluviôse (17).

Les représentans du peuple français, membres du Comité de Salut public aux sociétés populaires.

Des troubles religieux ont éclaté; c'est à vous à en atténuer les effets, à vous, sociétés populaires, qui êtes les foyers où l'opinion se forge, s'agrandit et s'épure.

Vous avez tout fait pour la patrie; elle attend tout de vous. Elle vous appelle à être en quelque sorte les professeurs d'une nouvelle instruction.

L'instruction forme l'opinion.

C'est le flambeau de l'opinion qui a brûlé le masque des conspirateurs; c'est le flambeau de l'opinion qui éclairera les hommes foibles, égarés ou séduits et qui les a garantis des pièges semés sous leurs pas.

Que le glaive de la justice venge l'humanité des malheurs que ces hommes pervers attirent sur elle et des maux plus grands encore qu'ils voudroient lui préparer.

Mais en même temps, ramenons à la vérité, par le langage de la raison, cette multitude qui s'est livrée à l'erreur et aux suggestions de l'intrigue, que parce qu'elle manque de lumières.

Plus les convulsions du fanatisme expirant sont violentes, plus nous avons de ménagement à garder.

Ne lui redonnons pas des armes en substituant la violence à l'instruction.

Pénétrez-vous bien de cette vérité : qu'on ne commande point aux consciences.

Il est des superstitieux de bonne foi, parce qu'il existe des esprits foibles; parce que, dans le passage rapide de la superstition à la vérité, ce sont eux qui ont médité et franchi tous les préjugés, qui les premiers se trouvent au niveau. Le surplus, resté en arrière, exige des encouragemens pour avancer à son tour. L'effrayer, c'est vouloir qu'il rétrograde; ce sont des malades qu'il faut préparer à la guérison, en les rassurant et qu'on rendrait frénétiques par cure forcée.

Sociétés populaires, voulez-vous anéantir le fanatisme, opposez aux miracles de la légende les prodiges de la liberté; aux victimes de l'aveuglement, les martyrs de la raison; aux momeries du cagotisme, la conduite sublime des Marat, des Pelletier, des Châlier; aux mascarades églisières, la pompe de nos fêtes

(17) *Bibl. Soc. de Port-Royal,* collect. Grégoire, vol. 154, pièce n° 7. A. Chaalons, chez Pinteville-Bouchard, imprimeur du dép. de la Marne, place du Marché. 5 p. in-8. — *Bibl. Hist. Ville de Paris,* 31408, broch. n° 21, 4 p. in-4 (plié in-8).

nationales; au chant lugubre des prêtres, les hymnes de la liberté; aux oremus insignifians, l'amour du travail, les belles actions et les actes de bienfaisance.

Jusqu'à ce jour, tout culte fut une erreur enfantée par l'ambition de quelques imposteurs et consacrée par le penchant inné de se rapprocher, de se réunir, pour demander au ciel, par des vœux unanimes, et nos besoins et des secours surnaturels dans les grandes calamités publiques... [...]

Mais l'homme, créé pour les grands objets, se trouve naturellement porté à l'enthousiasme : voilà la source de tant d'erreurs.

Avant qu'il apprît à distinguer ses vrais sentimens, des fourbes adroits et méchans s'étoient emparés sans peine de tous les développemens de son cœur. Ils l'ont électrisé par l'exagération; ils l'ont enchaîné par des prestiges; ils l'ont comprimé par la terreur. De-là cette difficulté pour effacer des préjugés si profondément enracinés dans sa conscience. De-là les efforts nécessaires pour le ramener à sa primitive destination. Quand la nature est pour nous, si la tâche devient pénible, ayez de la constance, et le succès est assuré. [...] Fondateurs de la liberté et de l'égalité, il manque encore une palme à votre victoire; vous avez abattu le despotisme, terrassez le colosse de l'aveugle superstition; c'est le premier athlète du royalisme.

La superstition rendant les hommes stupides, foibles et crédules, leur fait perdre tout sentiment de leur dignité; aussi la théocratie et la servitude marchent-elles toujours ensemble.

Nos fers sont brisés. Achevez ce grand œuvre, profitant de la bonne disposition des esprits [...]

Que du lieu de vos assemblées jaillisse la lumière, donnez à l'opinion sa vraie direction.

Jettez l'épouvante dans l'âme des fanatisseurs (*sic*); versez le baume dans l'âme des fanatisés.

Sur-tout dans vos discussions, attachez-vous moins aux individus qu'aux principes. Des fourbes astucieux aiment quelquefois qu'on les attaque, et provoquent de pareilles luttes; avec de l'éloquence et de l'adresse, ils en tirent parti, pour avoir l'air de se débattre contre la persécution. La chaleur des débats entraîne des personnalités, des récriminations, des injures. Cette discussion devient toujours impolitique, ne fut-ce qu'en fixant les regards du public sur des hommes qu'il faut faire rentrer dans l'oubli. D'ailleurs par des mouvemens oratoires, l'imposteur adroit finit trop souvent par obtenir des applaudissemens et par inspirer quelque confiance.

Mais quand la délibération porte sur la démonstration de l'erreur elle-même et que la conviction est généralement sentie, on met à nu toutes les impostures, on comprime jusqu'à l'audace; nul ose élever la voix, ou s'il se prononce, il se trahit lui-même.

Portez-donc l'évidence dans tous les esprits, éclairez, échauffez, persuadez; ne développez point d'autre pouvoir que celui de l'instruction (...) et bientôt les tempêtes et les nuages du fanatisme disparaîtront devant le soleil de la raison.

Salut et Fraternité.

Signé au registre Robespierre, Carnot, Couthon, R. Lindet, C.-A. Prieur, B. Barère, Billaud-Varenne, Jean-Bon Saint-André et Collot d'Herbois.

Admirons au passage la souplesse de la dialectique, qui, au nom de la métaphysique républicaine et de la psychologie des masses, fait glisser la politique gouvernementale de « la légalité révolutionnaire » à la « légalité juridique » selon la judicieuse remarque de R. Cobb (p. 755). En quoi consiste exactement ce « glissement » ?

Le texte nous le dit avec toutes les nuances requises pour ne pas heurter les sociétés populaires : mettre un terme aux fureurs de la « défanatisation » brutale et aveugle et se situer à un plan plus positif en même temps que plus profond en créant et en propageant les formes du culte républicain à partir des dogmes de la liberté et de l'égalité; utiliser à cet effet le besoin de « sociabilité » inné chez les hommes. Le Comité de Salut public en indique les moyens : honneurs aux martyrs de la liberté et exaltation des fêtes nationales. Peu importe pour notre propos, que ce même décret du 18 floréal qui instituera les fêtes civiques ait pour fondement la reconnaissance de l'Etre Suprême, que cette palinodie révolutionnaire, annoncée à grand fracas à la séance du 21 novembre des Jacobins contre les athées déclarés, se retourne finalement contre son instigateur, puisque « l'esprit hébertiste l'emporta en fin de compte » (18). Ce sont là des luttes subtiles propres aux hommes qui encombrent les avenues du pouvoir. Au niveau des mentalités, le principal est de noter, d'une part, le double mouvement interne — négatif et positif — de la déchristianisation, d'autre part, les créations para-religieuses qui doivent « régénérer » les esprits à partir de nivôse.

---

(18) G. Lefebvre, *La Révolution française* (*Peuples et Civilisations*, dir. Halphen et Sagnac), édit. de 1951, p. 367.

Les monographies, si préoccupées jusqu'alors de décrire le vandalisme et l'anticléricalisme, devraient nous apprendre maintenant quelles furent au plan local les interférences et les oppositions entre les deux conceptions de la déchristianisation. Le mouvement fut-il négatif dans un premier temps, puis positif dans un second ? Fut-il alternativement l'un et l'autre ? Qu'a produit cette interaction sur les esprits et sur quelle durée ? On voit combien ce genre de questions nous permettrait de cerner, à partir du mécanisme précis, la nature même de la déchristianisation terroriste.

Encore faut-il pour cela porter plus d'attention à ce que les auteurs nomment « déchristianisation positive », c'est-à-dire substitution aux formes de la religion chrétienne de celles du culte républicain. Par culte républicain, on ne saurait retenir sans de sérieuses réserves la célébration des fêtes nationales et nous verrons plus loin pourquoi.

Il en va tout autrement des cultes populaires à l'étude desquels A. Soboul consacra, en 1957, un article fort suggestif renforcé, l'année suivante, par les indications de sa thèse (19). Il s'agit de ces *Saintes patriotes et Martyrs de la liberté* qui « permettent de saisir sur le vif les manifestations de la spontanéité religieuse des masses révolutionnaires ». Perrine Dugué, dans la Mayenne, et Marie Martin dite Sainte Pataude, aux confins de la Loire-Inférieure et d'Ille-et-Vilaine, furent et demeurent aujourd'hui encore l'objet d'une dévotion populaire aux formes développées qui impliquent un syncrétisme catholico-révolutionnaire. L'auteur fait observer justement que ces dévotions sont apparues toutes deux dans l'Ouest. « Il en ressort que la population de cette région, même quand elle adhérait à la Révolution conserva tout aussi bien que les royalistes son attachement à la religion traditionnelle. Même davantage, peut-être, car il n'est pas à notre connaissance qu'un chouan ait été spontanément promu à la sainteté par le sentiment populaire » (p. 189, n. 12). Peut-être non, effectivement, d'une manière aussi positive, mais une enquête

(19) A. Soboul, *Paysans, Sans-Culottes et Jacobins*, Paris, 1966, p. 183-202.

serait à mener sur les formes diffuses d'une dévotion populaire chouanne.

J.-R. Delisle raconte qu'il a entre les mains un almanach royaliste pour 1795, imprimé à Nantes, ainsi que dans toutes les villes de Normandie, de la Bretagne, du Poitou, du Maine, du Perche et de l'Anjou. « A la tête du calendrier de chaque mois se trouve un martyrologe consacré aux héros vendéens qui ont péri pour la sainte cause du roi et du pape, des annates et de la féodalité. Ainsi voilà, sans autre forme de procès, messieurs de La Roche-Jacquelin, de Talmont, Catelineau, Jacques Focard, etc... transformés en autant de petits saints (...). A côté de chaque calendrier est une légende où sont consignés les miracles que Dieu opère tous les jours en faveur de ses élus persécutés; miracles dont l'ange exterminateur fait tous les frais : tantôt ce sont des prêtres sermentés qui meurent en foule et subitement pour avoir posé leurs pieds sacrilèges sur les marches du saint autel; tantôt c'est un libraire de Nantes qui, ayant osé imprimer de faux brefs du pape, voit sa maison incendiée par les feuilles de ces brefs qu'un enfant faisoit sécher auprès du poële et, ce qui rend l'exemple plus terrible, c'est que sa fille qui devoit se marier *constitutionnellement* le lendemain fut étouffée dans les flammes... ». Et après beaucoup d'autres citations, il conclut : « Dans ces heureux départements, il n'est pas de jour qui ne produise son miracle et par une gradation habilement ménagée, chacun de ces miracles est plus *miraculeux* que celui qui le précède » (20). Même s'il fallait convenir que ce merveilleux est fabriqué, canalisé, orchestré par les élites royalistes, il n'en demeure pas moins une certaine imprégnation des campagnes capable de déclencher des dévotions spontanées dont des traditions orales peuvent encore conserver les traces.

Comme autre piste sérieuse, on doit signaler les prêtres constitutionnels « martyrisés pour la liberté » et dont la tombe fut et demeure un lieu de pèlerinage. Nous en connaissons un cas précis au cœur du pays Breton et un autre en

---

(20) *La Sentinelle,* n° XIV, du 20 thermidor an III, p. 174.

Dordogne. Ces exemples n'ont, bien sûr, aucun rapport avec le culte essentiellement révolutionnaire des martyrs de la liberté qui, selon A. Soboul, « semble marquer le terme d'une évolution du sentiment religieux révolutionnaire à partir du culte traditionnel » (p. 189). De la sorte, disparaîtrait tout syncrétisme, au moins au niveau du « dogme » de l'incroyance que devaient personnifier Marat, Lepeletier et Chalier, tel qu'il apparaît dans sa formulation définitive à partir de brumaire à Paris (p. 197-201). Pourtant, comme le fait remarquer l'auteur, les contaminations du vocabulaire chrétien et de la liturgie catholique demeurent les plus solides assises populaires du nouveau culte, surtout en ce qui concerne Marat.

Si, en effet, on ne semble pas le considérer comme un saint, si son tombeau ne devint pas un lieu de miracles, il apparaît dans la triade révolutionnaire comme la divinité tutélaire au nom de laquelle on baptise les enfants : à en croire, du moins, l'initiative prise par l'un des déchristianisateurs les plus ardents, Dartigoeyte. A Auch, en l'an II, il organise une cérémonie au cours de laquelle il porte un nouveau-né autour de l'arbre de la liberté : il fait voltiger par trois fois le drapeau tricolore sur la tête de l'enfant en lui imposant le nom de Marat (21). Le député des Landes fut un des premiers à entrer dans l'esprit de la « déchristianisation légale ». Il avalisait par avance les consignes du Comité de salut public aux sociétés populaires lorsqu'il déclarait, dans le Gers, le 21 brumaire an II : « Les opinions religieuses s'irritent par la violence qui veut les détruire et cèdent toujours au temps lorsque ceux qui ont la confiance du peuple empliront ce temps à instruire le peuple, à lui dérober tout doucement les signes dont l'exposition publique sert à entretenir la superstition » (22). Malgré le coup d'arrêt porté en germinal an II par les autorités robespierristes de la Commune, le culte de Marat aura la vie dure. Le 13 pluviôse

---

(21) *L'Anti-Terroriste, suite au journal du Département de Haute-Garonne* du 29 juillet 1795, n° 49, p. 198.

(22) Cit. par M. Bordes, « Les abdicataires du département du Gers », recueil cit., dans *Actes du Cong. des Soc. sav.*, Lyon, 1964, t. I, p. 82.

an III (1er février 1795), Laignelot dénonce encore à la Convention la tentative faite, la veille, au théâtre Feydeau, d'abattre la statue de Marat. Il stigmatise les jeunes gens auteurs de l'attentat... ou du sacrilège et clame : « Le Comité a vu dans Marat un représentant du peuple dont la mémoire a été solennellement consacrée et par conséquent un attentat lorsqu'on a brisé son image, un acte qui tend à l'avilissement de la Convention : en effet, jusqu'à ce que la Convention, ou plutôt le temps, ait consacré Marat, il existe un décret, il doit être exécuté » (23).

Il s'est donc développé toute une sociologie du culte maratiste, sinon de la trinité révolutionnaire, à Paris et en province, dont une plus exacte et plus ample connaissance nous fournirait de précieuses données sur la déchristianisation « positive ». De même, serait-il souhaitable de pénétrer les formes de propagande de cette déchristianisation dans le style de la proposition du citoyen Tobie. En tant que membre du Comité d'Instruction de la Section de la Place des Fédérés, il présente, le 22 juin 1793, un *Essai sur l'extirpation du fanatisme*. Quel est son plan ? Envoyer dans les campagnes des « missionnaires » plaçant les techniques d'évangélisation chrétienne au service du théâtre : « Généralement parlant l'homme de la campagne ne sait, ne peut ou ne veut lire; s'il en étoit autrement, les bons écrits dont la France s'honore, auroient certainement produit l'effet après lequel nous soupirons encore. Forcé de renoncer à ce moyen, je vous en propose un dont l'exécution facile semble présager les plus heureux effets. Ce moyen seroit d'opposer le Troubadour au Fanatiste, le Comédien au Prédicateur; en un mot, *Molière* à *Tartuffe* (...). Travestis en Saltimbanques de tout genre, nous sèmerons par-tout la tolérance et la morale; par-tout, par des apologues ingénieux, par des scènes applicables aux circonstances, nous rappellerons nos Concitoyens à leurs devoirs... ». A quelle fortune étaient promises non seulement de semblables entreprises, mais celles de tous les

---

(23) *Journal des Hommes libres*, du 14 pluviôse an III, n° 134, p. 556. Sur le rôle, en l'an IV, du député de Paris pro-babouviste, cf. A. Soboul, *Paysans, Sans-culottes et Jacobins*, p. 299.

autres prêches athées s'attaquant directement ou indirectement aux convictions religieuses traditionnelles des Français ?

Ainsi esquissée dans ses grandes lignes à la lumière de l'historiographie la plus récente et la plus autorisée, cette morphologie de la déchristianisation terroriste présente encore trop d'obscurités et d'inconnues pour ne pas être réformable. Réformable, assurément, dans son propre développement, c'est-à-dire perfectible au fur et à mesure des contributions historiques à venir; mais réformable, d'abord, dans la conception qui a présidé à sa formation. Celle-là se défend mal contre l'étroitesse chronologique de l'analyse, l'ambiguïté du vocabulaire. Elle souligne et d'autant mieux la difficulté à cerner la nature même du phénomène, malgré la science déployée par les auteurs. Etant donné leur importance, ces trois facteurs méritent d'être revus de plus près.

Au-delà de leurs divergences aperçues précédemment, les spécialistes tomberaient facilement d'accord sur l'analyse phénoménologique suivante :

1° Entendre par « déchristianisation révolutionnaire » toutes les formes attentatoires au culte chrétien. Si nous avons personnellement insisté, à la suite de A. Soboul, sur les substitutions engendrées par les cultes révolutionnaires et tendant à constituer une « déchristianisation positive », la plupart des historiens, à quelque tendance idéologique qu'ils appartiennent, ont surtout retenu le caractère négateur, destructeur du phénomène.

2° Selon un processus enfermé, pour l'essentiel, dans la période automne 1793 — printemps 1794. Période au cours de laquelle sont atteints les principaux objectifs : cessation du culte, destruction des signes du culte, abdication des prêtres. L'accent porté plus sur les modes d'atteinte de ces objectifs par les déchristianisateurs que sur les effets réellement accusés par les « déchristianisés » entraîne une impression de succès de la campagne terroriste et confère au processus un caractère d'*irréversibilité*. Il est obtenu par l'absence d'une contrepartie dans l'analyse : celle de la réaction des victimes qui ont ainsi l'air de tendre le dos en attendant les jours meilleurs de l'an III et la réouverture des églises.

3° Le processus se déclenche au cours d'opérations multiformes : démonstrations anticléricales, menaces, iconoclasmes, persécutions et voies de fait, etc..., qui finissent par interférer, mais qui débutent, tantôt une par une, tantôt — et fort rarement — en simultanéité à des dates variables selon les régions et les agents. R. Cobb donne une parfaite illustration de ce schéma en dressant la carte et la chronologie de l'iconoclasme. Il débute plus tôt, reprend plus vite et s'étend plus largement que la propagande athée qui débute à la fin de brumaire et se trouve enrayée par la volonté du Gouvernement de renoncer à la lutte anti-religieuse au tournant de ventôse-germinal an II. La propagande athée, forme de la déchristianisation positive, est plus sensible au centre et au sud de la Loire (p. 676). Plus resserré encore dans le temps, apparaît le mouvement des abdications de prêtres, réduit à quelques semaines.

Jusqu'ici le courant déchristianisateur faisait penser à ces eaux souterraines, grossies d'innombrables affluents, traversées de mystérieuses resurgences. Désormais ce serait plutôt l'image de la tache d'huile qui s'imposerait : on s'efforce de mesurer la progression de son empreinte sur le tissu social, faute de pouvoir discerner chacun des éléments lubrifiants dont elle est issue. Par convention, la tache d'huile s'appelle, en la circonstance, la déchristianisation, sans parvenir pour autant à fixer le vocabulaire.

L'ambiguïté naît principalement de l'association de réalités distinctes quoique voisines sous la plume des auteurs. On couple, par exemple, fréquemment anticléricalisme et déchristianisation. R. Cobb précise encore : « Faisons une première distinction entre l'anticléricalisme populaire et la haine, somme toute politique, qu'inspire chez les sans-culottes urbains, le prêtre réfractaire, ennemi par excellence du régime » (p. 639). Mais les distinctions s'évaporent quelques pages plus loin : « ...Anticléricalisme, haine du prêtre, anti-catholicisme, condamnation d'une religion qui, aux yeux des sans-culottes urbains, s'était identifiée avec l'ancien ordre des choses, dont elle aurait formé l'auxiliaire le plus sûr, voilà surtout ce qui caractérise l'attitude personnelle des soldats, comme des sans-culottes urbains, leurs frères, quand il s'agit de la religion » (p. 642). Plus brièvement, A. Soboul parle à deux reprises, dans sa thèse, au chapitre de la déchristianisation, des premières manifestations, à Paris, d'une « hostilité à la religion et au clergé ». Un autre couple définissant la déchristianisation apparaît chez R. Cobb : anticléricalisme et iconoclasme (p. 649). Or, on nous apprend (p. 654) que « la déchristianisation et l'iconoclasme apparaissent surtout comme le fait des groupes politiquement les plus conscients... ». De même aura-t-on beaucoup de peine à se faire une idée de ces militaires que l'on nous dépeint a-religieux « parce que plus attirés par l'athéisme que par la théologie » (?) p. 647, mais en notant que « le programme anti-religieux est aidé par l'adhésion personnelle de la plupart de ces soldats politiques », (p. 686).

Loin de nous, en relevant cette confusion des termes, d'intenter un mauvais procès à ceux qui les emploient, car nous pensons tout simplement que cette confusion est dans la réalité même, que toutes ces notions coexistent et se contaminent naturellement, à l'instar de ce que pouvaient penser les politiques et le populaire maniant sans grande précaution les mots incendiaires de « fanatisme », « athéisme », « superstition », etc... Notre tort est peut-être de vouloir les réduire au dénominateur commun de déchristianisation. Ce néologisme trahit manifestement son inadéquation aux mentalités du dix-huitième siècle.

La fausse idée claire que l'on se fait de la déchristianisation éclate comme un aveu d'impuissance lorsqu'il ne s'agit plus de décrire, mais d'expliquer. Avec une probité qui ne le cède qu'à la modestie, R. Cobb l'exprime sans fard et plusieurs fois au cours de son étude qui représente plus de vingt années de recherches : « l'attitude personnelle des *révolutionnaires* (devant la déchristianisation) reste en grande partie impénétrable... » (p. 639); difficile d'établir les causes de cet enthousiasme » (p. 641); « en fin de compte, on ne peut pas se prononcer de façon catégorique sur les mobiles tant personnels que politiques qui ont poussé des hommes de conditions très diverses à se lancer dans le mouvement anti-religieux » (p. 656); « les déchristianisateurs ne savent pas eux-mêmes où ils veulent en venir... » (p. 688). De guerre lasse, il en vient à penser qu'il n'y a pas *une* mais *des* déchristianisations, ce qui fait voler le précieux concept en éclats.

La brèche étant faite, M. Vovelle s'avance hardiment : « ... Dans la réalité multiforme des manifestations déchristianisatrices, nous avons écarté le critère de la fermeture des églises (fait de conformisme municipal bien trop général pour être révélateur), celui des changements de noms de lieux, intéressant parfois, mais beaucoup trop inégal géographiquement, ne fût-ce qu'en fonction de la toponymie; enfin celui des manifestations anti-religieuses (mascarades, destructions de croix), beaucoup trop diverses » (24). Du même coup, c'est aussi la morphologie de la déchristianisation en l'an II, patiemment esquissée jusqu'ici, qui devient suspecte. Cela ne fait aucun doute pour J. Dautry. « L'historien britannique R.-C. Cobb ne m'a jamais convaincu que la déchristianisation ait été un phénomène populaire profond, que les déprêtrisations et les mascarades aient ébranlé la foi catholique d'un grand nombre d'humbles gens » (25).

Nous serions tentés d'en dire autant lorsque A. Soboul cherche à montrer l'existence d'un courant anti-religieux « dans le peuple de Paris » (26) en alléguant comme premières manifestations de ce courant, d'une part, le mariage des prêtres Aubert et Bernard et les réactions qu'il suscite, de l'autre, la

---

(24) « Déchristianisation spontanée... », *art. cit.*, p. 5.
(25) J. DAUTRY, « Nouveau christianisme ou nouvelle théophilanthropie ? », dans *Arch. de soc. des Religions*, n° 20, juillet-déc. 1965, p. 26.
(26) A. SOBOUL, *Les sans culottes parisiens en l'an II*, p. 282-284.

délibération de l'assemblée générale du Panthéon Français du 12 septembre 1793.

Il est certain que le mariage d'Aubert, vicaire, et Bernard, sacristain de Sainte-Marguerite, a soulevé de profonds remous dans la capitale. Il est non moins certain que le premier attendu de l'arrêt du 28 juin 1792, rendu par l'assemblée de la Section de Montreuil dénonce « la conduite inconstitutionnelle » du curé de Sainte-Marguerite qui s'est violemment opposé à ce double mariage. Si violemment même que le curé Lemaire suivi par ses collègues Brugière, de Saint-Paul, Leblanc de Beaulieu, de Saint-Séverin, et Mathieu, de Saint-Sulpice, rédige une protestation écrite qui va conduire les quatre signataires en prison... Mais ils seront élargis, le 13 août 1793, sur un mouvement populaire qui traduit l'influence, connue par ailleurs, de ces curés « patriotiques » sur les ouailles. Le mouvement débute dès le dimanche 17 juin 1792 lorsqu'éclate le tumulte pendant la grand'messe célébrée par Aubert, fraîchement marié. Ce courant protestataire irait-il à l'encontre du sentiment des sectionnaires ? Pas forcément, et nous rejoindrons facilement l'explication donnée par l'abbé Delarc. Devant la Section, Aubert « déclara, sans le prouver, il est vrai, que le célibat était inconstitutionnel et cet argument dut certainement paraître péremptoire aux citoyens et aux citoyennes qui composaient l'assistance » (27).

Du second exemple (la délibération de l'assemblée générale du Panthéon Français) A. Soboul nous dit qu'il « présente plus d'un mois avant la déchristianisation, les aspects essentiels de ce mouvement : dénonciation du fanatisme religieux, substitution au catholicisme d'un culte républicain fondé sur la raison. » On peut répondre que la dénonciation du fanatisme religieux signifie encore à l'époque, dans la conscience populaire, l'alliance du clergé réfractaire avec l'aristocratie et que les curés constitutionnels, pasteurs ardents et écoutés, sont les premiers à l'employer à tout propos. Quant à

---

(27) O. DELARC, *L'Eglise de Paris pendant la Révolution française*, t. II, p. 79.

la « substitution » du culte républicain, qu'en dit le texte que nous avons été consulter ?

« ... A l'exception de quelques Fénelons révolutionnaires dont le nom seul honore le sacerdoce et l'empire, les ministres actuels de la religion ne pourroient que difficilement extirper le germe de superstitions sacrées, presqu'inhérent au culte qu'ils enseignent sans prétendre s'immiscer dans ce qu'ils appellent le gouvernement spirituel des âmes, sans leur rien ôter de leurs fonctions sacerdotales; il est de la sagesse du législateur de leur *adjoindre* des ministres nouveaux, des évangélistes de la raison qui sachent *allier* le culte religieux avec le culte constitutionnel, l'évangile du Messie avec celui de la liberté, prouver le texte à la main, leur *parfaite harmonie,* purger la religion des Sophismes de l'école ultra-montaine, la ramener à la simplicité primitive, chercher, combattre, exterminer le fanatisme jusque dans ses derniers retranchemens. Si l'insurrection générale et momentanée du peuple contre les tyrans assure le salut de la république, l'insurrection permanente des talens et de la raison contre les préjugés peut seule assurer son immortalité. « Et s'il est vrai qu'à la suite de ces principes, est proposé un décret pour l'ouverture d'une Ecole de la Liberté où l'on enseignera « les vertus républicaines, l'horreur du fanatisme, le mépris de la mort et des rois, dimanches et jours de fêtes... », il n'en reste pas moins que tout prêtre constitutionnel engagé dans le ministère aurait signé cette déclaration.

Pourquoi ? Parce qu'en septembre 1793, elle ne semblait pas offusquer la foi. Et nous nous sommes arrêtés sur ces deux cas, que parce qu'ils représentent le type du débat mal engagé. Il ne suffit pas, c'est notre conviction, d'opposer inlassablement, comme on l'a fait jusqu'ici, les textes qui, les uns montrent l'indifférence religieuse, les déviations des dévotions, l'athéisme et les autres, la persistance de l'expression religieuse, s'il n'existe pas un point de référence précis, fixe et quasi intangible de ce qu'on appelle la *déchristianisation.* Lorsque J. Dautry confesse son scepticisme à l'égard de la démonstration de R. Cobb, ne veut-il pas dire au fond que l'auteur des *Armées révolutionnaires* analyse des phénomènes sans commune mesure avec les réalités de la foi ? Enfin, quand M. Vovelle retient comme « test des succès de la campagne déchristianisatrice » le critère des abdications de prêtres, n'est-ce pas justement parce que le prêtre, quel que soit son rôle social et politique, ne tient sa réalité que de cette foi qu'il doit vivre et transmettre ?

Mais comme nous entendons déjà la fameuse objection : l'historien n'a pas pour mission de mesurer la foi, quoiqu'on puisse demander s'il s'interdit un tel jugement de valeur chaque fois qu'il manie les termes d'athée et d'athéisme, il devient nécessaire pour délivrer l'histoire religieuse d'un sophisme qui se cache derrière l'honnêteté de la déclaration, de s'en expliquer aussi clairement que possible.

II

DONNÉES COMPLÉMENTAIRES DU PROBLÈME : LA DÉCHRISTIANISATION RÉVOLUTIONNAIRE CONSIDÉRÉE DANS SON OBJET

Bien que, durant les dernières décennies, les historiens et sociologues des religions aient contribué à dégager la spécificité du fait comme du groupe religieux, il ne semble pas avoir reçu toute l'audience souhaitée auprès de leurs collègues qui étudient les mentalités. Sans doute récuse-t-on aujourd'hui sans difficulté la conception durkheimienne d'une réduction du religieux au social. A. Soboul dénonce l'infirmité méthodologique qu'elle entraîna chez Mathiez (28) qui n'hésitait pas à affirmer en tête des *Origines des cultes révolutionnaires :* « C'est la société qui prescrit au fidèle les dogmes qu'il doit croire et les rites qu'il doit observer » (29). Il n'est pas rare pourtant, dans l'ambiance néo-positiviste de notre temps, de voir les meilleurs travaux historiques rajeunir les

---

(28) A. Soboul, *Paysans, Sans-Culottes et Jacobins*, p. 185-187.
(29) A. Mathiez, *Les origines des cultes révolutionnaires* (1789-1792), Paris, 1904, p. 12.

thèses de Durkheim au nom de l'omnipotence des structures socio-économiques.

Ceux qui veulent sauvegarder l' « objet religieux » en le replaçant, sans l'immerger, dans la société globale, évitent difficilement une autre réduction : celle de Max Weber. Pour ce maître, il ne s'agit plus de réduire le religieux au social, mais de confiner le fait religieux dans son aspect fonctionnel : soit par isolement des éléments sociaux d'une religion, soit par la mise en lumière des implications sociales (éventuellement politiques et économiques) de la religion. La réduction est « fonctionnaliste » parce qu'elle ramène la religion au culte. La théorie de Weber met l'historien à l'aise puisque c'est par le culte que se fait le mieux la saisie historique du fait religieux.

Ce qui incline A. Soboul à cette définition : « Un culte religieux implique de la part du croyant (spécialement si on se place dans la perspective du catholicisme au XVIIIe siècle), vénération à l'égard de son objet — objet transcendant, surnaturel — qui lui apparaît doué d'une vertu efficace à la fois ici-bas et dans l'au-delà : le croyant participe de cette vertu efficace grâce au culte, qui constitue en un certain sens un échange de prestations entre les hommes et le surnaturel. Le fait religieux implique enfin une participation à toute vie personnelle... » (30).

En inversant la perspective, c'est-à-dire en prenant les choses du côté de l'« objet » — qui reste à définir — et non plus du côté du sujet, de l'homme qui adhère, personnellement ou collectivement, on élimine précisément les types de réduction remarquablement critiqués par R. Mehl (31). L'historien passe alors de l'étude périphérique de l'homme « en situation religieuse », à celle, beaucoup plus prégnante, de la structure et de la vie des groupes organisés dont le sacré est le principe et la fin. Cela signifie que, si le ou les groupes religieux subissent la pression de la société globale, loin d'être le simple reflet de cette société, ils sont aussi la *projection*

---

(30) A. SOBOUL, *op. cit.* p. 187.
(31) R. MEHL, *Traité de sociologie du protestantisme* (Neuchâtel, 1965), ch. II. « Objet et méthode de la sociologie des religions », p. 17-40.

d'un monde supranaturel caractérisé par la notion de sacré.

Comment l'historien peut-il appréhender cette notion dans l'univers mental d'une société ? Par la sociologie (« socio-phénoménologie de l'objet religieux », dit R. Mehl) ou synthèse *explicative* résultant d'indices extérieurs mesurables par la sociographie, en adéquation avec le système de valeurs spirituelles définies par l'objet. L'ensemble des enquêtes lancées sous l'impulsion de G. Le Bras a révélé deux dangers possibles.

Le premier consistait à oublier que le milieu social considéré n'est jamais exclusivement religieux : il est même essentiellement « culturel » et comprend comme un tout plus ou moins homogénéisé les manières d'être, de penser, d'agir. Toute enquête sociographique, et à plus forte raison sociologique, demeure, en matière religieuse, tributaire des « savoirs » : des savoir-faire comme des savoir-vivre.

Le second danger, beaucoup plus grave, découle d'une confusion entre sociographie et sociologie. On jauge le comportement du groupe d'après les taux de pratique religieuse, de participation aux œuvres charitables, d'après le degré de moralité (criminalité, contraception, etc...) et autres indices extérieurs, puis on outrepasse leur valeur d'indices pour trancher de la vie croyante du groupe. Des enquêteurs plus prudents ont pu constater, au contraire, qu'il n'y avait pas forcément de lien logique entre les deux et qu'en certains cas les indices sociographiques contredisaient les réalités d'une foi s'exprimant autrement. Le doyen Le Bras y insistait au colloque de Lyon et, par là même, il invitait à se prémunir contre cette tentation pour l'historien-sociologue de tout réduire au quantifiable et d'être obnubilé par le culte *aux dépens de son objet*.

Il apparaît donc de saine méthode de partir de lui, de le définir et de lui subordonner l'investigation sociographique indispensable. De quelle valeur interprétative serait, par exemple, le décompte des messalisants si l'on ne peut savoir par ailleurs — notamment par la spiritualité, la théologie, la catéchèse — quelle idée ils se font du Sacrifice de la Messe ? La question devient brûlante en matière de déchristianisation. Et puisqu'elle est le fruit de nos réflexions présentes et qu'elle prend corps dans la France du XVIIIe siècle dominée par les attitudes catholiques, il semble légitime de prendre pour base l'objet de la confession catholique.

« Quand peut-on dire qu'un groupe a été christianisé ? Evidemment, quand il a adopté la religion née des paroles et des exemples du Christ. Ce qui suppose une prédication efficace de l'Evangile, aboutissant chez le peuple à des adhésions dogmatiques et morales, à des croyances et à des conduites dont le sociologue-psychologue s'efforce de reconnaître les signes » (32).

Entendons bien : les signes de la foi, historiquement observables, et non la foi « mesurée » qui excède toute compétence humaine. Mais, pour les catholiques, la foi est reçue, enseignée et communiquée dans l'Eglise dont « le souci premier est d'assurer la continuité de la hiérarchie, fondement de l'Eglise enseignante et de la validité des actes sacramentels et la soumission de tous à la hiérarchie » (33).

A elle seule, cette formule, due à un auteur protestant, suffirait à détailler les points névralgiques de la déchristianisation en France sous l'Ancien Régime et sous la Révolution : contestation de la foi communiquée par la Hiérarchie, gardienne de la foi, dans la lutte révolutionnaire de deux épiscopats, « romain » et constitutionnel jusqu'au Concordat, voire jusqu'à la Restauration; contestation de la validité des sacrements, réalités de la foi, au cours de la furieuse polémique entre insermentés et constitutionnels qui éclate et perturbe le peuple chrétien après Thermidor.

Quelle fut la conséquence historique de ces contestations de la foi par les catholiques eux-mêmes, comment les événements révolutionnaires jouèrent-ils un rôle de catalyseur pour ces contestations ? C'est précisément ce qu'il nous faudra étudier en dernière partie, en ayant auparavant posé « l'objet » d'une étude de la déchristianisation, des méthodes qui en découlent d'après les principes que nous venons de rappeler.

---

(32) G. Le Bras, *art. cit.*, dans *Cahiers d'Histoire*, p. 92.
(33) R. Mehl, *op. cit.*, p. 29.

*
* *

L'étude « objective » de la déchristianisation nous paraît finalement consister dans la recherche des agents externes et internes d'un agression contre la foi chrétienne et singulièrement catholique, tant il est vrai, personne ne songe à le nier, que la foi a subsisté *avec ou sans le culte,* avant, pendant et après la période terroriste.

Elle a même survécu en engendrant parfois des innovations culturelles sous l'empire des circonstances : « messes blanches », c'est-à-dire réunions eucharistiques de fidèles sans prêtre, ou sous l'autorité de laïcs promus aux fonctions sacerdotales par la volonté de la communauté. En l'an IV, c'est un cultivateur de Montgriffon, dans l'Ain, auquel la commune dépourvue de prêtre et ne pouvant s'en procurer, demande d'exercer les fonctions sacerdotales. On dit que ce Pierre Mathieu officie et chante la messe avec beaucoup de dignité, en habits laïcs (34). Dans l'Aube et dans l'Yonne, plusieurs cas de ce genre sont encore signalés sous l'Empire (35).

Sous peine d'entretenir le mythe de la déchristianisation révolutionnaire, il est nécessaire de préciser un vocabulaire comme s'y efforcent les historiens de l'époque contemporaine : de ne pas confondre sous un même terme générique les agents d'agression *avec la foi elle-même,* telle qu'elle s'exprime dans ses réactions voire ses complicités avec l'agression subie.

« On se gardera, recommande R. Rémond, d'employer indifféremment déchristianisation, sécularisation, laïcisation : ces termes qui désignent sans doute des phénomènes voisins, qui interfèrent même étroitement dans l'expérience historique, mais qui correspondent à des degrés inégaux et à des processus différents de séparation du religieux et du civil » (36). De son côté, M. Reinhard se montre plus radical : « L'anticléricalisme et la déchristianisation diffèrent essen-

---

(34) *Le Courrier de Paris* du 7 germinal an IV, n° 368, p. 2.
(35) *Intermédiaire des chercheurs et curieux,* juin 1967, col. 575.
(36) R. Rémond, « La déchristianisation : état présent de la question et des travaux en langue française », dans *Concilium,* 1965, n° 7, p. 131-136.

tiellement » (37). Proposition à laquelle nous nous soumettons si l'on prend l'anticléricalisme au sens commun, c'est-à-dire d'une attaque contre le clergé en tant que classe sociale véhiculant certaines options politiques en contradiction flagrante avec les Lumières et la marche révolutionnaire. Mais les flambées d'anticléricalisme révolutionnaire n'ont-elles pas souvent cherché à atteindre dans le prêtre le gardien de la foi chrétienne ?

La distinction n'est pas si subtile quand maints Thermidoriens s'efforceront de la reprendre. Reubell explique à la Convention, le 25 germinal an III : « Nous ne poursuivons pas ici le prêtre comme prêtre, mais comme séditieux, mais comme royaliste. Tant que vous aurez des prêtres réfractaires, vous aurez parmi vous les plus grands ennemis de la République ». Son collègue Thibaudot, au cours de la même séance, appuie cette opinion en affirmant que, lui aussi, aurait bien voulu ne pas parler des prêtres et qu'il ne le fait qu'en pourchassant les réfractaires, « des hommes qui, depuis cinq ans, n'ont d'autre soin que d'agiter le peuple en sens contraire de la révolution... » (38). La pointe contre la foi, dans la poussée déchristianisatrice, est encore bien ressentie par un homme aussi peu suspect de sentiment chrétien que J.-B. Louvet. Il s'en prend dans son journal *La Sentinelle,* à plusieurs écrits de l'abbé Grégoire tout en marquant sa déférence envers celui qu'il qualifie de « saint prêtre ».

« Nous ne sommes point athées; l'existence d'un Dieu rémunérateur de la vertu et vengeur du crime, est, à nos yeux, une croyance raisonnable, utile au maintien des sociétés et nous chérissons en elle l'une des plus fermes garanties de toutes les vertus privées et publiques. Il y a plus, quoique nous n'ayons pas dans le catéchisme de l'abbé Grégoire cette foi qui est un don de l'Esprit Saint et qui n'est point accordée à tous les enfans des hommes, nous n'avons pas approuvé pourtant les farouches et immorales attaques livrées, durant notre proscription, au catholicisme, par Anacharsis Cloots, Hébert et Chaumette. Nous avons constamment pensé que les superstitions populaires ne

---

(37) Dans *Bull. Soc. Hist. moderne,* du 4 oct. 1964, p. 8.

(38) Voir sur ces interventions les commentaires du *Journal du matin,* n° 876, du 26 germinal an III.

devoient être dissipées que par le progrès et les lumières inoffensives de la douce philosophie et nous ressentons une horreur égale et pour les tyrans qui forcent à croire et par les brigands qui, les armes à la main, commandent l'incrédulité. » (39)

Les rapports de la foi enseignée et vécue par le peuple chrétien avec les notions de sécularisation et de laïcisation nous semblent encore plus délicats et leur rôle d'agresseurs ne s'affirmera véritablement que dans des études conduites avec la plus stricte discipline de vocabulaire et de méthode. Avouons-le franchement, ces qualités ou ces exigences ne nous paraissent pas informer totalement la thèse très suggestive de M. Agulhon sur la *Sociabilité méridionale* à la fin du XVIIIe siècle (40).

Parti à la recherche des structures institutionnelles de la sociabilité telle qu'elle s'exprime en Provence méridionale après 1750, il croit pouvoir conclure que, notamment dans le cas des confréries d'Ancien Régime, elles évoluaient vers une laïcisation offerte elle-même à une sorte de pré-déchristianisation, présente à ses yeux sans qu'il en prononce le nom. Qu'entend-il au juste par *laïcisation ?* Il faut, en fait, attendre la page 570 pour connaître sa définition : « une intégration (des anciennes structures religieuses) à la vie communale. » Ce qui suppose évidemment que la vie communale est elle-même « laïcisée » ; supposition gratuite, lorsqu'on relève les multiples exemples de gestes religieux des municipalités pendant la Révolution cités par l'auteur qui met par ailleurs entre parenthèses la foi des confréries de Pénitents faute d'une documentation qui pourrait éclaircir cet aspect primordial (p. 203). Encore une fois, avec ce travail, nous retrouvons le schéma du processus irréversible, de la lente dégradation d'une chrétienté. Ceci posé, comment justifier la prudence des Jacobins provençaux devant le folklore d'expres-

---

(39) *La Sentinelle,* n° 272, du 2 germinal an IV.

(40) M. AGULHON, *La Sociabilité méridionale. Confréries et Associations dans la vie collective en Provence orientale au XVIIIe siècle.* Publications des Annales de la Faculté des Lettres d'Aix, série : « Travaux et Mémoires », n° XXXVI, 1966, 2 vol. in-8. Pour une problématique de la déchristianisation amorcée dans cet ouvrage, cf. M. VOVELLE, « Vue nouvelle sur l'histoire des mentalités », dans *Rev. d'Hist. de l'Egl. de France,* n° 150, janv.-juin 1967, p. 48-54.

sion religieuse ? Pourquoi cette variation dans l'attitude des sociétés populaires, tantôt déchristianisatrices comme à Sanary, tantôt chargées de transmettre les revendications spirituelles de la commune, comme à Cogolin, pourtant signalé comme zone de déchristianisation par M. Vovelle, et à Mons ? (41).

Y a-t-il dans les structures de la sociabilité religieuse une réelle mutation ou plutôt une « mise à jour » lorsque les confréries prennent l'habitude d'appeler leurs prieurs des syndics, que la grande société de jeunesse est « plus liée à la vie municipale qu'à celle de l'Eglise » (p. 127), comme si l'on voulait sous-entendre que les édiles et le clergé vivaient déjà, avant 1792, dans l'esprit de la Séparation ? En réalité, l'évolution décrite par M. Agulhon paraît procéder d'une de ces poussées de sécularisation qui traversent l'histoire des institutions chrétiennes, du Moyen Age à nos jours, lorsque surgit une conjoncture favorable. Les crises qu'elles engendrent peuvent souvent signifier une prise de conscience ecclésiale de la part du peuple chrétien désireux de trouver sa taille adulte en face de la hiérarchie lorsque celle-ci succombe à un cléricalisme captateur et débilitant. Au milieu de péripéties socio-politiques, elles contribuent alors à sortir la foi d'une paralysie entretenue par le légalisme. D'intéressantes tentatives d'inspiration janséniste visant à une sécularisation « positive » se sont succédé au cours du XVIIIe siècle (42). La plupart tourneront court avec la Révolution, sauf celle concernant la langue liturgique.

De toute façon, sécularisation, laïcisation, anticléricalisme et même vandalisme — souvent synonyme d'iconoclasme alors que le créateur du mot, l'abbé Grégoire, donne une acception plus large (43) — restent des notions à creuser

---

(41) *Ibidem*, t. II, p. 456-58; p. 477. Sur l'attitude des sociétés populaires, p. 525 et p. 536.

(42) Sur leur nature, cf. B. PLONGERON, « Une image de l'Eglise d'après les « Nouvelles Ecclésiastiques » (1728-1790) », dans *Rev. d'Hist. de l'Egl. de France*, juillet-déc. 1967, p. 241-268.

(43) « Anéantir les monumens qui honorent le génie français et tous les hommes capables d'agrandir l'horizon des connoissances... », dans *Rapport sur les destructions opérées par le Vandalisme et sur les moyens de le réprimer*, Paris, 14 fructidor an II.

pour la période révolutionnaire. Les historiens seraient ainsi conviés non seulement à fixer les termes véhiculés dans le langage de la déchristianisation, mais aussi à déterminer leurs rapports mutuels. La confrontation des points de vue et des expériences aboutirait certainement, d'un autre côté, à montrer que, dans l'état actuel des travaux, on range sous la rubrique « déchristianisation » : des mesures politiques prises par des autorités légitimes ou non; une action ou campagne opérationnelle menée par des agents civils et militaires, mandatés ou non par l'autorité reconnue; les effets recherchés par les agents gouvernementaux; les objectifs atteints par la campagne déchristianisatrice; les résultats obtenus et leur pouvoir d'efficacité auprès des « déchristianisés ».

Plutôt que de vouloir rendre compte de ces réalités voisines, mais différentes, en concluant à *des* déchristianisations, nous proposons de comprendre sous le terme « déchristianisation » l'étude de la foi chrétienne telle que la définit son objet, telle que cet objet l'incarne dans la société étudiée par l'historien et telle qu'elle est atteinte, perturbée, voire anéantie par des agents d'agression externes et internes au milieu où s'exprime cette foi. De la sorte, au lieu du faux dilemme : déchristianisation = un état ou une action ? on respecterait la réalité de l'ambivalence.

La déchristianisation est une mutation subie par un certain état de chrétienté sociographiquement et sociologiquement soumis à l'analyse historique. La ou les mutations résultent d'une action agressive, décomposée en actions principales et en actions secondaires selon leur influence sur la croyance « en actes » et leur aptitude à modifier l'esprit et les actes découlant de cette croyance. Par là aussi, se voit rompu le processus impliquant irréversibilité de l'action agressive, dégradation lente ou accélérée, mais uniforme, d'un état que l'on se donne à l'origine et que l'on tient, par pure hypothèse, comme état de chrétienté.

La réalité nous apprend au contraire que loin de demeurer passif, le milieu de croyants réagit aux agents d'agression, se modifie au feu des attaques, se rectifie ou au contraire dévie par rapport à l'objet de sa foi. En somme, la méthode consiste à suivre le jeu des interactions assez fortes pour provoquer ce que R. Rémond appelle « des causalités circulaires ».

*
* *

Si, de surcroît, on tient pour assuré qu'il n'y a pas d'homme religieux détaché de l'homme total, ce qui oblige à inclure, outre les facteurs politico-idéologiques, les facteurs sociaux et économiques, l'historien de la Révolution sera tenté de reculer devant la tâche ardue, minutieuse et obscure que supposera pour lui le déchiffrement de ces causalités circulaires. N'est-il pas conscient de travailler en courte durée, sur des données instables et une documentation terriblement fragmentaire ?

Certes, l'explication globale de la déchristianisation révolutionnaire n'est pas pour demain et, loin d'être désabusée, cette constatation devrait susciter des vocations de chercheurs qui sauront épouser toutes les complexités de la question et s'interdire des synthèses hâtives.

Parmi bien d'autres pistes que suggèrent déjà les connaissances acquises dans ce domaine, qu'il nous soit permis d'en recommander au moins deux, l'une qui concerne la sociographie, l'autre qui aspire à la sociologie.

Au niveau sociographique, l'ère de la cartographie historique commence à peine. Il est singulièrement encourageant de voir quel profit en ont tiré des auteurs comme R. Cobb et M. Vovelle. Le premier fournit des éléments précieux pour dresser déjà des cartes de l'iconoclasme en s'appuyant, d'une part, sur la chronologie du mouvement et, de l'autre, sur la marche des armées révolutionnaires : parisienne, départementales et communales (44).

« L'iconoclasme suit les grandes routes militaires (...) dans le plat-pays, en bordure des grandes voies de communication. Une étude poussée de l'action iconoclaste nécessiterait l'examen détaillé des ordres de mouvements des formations urbaines en cours de toute la période qui va de juillet 1793

---

(44) R. Cobb, *op. cit.*, t. I, p. 301 et t. II, appendice V, p. 690.

jusqu'en prairial an II, cette déchristianisation militaire se poursuivant encore longtemps après la disparition de toutes les forces révolutionnaires (décret du 14 frimaire) et sous le règne de l'Etre Suprême robespierriste ». D'autres éléments sont fournis pour des cartes des opérations spontanées menées par les civils et par les militaires, des opérations commandées et exécutées par des expéditions militaires. Elles invitent aussi à dresser des cartes des liaisons entre les deux genres d'opérations visant à mesurer, d'abord, « l'influence de propagation et d'encouragement exercée par les détachements » (p. 658), et à cerner, ensuite, l'implantation géographique, le rayon d'action des « hommes de liaison, commissaires parisiens ou anciens commissaires révolutionnaires du pays, en tant que conseillers ès déchristianisation et promoteurs du culte de la Raison » (p. 677). Ce sont des personnages de premier plan avec les « proconsuls » ou représentants en mission. De même ces « apôtres des sociétés urbaines », « athées de village, galochiers, cordonniers, maréchaux » qui sillonnent le plat-pays (p. 680). L'origine géographique et chronologique des *foyers* de déchristianisation dite positive s'en trouverait fortement clarifiée; et par elle, les courants géographiques du *mouvement* de déchristianisation.

D'après les observations de R. Cobb, il semble bien que les points d'ancrage de ces courants se situent dans les villes, tout en repoussant l'image d'une toile d'araignée tissée autour de Paris. La marche de l'armée parisienne, qui suit les grandes routes militaires menant de la capitale aux frontières, représente une exception importante. Dans l'ensemble, l'action des agents s'irradie, même chez les Parisiens, car « l'armée parisienne faisant une halte dans une ville, se répand ensuite par petits détachements dans les campagnes des environs qui, se trouvant hors des routes, ont été épargnées par les militaires de la première réquisition » (p. 665). Courants d'origine, de « relais », de liaison, plaques tournantes et imbrications des courants font songer naturellement aux remarquables résultats obtenus par G. Lefebvre avec sa carte de la Grande Peur. Elle pourrait sans doute inspirer bien d'autres travaux...

L'activité déchristianisatrice des armées révolutionnaires

obéit finalement à deux formes négatrices, surtout au nord de la Loire; elle se double, au sud, d'une propagande athée, signe d'une déchristianisation positive, avec une pointe avancée vers le Sud-Ouest et le Sud-Est. Le Centre, en proie à des opérations mixtes, s'affirme comme « la terre d'élection de déchristianisation révolutionnaire » et, à ce titre, a dû jouer le rôle à la fois de plaque tournante et de diffuseur des courants. Au total, le plat-pays se révèle comme un pôle attractif de la déchristianisation, d'autant plus qu'il est sillonné par les grandes routes alors que les zones montagneuses jouent un rôle répulsif.

En élargissant quelque peu l'optique de R. Cobb, M. Vovelle s'est appliqué à en vérifier les conclusions pour le Sud-Est et par extension au Sud-Ouest, en dressant, cette fois, des cartes, bases de son commentaire et de son interprétation (45). Les documents traités l'amènent à mesurer, et le caractère, très inégal du mouvement des abdications plus massif dans l'Isère, la Drôme et le Vaucluse, plus atténué dans les Hautes-Alpes et les Alpes-Maritimes, et la discordance entre la carte des abdications sacerdotales et celle des prestations de serment. Autre observation précieuse : M. Vovelle peut saisir l'influence des trois « vagues » de représentants en mission. Le premier groupe, débarqué en Provence au lendemain de la crise fédéraliste, ne semble pas avoir été très actif. Le second, qui arrive en pluviôse an II, se perd dans les nuances et les contradictions : Dherbez-Latour, en Hautes et Basses-Alpes, contre l'équipe de Robespierre le jeune, dans le Var, Les vrais déchristianisateurs seront les représentants thermidoriens, Salicetti et Albitte : nous verrons plus loin pourquoi cette observation locale mérite qu'on s'y arrête.

Que l'on puisse maintenant superposer les données fournies par R. Cobb et les éléments obtenus par M. Vovelle par des procédés cartographiques qui resteraient à définir et l'on constatera que la forte et nette opposition entre plat

(45) M. Vovelle, « Prêtres abdicataires et déchristianisation en Provence », *art. cit.*, Lyon, 1964, p. 48 *ter* et « Essai de cartographie de la déchristianisation sous la Révolution française », dans *Annales du Midi*, t. LXXVI, 1964, fasc. 3-4, p. 529-542.

pays et montagne s'obscurcit, puisque, si la carte des abdications la respecte généralement, celle des serments la bouleverse : les zones de réfractaires se font plus denses dans les districts de Montpellier, de Lodève, de Marseille-ville. Elle s'obscurcirait davantage en tenant compte des observations de M. Agulhon sur les jacobins provençaux et l'attitude variable des sociétés populaires. Il se peut bien, comme conclut M. Vovelle, qu'il y ait convergence de cette carte avec d'autres dressées pour le Sud-Est aux XIXᵉ et XXᵉ siècles; que cette convergence serve à délimiter « les zones du jacobinisme anticlérical qui se perpétue encore aujourd'hui dans les attitudes politiques », mais elle est impuissante à rendre compte, par elle seule, de ces interactions qui ont atteint la foi de la Provence sous la Révolution (46).

Faut-il donc renoncer, à titre d'investigation sociographique, au procédé cartographique ? Bien au contraire, il faudra commencer par multiplier, à l'échelon local, les cartes d'inventaires qui enregistreront chacune, dans le cadre d'enquête soigneusement délimité, *un seul aspect* du phénomène (ex. l'iconoclasme), selon les techniques de normalisation recommandées par le R. P. de Dainville, avant d'entreprendre une superposition des images obtenues (47). La lecture globale rendue possible par la combinaison de signes diversifiés, s'apparenterait, en un certain sens, à ces formules algébriques qu'il faut d'abord développer pour mieux les simplifier ensuite.

Au demeurant, la cartographie historique s'avérera efficace à proportion des informations qu'elle recevra dans ses deux dimensions principales : l'espace et le temps. La première, nous l'avons vu, soulève davantage le problème des réalisations techniques que celui d'une pure méthodologie historique. La seconde, au contraire, sollicite une mise

---

(46) Ajoutons que les cartes des vocations sacerdotales accusent un dimorphisme inverse du XVIIᵉ au XIXᵉ siècle : les zones forestières et montagneuses sont celles qui fournissent les vocations, contrairement au plat-pays, cf. D. JULIA, « La crise des vocations, essai d'analyse historique », dans *Les Etudes*, février 1967, p. 238-251.

(47) R. P. DE DAINVILLE, « Problèmes de cartographie historique des Eglises », dans *Cahiers d'Histoire*, t. IX, 1, 1964, p. 23-47.

en place vigoureuse de la conception de la déchristianisation telle qu'elle nous est apparue. Son traitement est fonction de l'amplitude qu'on doit accorder à ces fameux développements inscrits sur les cartes d'inventaires.

A partir du moment où l'on constate que la déchristianisation révolutionnaire réduite à sa durée ponctuelle (automne 1793-printemps 1794) ne peut plus s'expliquer par elle-même pour les raisons précédemment exposées, le débat demande des bases plus larges. Sous l'angle suivant : la déchristianisation ne serait-elle pas à considérer comme un conflit entre la courte durée, en l'occurrence la « crise » révolutionnaire avec tout ce qu'elle évoque d'explosif et de traumatisant, et la longue durée sensible aux forces profondes d'enracinement et de déracinement d'attitudes spirituelles des générations ? Dans quelle mesure et comment la période révolutionnaire modifie-t-elle les représentations de la foi des Français qui vivent depuis des siècles en état de chrétienté catholique ?

La consonance sociologique d' « état de chrétienté » permet de reconnaître une structure sociale sans préjuger de son degré de christianisation réelle (48) et d'examiner à loisir les représentations de la foi nées de la relation *élites-masses*. Les historiens des mentalités savent combien est décisive la saisie de cette relation, mais se heurtent encore trop souvent à la difficulté de cerner une notion aussi polymorphe que celle d'élites dans le secteur social (49) comme dans le secteur religieux.

Pour la période antérieure au XIXe siècle, les spécialistes d'histoire de la spiritualité s'accorderaient pour reconnaître comme élites religieuses non seulement, en droit, la Hiérarchie catholique, mais, en fait, tout groupe qui, conscient de sa personnalité, peut communiquer et rayonner les représen-

(48) La « rechristianisation » de la France au XVIIe siècle fait actuellement l'objet de recherches approfondies au Centre d'Histoire religieuse de la Faculté des Lettres de Lyon. Le R. P. PÉROUAS tente, de son côté, d'apprécier dans quelle mesure l'état religieux de la France présentait alors une dégradation appelant la mission dans « France au XVIIe siècle, pays de mission », dans *Mission et Charité* (revue des P.P. Lazaristes), t. VI (1966), p. 36-42.

(49) Sur les principales théories actuelles relatives aux élites, T. B. BOTTOMORE, *Elites et société,* Paris, 1967.

tations informées par l'objet de foi. C'est cette capacité de communication et de rayonnement qui définit le groupe et non une reconnaissance purement juridique, en sorte que le groupe peut jouir d'une autorité légitime (les évêques ou Eglise enseignante), recevoir mandat de cette autorité (corps de l'Eglise enseignée) ou tout simplement s'imposer par sa seule présence. Ainsi, par des voies et des moyens divers, les élites fabriquent des « modèles » reçus par la masse. Reçus au détour d'interprétation successives, de colorations populaires qui constituent autant de dégradations de l'original, sans préjudice de déviations graves, d'aberrations par rapport à l'objet de foi et qui témoignent des réactions de la masse. Toute analyse postulant l'inertie de la masse serait récusable pour avoir négligé les formes, le langage de la religion populaire, parfois suffisamment puissants pour promouvoir leurs propres modèles qui, à leur tour, influenceront les élites. L'osmose s'établit d'autant plus facilement que les élites sont soumises à un rapide renouvellement social sous peine de sclérose et donc de perte de rayonnement.

Dans le contexte socio-culturel de la France d'Ancien Régime, l'intéraction — qui n'est pas forcément dialogue ! — élites-masse se prête à plusieurs remarques. La plus déterminante concerne, sans nul doute, le rôle primordial du langage. Au XVIIe siècle, tout en demeurant fixé dans une catégorie sociale, il entraîne un mouvement collectif, porteur d'une spiritualité. Les procès de sorcellerie en témoignent, lorsqu'ils engendrent une thématique concernant la nuit, les odeurs, les saveurs d'où surgit la bipolarité de l'expérience du diabolique et du céleste. Saint-Cyran, lui-même, ne dédaigne pas d'y recourir. S'agit-il d'une émergence du langage populaire au niveau supérieur ou d'une communauté de perception entre l'élite et la masse ? Il serait fructueux d'interroger semblablement le double langage politique et religieux de la Révolution.

Une autre remarque a trait à la détermination des catégories sociales des élites. Bien que le pouvoir de communication et de rayonnement d'une élite ne résulte pas nécessairement du prestige ou du rang dans la société, en revanche, celui-ci influence la vision des choses et stimule une nouvelle spiritualité à la faveur d'une dramatique sociale profondément ressentie, par exemple, dans le milieu des parlementaires : la « journée du guichet » à Port-Royal, le 25 septembre 1609, n'est pas simplement le début de la réforme de l'abbaye cistercienne ou une altercation entre la fille, la fière Angélique Arnaud, et son père, mais la rupture avec la spiritualité du milieu bourgeois à l'abri de tous les excès sous le rempart d'un solide réalisme. En restaurant les exigences de la règle, l'abbesse s'inscrit en faux contre cet idéal de vie ouatée qui sied aux gens de sa condition; elle se lance dans l'aventure de la foi. Le même risque est couru par toutes ces filles de parlementaires qui se précipitent, au XVIIe siècle, chez les Ursulines, congrégation récente et sans position sociale. Un siècle plus tard, les Ursulines cultivent l'aristocratie et, par leur expansion, sauront faire bonne figure auprès des plus grands et des plus anciens Ordres rentés : postuler chez elles correspond alors à une promotion et non plus à ce désir de hardiesse évangélique des sœurs qui les ont précédées.

Au XVIIIe siècle, l'avantage de la position sociale est intimement lié à la notion d'élite religieuse, d'où le contraste brutal qui va peser lourdement sur le destin de la chrétienté française. Le haut-clergé d'Ancien Régime creuse le fossé entre lui et les classes inférieures — qui ne forment pas pour autant la « masse » — tandis que l'épiscopat constitutionnel, venu dans sa grande majorité des couches populaires, s'estime apte à diffuser d'autres modèles religieux que ceux de leurs prédécesseurs de l'Eglise enseignante. En réalité, les connivences avec le milieu d'origine joueront pour les premiers comme pour les seconds. Gardons-nous, cependant, de parler trop vite d'une idéologie de classe, d'abord, parce qu'il ne s'agit pas à proprement parler d'idéologie, mais d'un comportement religieux, ensuite, parce que, loin d'être systématique, le modèle procède d'une certaine inconscience de la part des élites. Elles ne voient pas, du moins pour celles dont la foi et les mœurs n'ont pas à être suspectées, que le modèle diffusé est inaccessible, trop fort, abstrait et à la limite « déchristianisant ».

N'est-ce pas le thème traité par un ecclésiastique, candidat, en 1793, au concours de l'Académie de Lyon ? Il développe le sujet : « Dans l'état actuel de nos mœurs, quelles vérités et quels sentimens, la philosophie et les lettres doivent-elles inculquer et développer avec plus de force pour le plus grand bien de la génération présente ». Toute la réponse de l'abbé tient dans l'excellence de la religion chrétienne. Pourquoi, toutefois, ne procure-t-elle plus le bonheur d'autrefois ?

« Cela vient chez la plupart des hommes du défaut d'instruction. Abandonnés dans leur jeunesse à des prêtres ignorans ou paresseux qui leur ont appris à prendre pour la religion des dogmes au-dessus de leur portée ou des pratiques purement cérémonielles, ils en ignorent l'essentiel et les devoirs qu'elle leur prescrit envers les hommes et dont la pratique pourroit faire leur bonheur en faisant celui de ceux qui les entourent, leur restent à jamais inconnus... » (50)

Jugement excessif peut-être, mais qui se justifierait assez par la propension du « populaire » aux mystiques aberrantes qu'illustrent les convulsionnaires de Saint-Médard ou, mieux, une Suzanne Labrousse, une Catherine Théot. De ces deux prophétesses de la Révolution, la première a, sur la seconde, l'avantage d'une naissance dans une famille aisée qui lui procure une éducation chez les Ursulines de Périgueux. Elle sait lire et écrire dix-huit volumes de ses visions tandis que la « mère de Dieu », de pauvre extraction normande, savait lire, mais non écrire (51). Suzanne Labrousse rachète sa « supériorité » par une vie frugale et des vêtements grossiers. Ainsi la décrit l'abbé Monturon, vicaire de Saint-Rémi de Bordeaux, en 1790. La visionnaire est âgée de quarante-trois ans :

« Elle m'a paru être d'un caractère modestement gay. Elle parle avec netteté, justesse et grande précision. Elle n'est embar-

---

(50) *Bibl. munic. de Lyon,* ms. 274, mémoire reçu le 16 février 1793.

(51) A. MATHIEZ, *Contributions à l'histoire religieuse de la Révolution française,* Paris, 1907, ch. III « L'affaire Catherine Théot et le mysticisme chrétien révolutionnaire », p. 97-142. Comme le rappelle l'auteur (p. 118), cette affaire inaugure la rivalité publique entre les deux Comités de salut public et de sûreté générale qui se terminera au 9 thermidor.

rassée ni recherchée dans ses termes; elle n'a rien de l'accent de la province quoiqu'élevée dans le centre des forêts. Toujours semblable à elle-même, rien ne la déconcerte; elle parleroit au philosophe le plus renommé avec autant de tranquillité qu'au dernier enfant de son village.

Son costume contraste beaucoup avec les parures dont se décorent ordinairement les personnes de son sexe. Elle a pour vêtement une robe tissue de grosse laine gris blanc, et pour ceinture un cordon de couleur blanche où est attaché du côté droit un chapelet de bois avec un crucifix. Sur son cou est un mouchoir très propre, mais d'une toile grossière. Sa coiffure est de même toile, mais couverte d'une gaze noire. Tout son extérieur inspire des sentiments de respect et d'admiration à ceux qui la voyent ou qui l'entendent. » (52)

Sur le registre de ces décalages qui provoquent élites et masse à évoluer dans la discordance, s'élèvent en harmonique deux conclusions essentielles :

a) Il existe fondamentalement un *lien entre l'interprétation théologique et le milieu populaire.*

b) *L'innovation entraîne rupture avec le milieu d'origine et passage au groupe adverse :* du catholicisme conformiste au réformisme évangélique comme, plus tard, de la foi tridentine à l'aventure révolutionnaire. Les récentes prises de position de l'historiographie à l'égard du « second XVIIIe siècle » invitent à s'avancer franchement dans ces nouvelles perspectives.

***

A). — *Lien entre l'interprétation théologique et le milieu populaire.*

Entre autres acquisitions importantes, elles démontrent une certaine fragilité des constructions héritées des travaux de Hazard et de Mornet; la découpe de l'univers intellectuel du siècle en trois horizons distincts ou degrés d'incroyance :

---

(52) *Arch. Sém. S. Sulpice,* Documents Emery, t. II, pièce 3, lettre du 14 avril 1790 à Mme la duchesse de Bourbon. — Un bon exemple des difficultés sociologiques que rencontre, à la fin du XVIIIe siècle, la diffusion d'un modèle religieux, dans A. RAYEZ, *Formes modernes de vie consacrée. Ad. de Cicé et P. de Clorivière,* Paris, 1966.

catholique et « intolérant », philosophique ou déiste, encyclopédiste ou athée. Bien des publications peuvent corriger ce schéma, parce que tout en continuant l'étude des élites supérieures et moyennes qui s'expriment par quelques épigones littéraires tirés des sociétés de pensée, elles s'attachent aussi à la littérature de groupe, de colportage, aux modes de diffusion des modèles parisiens dans les académies de province, etc... Ainsi commence de se révéler une image à la fois plus riche et plus homogène de cette société française à la fin de l'Ancien Régime. Ses traits s'affirmeront encore dans les explorations successives du mental collectif des générations de 1740 et de 1760. De même, les structures communes d'un langage qui puise largement — beaucoup plus qu'on ne l'avait pressenti jusqu'alors — dans le vocabulaire des Lumières et atteint tous les milieux, même catholiques conservateurs. A cet égard, la force diffusive du qualificatif d'*Etre Suprême* se substituant peu à peu au terme générique de Dieu, mériterait une interprétation bien plus prudente que celle d'une dégradation progressive de la croyance : elle participe, en fait, à l'élaboration d'un nouveau modèle religieux en voie de constitution vers 1789.

Doit-on se hâter de le dénoncer comme non conforme à son objet de foi au nom d'une ambiance rationaliste ?... Rationaliste ? A Burguière, en étudiant le milieu rémois, s'oppose à un tel transfert (53). « Les bibliothèques nous offrent l'image d'un public largement ouvert à la pensée philosophique, mais non à la pensée encyclopédique. Sa curiosité technique est encore très médiocre. Son savoir est essentiellement littéraire. Sa vision du monde a évolué, elle ne s'est pas véritablement transformée. Le transfert du Théologique au Politique ne saurait être interprété comme un passage dialectique de l'irrationnel au rationel ». Il l'est si peu que l'on détecte des connivences, d'un bord à l'autre, à première vue stupéfiantes.

Mme Robin-Aizertin en fournit une remarquable illustration à propos de la loge maçonnique de *la Bonne Foi* de

(53) A. Burguière, « Société et culture à Reims à la fin du XVIIIe siècle : la diffusion des « Lumières » analysée à travers les cahiers de doléances », dans *Annales, E.S.C.*, mars-avril 1967, p. 303-333.

Semur-en-Auxois, haut lieu, dans quelques années, de la déchristianisation terroriste. Cette loge au recrutement aristocratique compte six religieux (54) : « Il faut noter que ni Guénot, le curé révolutionnaire de Chevannay, ni le curé de Saint-Thibault, tant aimé de ses paroissiens, n'en font partie ». Si le vocabulaire des Lumières règne dans les tenues de loge, c'est pour lutter contre la « Philosophie » en raison de cette argumentation : « le vrai chrétien, voilà le vrai maçon », développée dans un véritable hymne au christianisme qui sert de péroraison à un discours maçonnique : « Redoublons donc de vigilance pour atteindre à la perfection qu'exige le christianisme, élevons nos cœurs jusqu'à un séjour céleste et, en consacrant cet asile au grand architecte de l'Univers, disons-lui avec la plus grande ferveur... ». Prônant l'égalité évangélique sans remettre en question la monarchie de droit divin, la loge s'affirme comme « une défense et illustration de la noblesse parlementaire » qui, loin d'avoir provoqué ou hâté la Révolution en Bourgogne, a tout fait pour en retarder l'échéance.

D'où l'analyse pertinente de l'auteur : « Programme d'une élite sociale ayant assez de bien pour jouir en toute tranquillité de l'amour de la retraite, assez de culture pour s'exercer à la méditation, pratiquant les vertus chrétiennes de charité, participant quelque peu dans les Etats, le parlement ou les juridictions inférieures à la vie politique de la Bourgogne, bien ancrée dans son siècle dans la mesure où le monde lui apparaît comme merveilleux à déchiffrer et non plus inconnaissable, cette découverte s'inscrivant dans le contexte de l'humilité chrétienne et non pas dans celui de l'orgueil philosophique affirmant la primauté de l'homme. C'est aussi le programme d'une élite satisfaite et soumise ».

Quand on observe que ce programme, imprégné « d'un aristocratisme de culture », comme dit excellemment A. Dupront, est défendu par ces « notables de la roture », officiers,

(54) R. Robin-Aizertin, « Franc-Maçonnerie et Lumières à Semur-en-Auxois, en 1789 », dans *Rev. d'Hist. écon. et soc.*, 1965, p. 234-241. Le curé Guénot ne doit pas être confondu avec le terroriste Nicolas Guénot qui ravagea Paris et l'Yonne, cf. C. Hohl, *Un agent du Comité de Sûreté générale : Nicolas Guénot*, Paris, 1968.

médecins, gens de plume ou savants parmi lesquels se recrutent de préférence les états-majors de l'épiscopat et les gradués ecclésiastiques, on s'étonne moins de « l'alliance étrange et d'une certaine manière tactique — du parti janséniste et du parti philosophique » soulignée par A. Burguière pour Reims et par W. Markov à propos des origines intellectuelles de Jacques Roux (55). Nous avons récemment tenté de montrer en quoi consistait cette alliance (56). Il n'en reste pas moins que certains auteurs ont voulu voir dans les longs épiscopats jansénistes des diocèses d'Auxerre, de Troyes et de Sens, une véritable ouverture à la déchristianisation révolutionnaire de l'Aube et de l'Yonne, ce qui paraît tout simplement offusquant pour la réalité historique lorsqu'on se penche sur l'action ecclésiale et la pensée ecclésiologique des Jansénistes dans la seconde moitié du siècle.

En revanche, il n'est pas interdit de penser que l'échec du nouveau modèle religieux en gestation, à base d'une forte pensée civique, compte tenu des imprudences verbales et écrites, des arrière-pensées politico-religieuses contre une Monarchie demeurée suspecte de « jésuitisme », s'expliquerait surtout par un irréalisme social. Les élites moyennes — civiles et religieuses — n'ont pu ou pas su jouer leur rôle d'intermédiaire entre l'aristocratie et le peuple. La leçon ne sera tirée que plus tard par les premiers libéraux. En pratiquant un malthusianisme culturel, elles ont perpétré la sujétion du curé et du paysan. Il leur a principalement échappé que la masse pouvait, en conséquence, chercher ses propres formes religieuses, car le hiatus est aussi socio-culturel que religieux.

Alors que E. Le Roy Ladurie établit une sorte de corrélation entre l'alphabétisation progressive des milieux suburbains du Languedoc et la mise en question de la pratique religieuse sollicitant un premier indifférentisme au tournant de 1750 (57). Au terme d'une enquête collective, A. Dupront

---

(55) W. Markov, *Das Argernis des « linken Priesters ». Jacques Roux als Prediger*, Leipzig, 1965, cf. le c. r. de J. Suratteau, dans *Ann. Hist. de la R. F.*, 1967, n° 2, p. 272-274.
(56) B. Plongeron, « Une image de l'Eglise d'après « Les Nouvelles Ecclésiastiques » (1728-1790) », art. cit., p. 267-268.
(57) E. Le Roy Ladurie, *op. cit.*, t. I, p. 651-652.

remarque que « sur la foi d'un certain cérébralisme révolutionnaire, nous pouvions imaginer les cahiers (de doléances) faisant un sort aux idées neuves ». Or, « massivement philosophes et économistes n'ont pas percé » (58). Ils peuvent même servir d'antidotes, si l'on en croit R. Cobb : « On ne peut que s'interroger sur la pénétration de la propagande philosophique dans les milieux sans-culottes; les révolutionnaires ne s'expliquent pas à ce sujet et on en verra même qui condamnent les philosophes comme ennemis de la Révolution ». Le petit peuple urbain ne paraît pas davantage touché dans son ensemble (59).

Désormais allergique aux influences du modèle façonné en milieu clos par les élites, la « masse » emprunte des voies parallèles sur la lancée du traditionalisme religieux. Significatifs, à cet égard, sont les pourcentages relevés à Châlons-sur-Marne par D. Roche (60) : 2 % d'ouvrages religieux dans la Bibliothèque académique, mais 49 % du fonds de la librairie Briquet où continue de s'approvisionner la population. Que vaut donc ce traditionalisme en survie, en cas de défaillance des élites ? L'évêque d'Amiens, Desbois de Rochefort, l'un des artisans, au côté de Grégoire, de la réorganisation thermidorienne de l'Eglise constitutionnelle, ne mâche pas ses mots en faisant le bilan dans un important mandement du 18 juillet 1795 (61).

« Nous ne craindrons pas d'attribuer une partie de nos malheurs à l'ignorance qui étoit devenue générale sur tous les points de la foi. C'est sur l'instruction seule que peut porter la solidité des chrétiens dans l'établissement de la foi (...) A un siècle fécond en lumières, en hommes savans de tous les genres, à un siècle qui du côté des talens le dispute aux plus beaux âges du christianisme, s'il ne l'emporte pas (...) a succédé immédiatement un siècle d'ignorance et de ténèbres, tel qu'il n'est aucun siècle de l'Eglise qui nous en offre l'exemple... Jusques dans l'instruction ecclésiastique les sources de l'enseignement ont été négligées. On ne lisoit plus, on expliquoit encore moins,

(58) Dans *Livre et Société dans la France du XVIIIe siècle*, Paris, 1965, p. 219.
(59) R. Cobb, *op. cit.*, t. II, p. 639, 647, 678.
(60) D. Roche, « La diffusion des lumières. Un exemple, l'Académie de Châlons-sur-Marne », dans *Annales, E.S.C.*, 1964, p. 885-922.
(61) *Mandement de l'Evêque d'Amiens*, Amiens, 18 juillet 1795, chez Caron-Berquier, 53 p. in-4, p. 27-29.

on n'apprenoit plus l'Ecriture Sainte. Dans les Séminaires, les Saints Pères, les Saints Conciles, l'Histoire Ecclésiastique n'étoient plus la base de l'instruction des jeunes clercs. On ne leur enseignoit qu'une Théologie informe. Ils n'avoient dans les mains que d'inhabiles compilateurs. La morale avoit perdu de sa beauté, de sa majesté, de sa pureté, de sa sûreté. Ce n'étoit plus la morale de l'Evangile, mais les tristes raisonnemens de quelques Casuistes ignorans et même souvent dangereux. La Lithurgie n'étoit plus approfondie. On ne les façonnoit qu'à quelques cérémonies dépourvues de cet intérêt touchant et sublime qui les avoit fait établir. Etoit-il étonnant que des hommes aussi peu, aussi mal instruits et qu'on se hâtoit d'élever aux fonctions redoutables du saint ministère, fonctions qui demandent de l'expérience, des méditations, des conseils, une étude de presque toute la vie, fussent aussi peu propres à enseigner les fidèles ?... » Il s'élèvera, quelques pages plus loin, contre une déplorable habitude qui persiste en 1795 : « Nous ne pouvons réclamer trop hautement contre l'abus porté jusqu'à la plus scandaleuse indécence, de précipiter la prononciation et les cérémonies dans la récitation des prières et surtout dans la célébration de l'auguste Sacrifice de nos Autels. » Puis il poursuit : « Combien de pasteurs ne remplissoient pas le devoir d'instruire, devoir qui est une partie intégrante du service pastoral ? Quelles lumières pouvoient répandre de tels hommes dans la direction des âmes, dans la connoissance des cœurs et des esprits, dans la solution des difficultés graves ? La jeunesse étoit sans instruction. On se contentoit de lui faire apprendre un cathéchisme de quelques pages où les grandes vérités de la Religion n'étoient qu'énoncées. On ne les expliquoit pas et on n'étoit pas dans le cas de les lui expliquer. On se hâtoit de les admettre à la Sainte Table. C'étoit à un âge où à peine on sait ce qu'on fait. Là finissoient toutes les instructions chrétiennes; et la jeunesse qu'on avoit eu l'air de séquestrer pendant quelques mois, étoit jettée au milieu de la mer du monde, sans conducteur qui dirigeât ses pas à un âge où communément se fait une grande crise dans l'esprit humain.

Est-il étonnant que tant de chrétiens aient dans ce moment abandonné les voies de Dieu, aient paru renoncer à une Religion qu'ils ne connoissoient pas, se soient trouvés si peu en état de répondre aux plus légères difficultés qu'on s'est plû à multiplier sur leurs croyances, se soient laissés surprendre par toutes sortes de Sophismes ! Encore est-il heureux que les hommes tiennent à quelque chose par l'habitude. Car si nous n'avions pas accoutumé les fidèles à entendre la messe, nous croyons qu'ils ne tiendroient plus par aucun lien à la Religion. Dieu sait à quoi peut servir une pareille manière d'avoir de la religion et combien un culte qui n'est fondé ni sur le service du cœur, ni sur celui de l'esprit est éloigné du véritable christianisme. »

Ce réquisitoire sans nuances prend toute sa force lorsqu'on sait que Desbois de Rochefort, janséniste convaincu, fréquenta assidûment avant la Révolution les rédacteurs du périodique du « parti ». Or, les *Nouvelles Ecclésiastiques*, après avoir longtemps alimenté l'autosatisfaction des élites, semblent prendre soudain conscience de l'abîme qui s'ouvre. Dans un redressement spectaculaire contre « l'aristocratisme des notables de la roture » (les lecteurs habituels), la feuille se met à proclamer les vertus de Benoît Labre (1748-1783), dans les années 1785-1789. Benoît-Joseph Labre n'est pas encore le saint magnifié par l'ultramontanisme du XIXe siècle : il sera béatifié en 1861 et canonisé sous Léon XIII (62). Il n'est seulement que ce laïc chrétien, originaire du diocèse de Boulogne, pauvre errant qui ne sut se fixer ni à la Chartreuse, ni à La Trappe, pauvre jusqu'à la pouillerie, indifférent aux contingences des institutions, en accord spontané avec les gens du peuple sur lesquels il fait grande impression, comme en témoigneront les parents de Jean-Marie Vianney, le futur curé d'Ars, qui, dit-on, l'auraient reçu chez lui. Sous l'habile pinceau des Jansénistes qui puisent toutes leurs ressources dans le milieu parlementaire, le pèlerin de Dieu devient comme une vivante accusation de l'Eglise omnipotente, sourde aux grands craquements qu'annonce un être aussi « scandaleux » que Benoît Labre. Pour un peu, ces robins révoltés contre la monarchie qui les persécute, en feraient volontiers un sans-culotte du Christ si on leur soufflait le terme !

D'autres élites religieuses, moins engagées politiquement, entrent dans la même effervescence et se troublent dans une quête indécise qui trahit des mutations de la vie de foi sous la poussée de nouveaux modèles religieux. Avant de les voir s'épanouir dans le climat mennaisien de 1830, ils auront subi les modifications imprimées par la Révolution qui n'est pas responsable de leur genèse. L'Ancien Régime qui les enfante,

---

(62) J. GADILLE, « Autour de saint Benoît-Joseph Labre, hagiographie et critique au XIXe siècle », dans *Rev. d'Hist. Egl. de France*, 1966, n° 149, p. 113-126. — *Nouvelles Ecclésiastiques*, années 1783, p. 147; 1789, p. 153.

passe indifférent, voire méprisant, à l'égard de ces valeurs populaires; il veut ignorer cette exaspération de certaines élites dont l'évêque thermidorien s'est fait le porte-parole, devant les maux de l'Eglise, devant surtout ce peuple chrétien livré à lui-même... Peine perdue, les élites tiennent tellement à leurs privilèges culturels qu'elles s'engagent dans la Révolution avec le même état d'esprit. Pourtant, de rebelles, les voici dirigeantes, dotées d'un pouvoir d'action immense au service de leurs talents. Infatuées de leurs propres lumières, elles n'ont de cesse de continuer une métaphysique républicaine qu'empoisonne la rhétorique de collège; elles prétendent la monnayer auprès du peuple par le truchement des fêtes nationales et de la théophilanthropie.

Comment des hommes qui se prétendent à l'écoute du peuple ne parviennent-ils pas à comprendre que cette religion de l'incroyance a tout pour dégoûter les braves gens de leur « régénération civique » ? Les termes abstraits de la fête de la Jeunesse, des Victoires et de la Reconnaissance, etc... provoquent l'ébahissement des foules interloquées par des programmes de ce style : il faut « réunir à cette majestueuse cérémonie tous ceux dont un loyal amour du bien et de l'ordre dirige les affections et les pensées »; il faut exalter « les triomphes multiples des soldats citoyens sur les restes de la coalition des rois »; il faut, enfin, « célébrer le triomphe des principes constitutionnels sur la horde féroce et anarchique des factieux » (63). Il est vrai qu'il existait des formules plus percutantes : sans commentaire, les habitants de Péronne criaient au commandement, le 10 frimaire an II, lors de la fête de la Vérité et de la Raison « guerre aux châteaux, paix aux chaumières ! Mépris des prêtres et surveillance par le peuple ! » (64). Pourquoi s'étonner du mépris des foules pour cette spontanéité fabriquée par les autorités, plus zélées que psychologues, allant jusqu'à la colère lorsque la fête de la

(63) *Programme de la Fête des Victoires et la Reconnaissance, le 6 prairial an IV à Tonnerre,* cit. par J. Fromageot, « Lorsque nos ancêtres honoraient civiquement les vertus républicaines (an II, an IV, 1793, 1797) », dans *Bull. ann. Soc. d'archéol. et d'hist. du Tonnerrois,* 26e année, 1964, p. 27-35.
(64) Cit. par J. Dautry, *art. cit.*, p. 15, n. 26.

jeunesse se termine, comme à Tonnerre, le 10 germinal an IV, par l'enrôlement des jeunes gens !... Le même mois, Léonard Bourdon, « conseiller ès déchristianisation », explique en termes embarrassés l'échec des fêtes révolutionnaires à Fontainebleau : la responsabilité en incombe à l'ancienne municipalité qui, pendant ces manifestations, assistait en corps et en costumes officiels, à la fête de la Circoncision du Christ après avoir renversé l'autel de la Patrie. La « rechristianisation » a pris de telles proportions parmi les Bellifontains, qu'il est venu en personne soutenir la nouvelle municipalité, lors de la fête de la Jeunesse, relever l'autel de la Patrie et faire honte à ceux qui assistaient quelques jours auparavant au service divin (65).

Sans doute ces « notables de la roture », ces gens à talents devenus les élites révolutionnaires ont-ils persisté à penser que la « masse » continuerait de subir et veulent-ils confondre apathie avec contrainte. Ils n'ont pas su tirer parti des informations de police pourtant révélatrices, du genre de celles qu'apporte l'agent Prévost en frimaire an II. « La Halle était très bien fournie en légumes, poisson et volailles. Deux femmes disaient qu'elles n'iraient pas à la fête de Marat, que ces fêtes étaient pour endormir le peuple et que le jour où elles se donnaient, il y avait du pain et le lendemain il n'y en avait plus ». Ou encore les propos tenus sur les statues en cire de Marat et de Lepeletier exposées à la porte Montmartre. On disait « que c'était une cochonnerie de représenter des nudités, que cela gâtait les mœurs des citoyennes qui les contemplaient; que d'ailleurs ils étaient plus qu'assurés que si Lepeletier n'avait pas été assassiné, il eût monté à l'échafaud comme tant d'autres. Ils ne dirent rien de Marat » (66). Pour reprendre une féconde hypothèse d'A. Soboul, les cultes révolutionnaires ont dû trouver un réel accueil chez les petites gens, c'est-à-dire au-delà de la sans-culotterie, sous réserve de conserver un substrat de religion traditionnelle, un syncré-

---

(65) Cf. « l'interview » de Léonard Bourdon par le *Journal des Patriotes de 89*, n° 740, du 25 germinal an IV.

(66) *Paris pendant la Terreur, rapports des agents secrets du ministre de l'Intérieur...*, revu... par M. Eude (Paris, 1964), t. VI, p. 307-312.

tisme, version ultime de ce que nous avons appelé le lien entre l'interprétation théologique et le milieu populaire. Suivant quels cheminements ? Au prix de quels illogismes ? L'analyse historique défaillira toujours quelque peu devant cette mystérieuse chimie des âmes et des esprits fortement perturbés par le paroxysme révolutionnaire et plus d'un auteur reculerait, à juste titre, devant l'audacieux raccourci qui conduit de Benoît Labre à Marat, du cimetière Saint Médard, où se cristallise tout un sentiment religieux du Quatrième Etat, au faubourg Saint-Marceau : l'irrationel de ce siècle que l'on prétend trop uniment rationaliste.

Qui ne voit sourdre, pourtant, une vie réduite à la clandestinité sous la pression des élites, obstinée dans la conscience de soi, impatiente d'imposer à son tour son propre modèle lorsqu'au cours de la Révolution se déclenche l'autre processus sociologique déjà signalé ?

B). — *L'innovation, cause du passage au groupe adverse.*

En matière d'innovation, la Révolution a fait bonne mesure au point qu'il ne s'agit plus maintenant d'un simple changement de camp opéré par quelques élites, mais d'un total bouleversement de la notion d'élite et de masse qui affecte principalement le clergé. En perdant son statut social à plus ou moins brève échéance, une grande partie des ecclésiastiques se sent rejetée vers la masse sans perdre, de ce fait, son influence spirituelle d'élite : ceci est particulièrement sensible dans l'évolution du ton et de l'esprit des constitutionnels. Tant que la Révolution les reconnaît comme clergé d'Etat, ils continuent de parler haut, conscients d'assurer leur mission de conducteurs du peuple aux côtés des élites civiles. Les pasteurs les plus aimés de leurs ouailles ne se défendent pas d'un cléricalisme inhérent à l'idée qu'ils se font de leurs fonctions. Après Thermidor, les rescapés de la persécution, sans appui officiel, déconsidérés quelque temps aux yeux de l'opinion, redécouvrent la spiritualité d'une Eglise servante et pauvre qui rompt avec le schéma tridentin.

Quant à ceux qui s'y cramponnent, ils ne tardent pas à polariser sur eux les haines et les rancœurs accumulées : ce sont ces « réfractaires » que l'on exècre d'un commun accord moins pour leur foi que pour leur solidarité avec la noblesse, l'émigration et toutes les forces contre-révolutionnaires bloquées, pour la conscience populaire, dans l'image des élites supérieures, causes de tous les maux.

Les autorités républicaines comprennent le danger que leur font courir la disparition d'une pareille polarisation en présence des prêtres constitutionnels. Ils sont jugés aussi nocifs que les réfractaires en raison de leur position d'élites déchues qui les pousse à reprendre pied dans la masse et à en devenir les ferments. Les directoires départementaux s'acharnent à les tirer de leur nouvelle situation et fulminent : celui de la Moselle, le 27 germinal an II : « Considérant que de tout temps et dans tous les lieux les prêtres en général ont toujours fait le malheur des nations... que ceci est particulièrement et principalement applicable aux prêtres dits constitutionnels qui n'ont feint de s'enchaîner au char de la liberté et de la révolution que pour satisfaire leur intérêt et leur passion... ». L'administration centrale du Calvados se fait encore plus pressante et plus précise auprès des municipalités, le 9 ventôse an VIII : « La triste expérience du passé, notre correspondance journalière, les renseignemens qui nous parviennent sur la matière de la police, tout nous dit que les maux de la patrie ne sont que l'ouvrage d'une secte ou d'une caste qui, quoiqu'abolies dans leur corporation, s'efforcent encore de réagir dans le foible reste de leurs membres épars... Nous ne vous dissimulons pas même que nous allons pratiquer une surveillance neuve sur la conduite des prêtres assermentés qui, faisant à la fois les fonctions du culte et celles d'agens ou d'adjoints dans leur commune, y peuvent par conséquent se surveiller eux-mêmes, recouvrent à ce moyen une bonne partie de leur domination perdue et s'en servent contre ceux qui ne marchent pas sous leur bannière et pour neutraliser la solennité des institutions républicaines ».

L'accusation ne laisse aucun doute : l'adhésion et le succès d'estime que la masse porte à cette ancienne élite et que lui rend celle-ci, compromet gravement les succès de la campagne déchristianisatrice de l'an II et augmente les chances de rétablir un modèle religieux conforme, à la fois, à son objet de foi et aux aspirations populaires... Cette crainte fondée pourrait être une des racines de la recrudescence de l'action déchristianisatrice post-thermidorienne sur laquelle nous allons revenir. Mais elle s'inspire d'abord de la reconnaissance d'une situation de fait : la cascade des déprêtrisations de l'an II devenait à long terme une victoire à la Pyrrhus dont le principal effet avait été, pour beaucoup de prêtres, d'aviver leur conscience sacerdotale, leur ministère de foi et de les rapprocher de populations émues par une persécution qui se déroulait sous ses yeux. Ce fut, en effet, une des convergences de l'enquête sur les prêtres abdicataires menée en 1963-1964, sous la direction de M. Reinhard, que de montrer, pour les six régions étudiées, le caractère tactique et formaliste d'un grand nombre de ces abdications (67).

Il est des cas, néanmoins, où ces abdications correspondent à une réelle conviction de la part de leurs auteurs, qualifiés le plus souvent par l'historiographie de « curés rouges ». On discute encore aujourd'hui de leur nombre. R. Cobb affirme qu'ils « constituent un phénomène social bien établi dans de nombreuses régions de la République », au contraire des pasteurs protestants (68) et donne la liste de douze commissaires civils, anciens ecclésiastiques, des armées révolutionnaires.

Quelle est la part d'engagement personnel de chacun d'eux lorsqu'on observe que cinq viennent de Clermont-Ferrand, de ce Centre, donc, « terre d'élection de la déchristianisation révolutionnaire », et six de l'Est et que, parmi ces derniers, trois sont allemands groupés autour du fameux Euloge Schneider ? Pour ces « curés rouges » ou repérés comme tels, l'historiographie doit faire un sérieux effort d'ascèse de jugement : ils n'ont ni à être montés en épingle, ni

(67) *Les prêtres abdicataires pendant la Révolution française* (sous la direction de M. Reinhard), *Actes du Cong. des Soc. sav.*, Lyon (1964), Paris, imp. nat., 1965, un vol. in-8.
(68) R. Cobb, *op. cit.*, t. I, p. 320, n. 58; p. 196.

à être stigmatisés, ni à être magnifiés au nom de préjugés idéologiques, mais à être bien « compris ». Si, pour certains, l'innovation révolutionnaire suggère une explication simple de leur évolution, ainsi l'engagé volontaire Gillet, ex-curé constitutionnel du district de Gonesse, mais ancien grenadier au régiment de la Couronne, il en est d'autres où les motivations mêlées n'apparaissent pas directement dans le fait simple de leur abdication. L'expérience de révolutions en cours pourrait utilement renouveler notre réflexion sur ce sujet trop allègrement expédié : nous pensons, par exemple, à Camilo Torres, un des prêtres colombiens les plus brillants et les plus apostoliques de sa génération, qui devait demander et obtenir sa réduction à l'état laïc. Il écrivait, le 26 juin 1965, dans un grand quotidien français : « J'estime que la lutte révolutionnaire est une lutte chrétienne et sacerdotale. C'est seulement par elle, dans les circonstances concrètes de notre patrie, que nous pouvons réaliser l'amour que les hommes doivent avoir pour leur prochain ». Et l'on songe, dans un autre contexte, à ces jeunes jésuites du XVIIe siècle qui accompagnaient leur professeur de controverse à des prêches protestants et qui, découvrant soudain une autre vision du christianisme, se sentaient désormais obligés en conscience d'y obéir.

Même si ces cas poussent à la limite le processus sociologique décrit (l'innovation qui entraîne passage au groupe adverse), ils n'en constituent pas moins « un phénomène social », comme dit R. Cobb. Cependant, pour être « bien établi », il suppose, dans une interprétation correcte des réalités de la foi, l'analyse de ses éléments préalables : motivations personnelles, conditionnement socio-religieux de la situation où s'est trouvé l'individu.

A tenter de réunir tous les éléments propres à une explication globale de la déchristianisation prise en constante référence à son objet, on entrevoit mieux le rôle de la phase terroriste : rôle à la fois cristallisateur et libérateur. Cristallisateur d'implicites, de mouvements aveugles qui traversent depuis des lustres la vie chrétienne française au rythme des conflits socio-culturels entre élites et masse, cristallisateur de modèles religieux à peine esquissés dans la conscience populaire et qui finissent, après de longues années, par piétiner un modèle tridentin, sans cesse accentué par des élites en mal de baroque. Mais cette cristallisation, qui est aussi le triomphe des aspirations de la base de la société, s'opère à la faveur d'un climat traumatisant pour l'objet de foi : la Révélation de Jésus-Christ, pour reprendre la célèbre définition de Bossuet, répandu et communiqué dans l'Eglise maîtresse des sacrements, selon le Concile de Trente. Les énergies, d'abord cristallisées dans l'action déchristianisatrice en même temps que libérées du poids des contraintes, remettent-elles en cause une chrétienté de la même manière qu'elles ont ruiné les structures de la société d'Ancien Régime ou bien sont-elles finalement canalisées et recentrées sur l'objet de la foi catholique ?

Pour répondre sans trop de maladresse, il paraît intéressant de se situer à la fin de la course de ces grands bouleversements sociaux lorsque s'opère une première décantation des événements. Au printemps de 1795, avec la réouverture des églises, la vie chrétienne sort timidement des catacombes : des pasteurs parlent, des fidèles réagissent, des bilans s'esquissent au choc d'une nouvelle offensive déchristianisatrice qui force les chrétiens à rendre compte de leur foi d'une manière plus ouverte et plus massive sans doute qu'en l'an II. Qu'en penser alors que la mystique révolutionnaire agite encore violemment les cœurs et les esprits nullement portés au repos d'un foi traditionnelle et tranquillisante ?

III

OUVERTURE A LA DÉCHRISTIANISATION OBJECTIVE : UNE CHRÉTIENTÉ SOUS LE SIGNE DES CONTESTATIONS A LA FIN DU XVIIIe SIÈCLE

Au milieu de difficultés sans nombre, parfois au péril de sa vie, un homme, l'abbé Grégoire, auquel vont autant d'animosités que de ferveurs admiratrices, emploie toute son autorité morale à relever les structures d'une chrétienté qui doit vivre en symbiose avec l'idéal révolutionnaire.

Défi, presque insensé, lancé à l'Eglise et à la Révolution devenues de mortelles ennemies, mais que l'évêque du Loir-et-Cher veut tenir, grâce à un courage lucide sur la réalité humaine, mais indomptable en matière de doctrine et de foi. Pour son entreprise originale, Grégoire refuse de se laisser enfermer dans les hautes sphères politiques où il évolue et de tomber dans l'erreur commise jadis par les élites. Il a un besoin impérieux de communiquer avec la base et de réfléchir sur les données concrètes que lui fournissent ces curés de campagne et de petites villes de France auxquels il demande en permanence une synthèse de la situation religieuse dans leur contrée. Grâce à son réseau de correspondants en province, nul mieux que Grégoire ne sait à quoi s'en tenir sur l'état de la chrétienté française au lendemain de Thermidor. C'est en connaissance de cause qu'avec une équipe d'évêques constitutionnels il établit, le 15 mars 1795, les bases d'une réorganisation ecclésiale à partir des exigences dogmatiques et disciplinaires requises par la foi catholique dans la *Lettre encyclique de plusieurs évêques de France à leurs frères les autres évêques et aux églises vacantes* (69). Les réponses et les adhésions à la *Lettre* affluent. En voici une, émanant d'un curé de la campagne rémoise, correspondant ordinaire de Grégoire, en date du 1er floréal an III (20 avril 1795), moins d'un mois après la réception de l'encyclique des constitutionnels et quarante jours avant le décret qui autorisera la réouverture des églises. Plus qu'un rapport, c'est un cri de découragement lancé à travers des faits précis qui peignent toute une mentalité (70) réagissant au décret du 16 frimaire an II sur le maintien de la liberté des cultes.

« Avant le décret qui authorisât le culte, nous commencions à respirer; toutes les nouvelles sectes fatiguées de nous combattre

---

(69) Sur l'importance du réseau des correspondants de Grégoire et le programme de restauration de l'Eglise de France post-thermidorienne, cf. B. Plongeron, *Dom Grappin, correspondant de l'abbé Grégoire (1796-1830)*, Besançon, 1969.

(70) *Bibl. Soc. de Port-Royal*, correspondance Grégoire, carton *Marne*.

et de nous persécuter, sembloient se reposer, contentes de notre déffaite; elles ne nous regardoient plus que comme une horde de superstitieux, misérables et proscrits qu'on ne devoit désormais regarder qu'avec mépris; mais depuis l'arrivée de ce décret si ambigu et si couvert d'entraves, la persécution semble se ranimer de toute part, les têtes commencent à s'échauffer de nouveau; l'entrée de l'ennemi sur nos frontières ne feroit pas plus de sensation; déjà l'on nous menace, on crain qu'avec des paroles de paix et de charité nous ne séduisions de nouveau ceux que la providence a confiés à nos soins et l'on met tout en avant pour nous empêcher ou nous faire craindre de reprendre nos fonctions. C'est particulièrement contre les anciens que se dirigent tous les mouvemens; nous avons non seulement contre nous les philosophes du tems, mais un tas de prêtres scandaleux et apostats qui entrevoiant l'abîme qu'ils se sont creusé et le blâme et la honte dont ils se sont couverts, ne cessent de vociférer contre nous; il ne faut point de culte, s'écrient-ils, du haut des places où l'intrigue et le renoncement à la religion les a placés; de quoy se mêle un Grégoire de parler du culte; n'est-il pas un homme de la plaine, ne tenteroit-il pas par ses écrits à soulever les esprits ? Ne voit-il pas que ce sont des circonstances impérieuses qui ont amené le décret du culte et les difficultés dont il est entouré n'annoncent-elles pas sa chute prématurée ? La Vendée une fois paisible et hors d'état de nuire, croit-il que la philosophie ne reprendra pas avec plus de force encore son empire despotique, persécuteur et intolérant ? Chacun, le décret à la main, calcule ce que nous pouvons faire ou devons faire, chacun le modifie à sa manière; nous sommes guettés de tout près et si par malheur nous venons à nous éloigner de la ligne qu'on suppose nous être tracée, on nous menace encore d'incarcération, d'exil ou de déportation. Comme les églises nous sont interdittes, nous ne pouvons donc célébrer que dans une chambre ou une grange, mais il faut bien se donner garde d'ouvrir une fenestre pour se donner de l'air. Si c'est dans une grange les portes doivent être fermées au risque de ni voir clair. Si quelques personnes arrivans tard et craignant de troubler l'assemblée restent à la porte, qu'en arrivera-t-il ? Grande rumeur ! On s'assemblera pour délibérer et des voies de rigueur seront emploiées. Tout retombera sur le pauvre ministre, tout innocent qu'il puisse être... »

Son pessimisme sur la reprise de la vie chrétienne vient moins de l'état d'esprit des gens que des pressions qui s'exercent. Il en a déjà été la victime quelque peu affolée, mais non soumise.

« Ce n'est qu'avec lenteur et peine que le culte reprend vigueur dans nos contrées; la pénurie de bons prêtres (71) y peut contribuer, mais plus encore l'irréligion; les petites villes qui nous environnent ne se pressent pas. C'est trop tôt, dit-on, il faut attendre. Suivant eux, les prêtres qui reprennent leurs fonctions ont tout à craindre. On cherche à nous intimider; vous en serez convaincu en vous faisant part d'une lettre qui m'a été envoiée deux jours après la promulgation du décret. Elle est conçue en ces termes :

A quoy pensez-vous ? Vous sçavez à quelle condition est permis le culte. La plus légère indiscrétion vous précipitera dans l'abisme, il s'en commet de la part de ceux qui vous pressent de l'exercer. Lorsque vous serez dans l'embarras, ils vous y laisseront. Vous êtes bien, restez-y; une seule messe peut vous faire perdre votre pension. Vous n'en aurez pas dit une, que vous verrez la foudre tomber sur vous. Toute la contrée, dans un moment, en retentira. Réfléchissez, s'il vous faut relever contre la tentation. Je m'offre à vous expliquer tout le danger. Il faut obéir à la loi et vous fronderez contre.

Cette lettre m'a été remise par le maire de mon village de la part d'un homme en place voulant sans doute s'opposer à ce que je reprisse mes fonctions. Aussy les malveillans n'ont pas manqué dès le lendemain de publier que j'avois reçu des ordres qui m'interdissoient d'exercer le culte et que si j'étois assez hardi pour le faire, je serois enlevé à l'instant. Les épouvantails ne m'ont pas empêché de dire la messe le dimanche suivant dans une chambrée et d'instruire mon peuple qui s'est mis à braire (*sic*) de mesme que moi tant nous étions étonnés de nous voir réunis, supliant le Seigneur que ce fut pour longtems. »

Et voici une remarque qui en dit long sur l'aristocratisme perpétué par les élites révolutionnaires au contact direct de la masse :

« Il est vrai que la municipalité ne nous a pas honoré de sa présence; mais nous n'en sommes pas étonnés. Ils disent tout haut encore qu'ils ont remplacé les nobles et qu'aller à la messe, c'est se confondre dans la lie du peuple. »

Il décrit ensuite les scènes de vandalisme dont son église fut le théâtre et qu'il a vues se répéter aux alentours. Il conclut :

(71) Dans la pensée de ce constitutionnel les « bons prêtres » ne sont pas les réfractaires, mais ceux qui n'ont pas failli au cours de la persécution terroriste.

« Jugez d'après cela, si beaucoup de gens s'empresseront de revenir à la religion. Une grande partie semble y avoir renoncé, le petit nombre qui paroit encore y être attaché est bien chancelant et plein de doute. Il faudroit de bons ministres qui prêchassent de parole et d'exemple, mais que le nombre est petit; d'ailleurs l'horreur qu'on a inspiré au peuple pour les prêtres est si profondément gravé dans son cœur, qu'il croit que c'est un devoir pour luy que de les mépriser. Il faut du tems et des années pour l'appaiser; ce n'est même qu'à tâtons et avec une espèce de gêne et de défiance qu'il ose s'ouvrir à ceux qu'il a toujours honnoré de son estime et en qui il reconnoit des mœurs et de la probité. »

Le curé rémois saisit sur le vif le conflit où se débat la chrétienté française : repoussera-t-on les ministres de la foi au nom d'une éducation révolutionnaire ou reviendra-t-on vers eux « avec le temps et les années » en vertu des forces profondes, plus fortes et plus profondes que les innovations implantées avec brutalité ?

L'épiscopat constitutionnel espère en ces forces profondes de la chrétienté mais se divise quant aux possibilités d'une symbiose avec l'idéal révolutionnaire. Heureusement, écrivait Desbois de Rochefort, l'évêque constitutionnel d'Amiens, « que les hommes tiennent à quelque chose par l'habitude... », mais le spectacle de son diocèse l'oblige à prendre ses distances par rapport aux principes républicains qui deviendraient vite subversifs des habitudes chrétiennes. Il attaque la philosophie qui ne peut que « dégénérer en Athéisme véritable et au moins pratique », mais il s'en prend surtout aux principes républicains d'égalité et de liberté comme aliments de l'anarchie morale et politique :

« Les principes les plus vraisemblables en spéculation, ont des dangers incalculables dans leur application indéfinie au régime de la société; par exemple *l'Egalité,* si énergiquement gravée dans les besoins et les maux communs à tous les hommes et encore mieux démontrée par l'Evangile, ne peut être offerte au genre humain qu'avec cette circonspection que l'auteur de la nature et le sauveur des hommes ont si habilement employée; que la *Liberté,* ce bien ineffable des enfans de Dieu, devient la source des plus grands maux, dégénère dans la licence effrénée de toutes les passions, bouleverse les Gouvernemens mêmes qui se flattoient de l'avoir pour base si elle n'est restreinte par d'autres bornes que des axiomes métaphysiques et insignifians, par d'autres règles même que les Loix. » (72)

A l'opposé, les autorités républicaines craignent l'émergence des forces profondes qui renverseraient les positions acquises. Dans une circulaire du 29 frimaire an VI (19 décembre 1797), le ministre de la Police rappelle l'interdiction du son de la cloche sur le territoire de la République. Tout en observant qu'une contravention aux dispositions légales ne tendrait rien moins qu'à entretenir et à ranimer le fanatisme, il s'efforce de montrer que les paysans sont au-dessus de cela :

« Qui ne sait que jamais l'usage d'appeler au travail par le son d'une cloche n'a eu lieu que dans les grands établissemens, tels que les forges, les mines, les manufactures où des ouvriers sont assemblés sous la direction d'un ou de plusieurs chefs et soumis pour l'ordre de leur travail à une police inconnue aux cultivateurs : qui ne sait que jamais et nulle part le son d'une cloche n'a été employé pour annoncer au peuple agricole les heures consacrées au travail ou au repos et que c'est suivant le cours des saisons, par le besoin et l'habitude de régler ses travaux sur la marche de la nature qu'il a constamment et partout trouvé la mesure de son labeur journalier ? » (73)

Cette belle assurance rationaliste faiblit lorsqu'on apprend la destitution de la municipalité de Montaigu, département de la Dyle, qui a laissé opérer dans l'église du lieu, l'exorcisme de Thérèse Dutidan, selon toutes les règles canoniques, en présence d'un docteur et de deux ecclésiastiques. La publicité faite par les journaux autour de cette affaire témoigne de l'importance qu'on accorde à ces « forces profondes » (74).

A défaut de la symbiose rêvée par Grégoire, où la foi retrouverait son compte, ce que son collègue d'Amiens n'admet pas sans réserves, contre le rationalisme illusoire des autorités républicaines, les mentalités réagissent en faveur d'une existence des habitudes chrétiennes et des principes

---

(72) *Mandement de l'Evêque d'Amiens...*, *op. cit.*, p. 17-18.
(73) Cit. par le *Journal des Côtes d'Angleterre*, VIe année républicaine, n° 15, p. 3.
(74) *Courrier de l'Escaut* du 13 vendémiaire an VI, n° 138, p. 584 et du 9 brumaire, n° 151, p. 640. La scène de l'exorcisme est rapportée par un témoin, P. Vanmeenen, au *Patriote Français*, dans le n° du 25 brumaire, p. 223.

révolutionnaires. Une coéxistence n'est pas une symbiose; elle n'est pas non plus conflit ouvert. L'erreur consisterait donc à surestimer un élément par rapport à l'autre et à supposer que les habitudes chrétiennes l'emporteront à la longue sur les innovations révolutionnaires. C'est ce qui fera dire à Proud'hon : « En France, le catholicisme s'est maintenu jusque bien au-delà de la Révolution et n'a reçu sa première secousse — je parle des masses — que vers 1830 ». En réalité, l'antinomie habitudes — innovations, jamais résolue, entretient la foi des Français dans une fragilité qui les expose à contester, dans leurs attitudes, leur état de chrétienté avant de le répudier.

*
* *

La base de cette fragilité apparaît dans l'accusation de détruire la famille au nom de la foi quand nombre de moralistes s'inquiètent et dénoncent, depuis des décennies, la désagrégation de la notion de famille, de la « puissance paternelle ».

Notre abbé, candidat au concours de l'Académie de Lyon, stigmatise le relâchement des relations familiales en milieu « bourgeois ».

« Les femmes sont fâchées de devenir mères et elles en négligent les devoirs ainsi que ceux d'épouses parce qu'elles croient qu'accoucher et nourrir leurs enfans diminüe leur beauté et que soigner leur ménage leur fait perdre un temps précieux en les détournant des plaisirs du monde, les seuls qu'elles soient encore susceptibles de goûter. Les hommes ne leur donnent pas un meilleur exemple; comme ils les ont prises par caprice ou par intérêt, une fois satisfaits, ils les regardent comme étrangères et comme une espèce de fardeau. Une politesse froide tient entre eux la place de la tendresse et de l'amitié. Les enfans nourris loin de leurs parens et rappelés enfin auprès d'eux pour être témoins de leur indifférence, prennent petit à petit les mêmes habitudes. Bientôt les mots de Monsieur, Madame, de Mademoiselle succèdent aux doux noms d'Epoux, d'Epouse, de Père, de Mère, de fils et de fille. La fille témoin des désordres et des travers de sa mère forme là-dessus son plan de conduite pour l'avenir (...). Le fils d'un commerce plus libre avec les hommes a appris à juger ce qu'il voit et à l'apprécier, accoutumé d'ailleurs à regarder son père comme un étranger, le juge à la rigueur et voyant qu'il ne vaut pas mieux que lui-même finit par le mépriser. De là ces désordres scandaleux, ces haines de famille, ces aigreurs, ces reproches, ces résistances au pouvoir paternel. » (75)

Qu'en sera-t-il lorsque les dissensions familiales atteindront le dernier rempart religieux ? Le département du Haut-Rhin en prend prétexte, le 2 novembre 1791 pour sévir contre les prêtres : « Considérant que l'effet de leurs manœuvres n'est malheureusement que trop sensible, qu'il en est résulté, dans tous les lieux où leurs partisans sont devenus nombreux, des dissensions domestiques, les plus éclatantes, entre époux, la révolte des enfans contre leurs parens, la désobéissance des domestiques envers leurs maîtres et leur désertion, le dégoût du service des Gardes Nationales, le retard dans le paiement des impositions... ». Ce qui n'est encore qu'un slogan anticlérical contre les réfractaires s'est étendu à tout le clergé après Thermidor. Pour justifier la reprise des visites domiciliaires, conformément à l'article 359 de la Constitution de l'an III, l'administration centrale du Calvados se lance, le 9 ventôse an VIII, dans une violente diatribe contre tous les prêtres : « En effet, qui depuis l'aurore de la révolution, s'est attaché à corrompre l'opinion publique ? Qui a retardé le progrès de la philosophie et de la raison ? Qui s'est constamment opposé à la célébration du décadi, à la pompe des fêtes nationales, à l'observance du calendrier républicain ? Qui a opéré la division des familles ? Qui a dirigé le massacre des patriotes, des fonctionnaires publics, des acquéreurs des domaines nationaux ? Qui a produit l'égarement des premiers conscrits qui ont dévoyé du chemin de l'honneur ? Qui a conseillé le mutilement de ces lâches, pour ne pas dire monstres, qui se sont couverts de honte et d'opprobre en voulant se soustraire à la gloire de défendre leur pays ? »

Certains constitutionnels cherchent à endiguer le flot de propos calomniateurs dont ils sentent la terrible puissance en opposant à cette prétendue négation par le clergé des valeurs

(75) Cf. p. 140. — Une analyse plus poussée pour le XVIIIe siècle, mais analogue à celle que PH. ARIÈS a donnée de *L'Enfant et la vie familiale sous l'Ancien régime* (Paris, 1960), serait à entreprendre à propos de la femme. — Pistes suggestives dans R. MANDROU, *Introduction à la France moderne*, Paris, 1961.

les plus sacrées, l'image d'une religion, fondement nécessaire de la sociabilité détruite par dix-huit mois d'anarchie. C'est le thème de la lettre pastorale, du 1er mai 1795, de Lefessier, en se présentant « au nom de la Religion et de la Révolution » à ses diocésains de l'Orne. Il termine en s'écriant : « Notre Religion : C'est la Société, c'est la Religion des frères ». D'autres, cependant, n'hésitent pas à reprendre l'argument, jusqu'ici de propagande anticléricale, contre les réfractaires et ces « missionnaires » mandatés par l'émigration pour venir les concurrencer. La lutte prend chaque jour de plus grandes proportions entre Regnaud, curé constitutionnel de Roussillon, au diocèse d'Autun, et François Duvernoy, curé de Montigny et « missionnaire » à Arleuf, qui veut mettre au pas son redoutable confrère. A bout de patience, le constitutionnel cloue au pilori tous ces prêtres dissidents qui veulent faire la loi, dans sa troisième lettre imprimée du 2 brumaire an IX (76).

« C'est vous enfin, qui êtes la véritable cause de ce que l'épouse tendre et fidelle s'est tout à coup séparée de son mari; de ce que l'époux s'est subitement senti un cœur de glace, une aversion même pour son épouse chérie; de ce que les pères, les mères, les enfans, les frères, les sœurs se sont devenus odieux et insupportables les uns aux autres, de ce que les familles très unies et en bonne intelligence se sont brouillées, déchirées, dévorées; de ce que de bons amis sont devenus grands ennemis, tous sans savoir ni pouvoir dire par quelles raisons et pourquoi ils se trouvent ainsi disposés et changés. » Le ton monte encore pour porter le coup le plus grave : les dissidents ne sont plus seulement accusés de déchirer les familles au nom de la foi, mais de mettre la foi religieuse des familles en contestation et de la pervertir.

En semant la perturbation dans les villages : « c'est vous seuls qui leur avez inspiré ce mépris public et scandaleux dans lequel ils ont affecté de vivre pour ce qui tient à la religion; la sanctification des dimanches et fêtes, l'assistance à l'office divin, la participation aux saints mystères, la fréquentation des sacremens, etc., etc... (...) Vous les condamnez tous impitoyablement au feu de l'enfer; vous assaisonnez ces modestes, charitables et très chrétiennes exhortations de jérémiades, de soupirs,

---

(76) *Bibl. Soc. de Port-Royal*, collect. Grégoire, vol. 154, pièce 35. Cf. sur la question des « missionnaires » post-thermidoriens, infra p. 279.

de gémissemens, d'élévations de vos yeux au Ciel; enfin vous couronnez le tout de débits de chapelets d'une vertu toute particulière et de distribution d'eau bénite sans pareille.

Si tout cela étoit vrai, je ne puis me dispenser de vous dire que ces farces d'un charlatanisme religieux; ces artifices du fanatisme et de l'hypocrisie sont le scandale et le vrai fléau de la religion. Ils peuvent à la vérité en imposer, éblouir, séduire même la plus grande partie de la populace, simple, crédule, les femmelettes, les imbéciles, tous ceux et celles qui font consister la religion et la dévotion dans des grimaces, dans des pratiques singulières et extraordinaires qui n'ont en un mot qu'une fausse écorce de piété, sans en avoir l'esprit et la réalité. »

Bien entendu telle n'était pas l'intention des prêtres romains et l'abbé Regnaud le sait bien. Mais son exaspération aiguise sa lucidité sur les conséquences désastreuses d'une pareille politique dénoncées depuis quatre ans par les constitutionnels. En des termes plus iréniques, quoique tout aussi précis, Desbois de Rochefort, dès 1795, affirme « qu'il est notoire que dans ce Diocèse comme dans les autres, les Dissidans ont réitéré le Baptême, la Bénédiction nuptiale, l'Absolution et les autres Sacremens; qu'ils ont enseigné que les Sermentés ne consacroient pas validement... » (77). Ce qui, en effet, est de notoriété publique.

Le propos dépasse, cette fois, les querelles de sacristie, les règlements de comptes politiques. Il jette en balance deux présentations de la foi à une chrétienté déjà chancelante : ayant mis auparavant en contestation l'Eglise enseignante, écartelée entre deux épiscopats depuis 1790, et, par ricochet, l'autorité du Siège Apostolique, voici inoculé le poison du relativisme à l'intérieur de la vie sacramentelle. Autre coupable inconscience des élites religieuses : théologiens et canonistes se battent sur la place publique à propos de la validité et de la licéité des sacrements sans plus se soucier du désarroi des fidèles qu'ils obligent à remettre en question les sacrements reçus depuis dix ans. Au feu de la polémique, on triture les réalités de la foi, on les déclare superbement évanouies entre les mains de prêtres qui, dit-on, n'avaient plus la capacité canonique de les communiquer aux chrétiens !...

---

(77) *Mandement de l'Evêque d'Amiens...*, p. 8.

Il y aurait donc plusieurs vérités dans la croyance catholique, à la discrétion des ministres rivaux ?...

Gratien, évêque constitutionnel de Seine-Inférieure, s'alarme auprès de Grégoire d'une conséquence directe de cet état de choses : « Il y a à Rouen beaucoup de catholiques qui font profession de garder la neutralité entre les deux clergés. Ce parti qui favorise la paresse et l'indévotion fait du progrès. En attendant les enfans grandissent sans instruction, sans confession, sans première communion : ils se marient par conséquent sans bénédiction nuptiale. » (78)

Quoi qu'il en soit des responsabilités, du bien-fondé des thèses en présence, les pasteurs, conscients du désastre causé par de pareilles contestations, promènent un regard sombre sur leur diocèse.

L'évêque constitutionnel d'Amiens reproche sévèrement à son peuple son indifférence pour les sacrements spécialement celui de la Pénitence qui, d'après lui, enrayerait les méfaits du divorce : « Pouvons-nous concevoir assez de frayeurs sur les alliances des beaux-frères avec leurs belles-sœurs ? » Il se plaint d'avoir « la douleur de voir que les jours de jeûne et d'abstinence sont peu observés, que la sanctification des Dimanches et Fêtes est négligée lorsque les spectacles et les assemblées de plaisir sont suivis avec la même ivresse au milieu des malheurs publics. » Il accuse les Amiénois d'avoir perdu la notion du sacré. « Lorsque nous étions à Paris, des Législateurs nous ont communiqué des adresses que vous aviez faites pour la conservation du seul beau monument [la cathédrale] qui donne une grande idée de la Ville d'Amiens. Nous avons versé quelques larmes. Ah ! N.T.C.F. ne l'aviez-vous envisagé que comme un chef-d'œuvre de l'art ? et n'auriez-vous parmi vous que des amis des arts ? Et ignorez-vous que la Religion qui l'a bâti peut seule le conserver ? ».

En bon promoteur du nouveau modèle de pauvreté évangélique, il se demande si la persécution révolutionnaire aura servi d'aiguillon à une nouvelle chrétienté : « ... Les cœurs

(78) *Bibl. Soc. Port-Royal,* correspondance Grégoire, carton *Seine-Inférieure,* lettre du 13 mars 1797.

des chrétiens sont-ils changés ? Ont-ils détesté leurs funestes erreurs ?... (...) N'avons-nous pas encore la douleur de retrouver sur ces débris de la Religion, la distinction des riches et des pauvres (...) Pourquoi voyons-nous cette foule d'Oratoires où le riche ne négligeant aucune de ses prétentions, aucune de ses commodités, veut bien avoir aristocratiquement l'apparence, non de croire en Dieu, mais de le servir en ne servant réellement qu'un parti et agit-il plutôt comme membre d'une faction que comme membre de l'Eglise Catholique ? Pourquoi refuse-t-il de se confondre, dans les Temples Nationaux, avec les pauvres qu'il a tant de raisons de respecter et de craindre ? »

L'homme qui écrit ces lignes, remarquons-le, a pourtant vu, le mois précédent, les foules parisiennes se précipiter dans les églises à peine réouvertes. Il a participé avec trois autres collègues de l'épiscopat constitutionnel à de longues et touchantes cérémonies à Saint-Médard. Collaborateur direct de Grégoire et directeur du périodique des *Annales de la Religion,* il est bien placé pour recueillir toutes les informations nécessaires concernant le renouveau religieux de la France. Rien de tout cela ne semble devoir modifier ses opinions plus réalistes que pessimistes et il sera l'un des premiers à dénoncer la faiblesse apologétique du *Génie du Christianisme*...

Ni les mouvements de sensibilité collective que soulève l'annonce du Concordat, ni la reprise de la pratique religieuse, ne lui masquent les dures réalités : cette désagrégation de la famille, déplorée bientôt dans les batailles électorales des Libéraux comme des Ultras; cette ségrégation sociale envenimée par des chrétiens oublieux de leur solidarité dans la persécution; cet esprit de libre arbitre que de malheureuses querelles ont introduit jusque dans l'objet de leur foi. D'où le jugement de l'évêque : « L'éloignement [de la foi] vient plutôt de la corruption du cœur que de l'affoiblissement des lumières et a pour cause la multitude et la nature des fautes » (p. 48). Ceci relève aussi des « forces profondes ». Jouent-elles encore dans le sens souhaité par les moralistes chrétiens ?

On peut se le demander en observant le changement

d'attitudes de chrétienté devant deux problèmes fondamentaux pour un catholique : celui des naissances et celui de la propriété.

E. Le Roy Ladurie s'interroge à propos des paysans du Languedoc (79) : « Une certaine limitation des naissances est-elle responsable, en partie, de la régression du peuplement vers 1680-1740 ? En fait, le contrôle des naissances n'est pas inconnu comme pratique individuelle et isolée. Il est attesté d'abord sous sa forme fruste, spartiate, celle de l'infanticide ou de l'avortement très tardif. Au début du XVIe siècle, cette pratique était considérée comme très coupable, punie de pendaison. Dans la suite, au contraire, les mentalités paraissent évoluer, s'imprègnent d'une indulgence assez sereine : les consistoires cévenols se bornent, vers 1600, à mettre l'infanticide à l'amende. »

Sans doute le processus est en marche, il n'avance toutefois qu'à pas timides, trop discrètement pour mettre en danger la démographie languedocienne. Mais la Révolution libère les « funestes secrets » en profitant du bouleversement des valeurs qui les avaient jugulés : l'indissolubilité du mariage attaquée par le divorce et par les contestations canoniques du sacrement lui-même, le respect de la procréation, fruit du mariage, bafoué par ce mépris de la vie que proclament la guerre civile et la psychose du suicide sous le Directoire.

Bref, un tabou vient de sauter. Et si, à la veille de la Révolution, Languedoc et Dauphiné viennent en tête de l'accroissement démographique national, tout change au XIXe siècle à cause d'une rupture avant tout masculine, avec l'Eglise catholique. La crise révolutionnaire fait office de contestation de fait pour les obligations découlant de l'objet de foi.

La contestation devient de droit et de fait sur la question des biens nationaux. Leur acquisition provoque la conscience chrétienne et l'oblige à une tension quasi insoute-

---

(79) E. Le Roy Ladurie, *Les Paysans du Languedoc*, t. I, p. 556. — « Démographie et funestes secrets, le Languedoc (fin XVIIIe siècle-début XIXe siècle) », dans *Ann. Hist. de la R. F.*, 1965, n° 4, p. 385-399.

nable... et rarement soutenue entre les mandements épiscopaux des évêques « romains », unanimes à condamner ces achats, surtout quand il s'agit d'anciens domaines ecclésiastiques à propos desquels on brandit le sacrilège, et les attitudes concrètes, principalement des paysans.

Dans certains cas, le clergé réfractaire parvient à leur faire rendre gorge. Ainsi dans la région de Grasse (Alpes-Maritimes), le curé réfractaire d'Opio n'a rien de plus pressé, en l'an III, que d'obliger à l'amende honorable tous ceux qui avaient acheté des biens nationaux et qui avaient assisté à la messe des prêtres assermentés (80). Mais comment les mandements épiscopaux et l'action des prêtres réfractaires pourraient-ils lutter contre la colère de la paysannerie, sa profonde amertume au spectacle d'une bourgeoisie scandaleusement maîtresse de la terre par ces procédés ? A cet égard, les réactions de pays dits de foi sont très symptomatiques.

Les recherches de R. Marx pour le district de Haguenau (Bas-Rhin) aboutissent à montrer une véritable carence catholique dans l'achat des biens de première et de seconde origine (81). Mais il s'agit de l'Alsace où le contexte politique et économique est assez particulier, sans compter les pressions directes que les milieux de l'émigration d'outre-Rhin ne manquent pas d'exercer. La situation devient sensiblement différente en abordant la Vendée « rechristianisée » par les Mulotins de Saint-Laurent-sur-Sèvre. P. Bois a parfaitement éclairé les corrélations existant entre la chouannerie et les biens nationaux (82). Elles peuvent se définir en trois types :

1° Les biens sont accaparés par la bourgeoisie, comme dans le sud-ouest de la Sarthe. Les paysans qui nourrissent « une vieille haine » contre les villes y puisent un nouveau motif de chouanner. Ce motif va jusqu'à l'exaspération dans les régions les plus pauvres, comme le Maine, au spectacle de

---

(80) *La Sentinelle*, n° LXXV, du 20 fructidor an III, p. 303.
(81) R. Marx, dans *Bull. hist. écon. et soc. de la R. F.* (1966), 1967, p. 25-30.
(82) P. Bois, *Paysans de l'Ouest*, p. 644-657.

ces hauts fonctionnaires civils et militaires, stigmatisés par Saint-Just, qui spéculent sur la misère paysanne : tel ce général Fabre-Fonds, frère de Fabre d'Eglantine « qui avait acheté près d'Angers, pour 100.000 livres une propriété destinée à loger » ses maîtresses (83).

2° Lorsque les biens sont rachetés par un grand seigneur du pays — c'est le cas de Choiseul-Praslin aux confins de la Mayenne — la Chouannerie se fait modérée.

3° Enfin, lorsque les biens sont acquis par les paysans dans le sud-est républicain, la Chouannerie est inexistante et c'est une nouvelle mentalité qui se dessine : « Du curé au chouan, dit P. Bois, il n'y a pas loin, pour ces gens du sud-est. Et l'anticléricalisme mène à l'irréligion; bientôt les femmes, seules ou presque, fréquenteront l'église... en attendant de la déserter à leur tour. » Car, « bien plus que clérical ou anticlérical, on était chouan ou anti-chouan », ce qui expliquerait que la tiédeur religieuse de l'Ouest, au XXe siècle, soit dénuée d'anticléricalisme. Mais qu'était devenue la foi de ces chouans au contact de ces bouleversements politiques, économiques et religieux ? Caractéristique nous semble être la réponse fournie par le curé d'Astillé, le pays d'un des chouans les plus célèbres, Jambe d'Argent. Mme Charmelot relève pour 1845, sur un registre paroissial, son jugement d'ensemble : « Le nouvel ordre de choses n'aurait pas rencontré d'obstacles sérieux de la part de nos paysans qui ne se seraient pas intéressés trop vivement au sort des nobles. Le clergé lui-même n'aurait pas montré de mauvaise humeur si les novateurs ne lui avaient demandé que quelques sacrifices temporels pour le soustraire à l'humiliation et à l'assujettissement où le tenait le régime féodal; mais prêtres et peuple sentent leur foi en danger, leur conscience attaquée, alors il n'y a plus de résignation possible et ce peuple doux, timide, quelque peu servile, va déployer une énergie héroïque. » Déjà la fière légende chouanne s'épure de toutes les

(83) M. A. Charmelot, « Les bas salaires dans le Maine de 1789 à 1795 », dans *Bull. comm. histor. et archéol. de la Mayenne*, oct.-déc. 1966, nouvelle série, n° 12, p. 44-49.

contestations qu'a fait naître la période révolutionnaire et elle concourt au « mythe de la France chrétienne qui s'est formé au lendemain de la Révolution » comme l'explique fort lucidement G. Le Bras (84).

On se berce de l'illusion que le passé tout frais des persécutions, que le sang des martyrs, répondent de l'avenir, surtout lorsque la nouvelle chrétienté est magnifiée par des écrivains prestigieux. On ne mesure pas suffisamment le chemin parcouru entre les Terre-neuvas des Sables-d'Olonne qui partent pour la première fois sans confession ni communion, considérant comme frappés de nullité les sacrements donnés par les constitutionnels (85) et les soldats de Napoléon qui, à Moscou, meurent à l'hôpital en refusant, massivement et sans aucune distinction théologique, tous les sacrements.

Tout ceci sans préjudice, en bien des cas, d'une fréquentation de l'Eglise comme s'en plaignent les évêques Prudhomme et Gratien. Le premier signale, le 5 mars 1796, aux *Evêques Réunis,* que dans la Sarthe : « Un certain nombre de fidèles assiste avec édification à nos offices; ils entendent nos instructions avec une espèce d'avidité, mais nous en voyons peu qui se disposent à approcher des sacremens de Pénitence et d'Eucharistie, tant il est vrai que, malgré nos efforts, nous sommes encore bien éloignés de voir se propager parmi nous l'esprit de Religion et de Piété qui fait les vrais chrétiens. » Un an plus tard, son confrère de Seine-Inférieure confirme cette opinion. « Les églises sont passablement fréquentées, mais il n'en est pas de même des sacremens. La très grande partie des paroissiens de la cathédrale et des autres paroisses de Rouen meurent sans sacremens, si toutefois ils ne les reçoivent pas des prêtres réfractaires. Il y a sur ma paroisse trente mille âmes et il se passe des mois entiers sans qu'on porte à l'Eglise un corps mort pour que nous fassions les prières accoutumées... » (86)

Se consolera-t-on avec l'euphorie concordataire ? Dans

---

(84) Dans *Cahiers d'Histoire...,* p. 95-96.
(85) Gaborit, cit. par P. Bois, *op. cit.*, p. 622.
(86) *Bibl. Soc. Port-Royal,* Correspondance Grégoire, carton *Sarthe,* lettre du 5 mars 1796; carton *Seine-Inférieure,* lettre du 13 mars 1797.

une *Troisième lettre au rédacteur du Courrier de Londres* (87) un ecclésiastique qui se présente comme « anglais, catholique, romain » et qui assurément ne montre aucune sympathie conformiste de janséniste, éprouve le besoin d'y mettre une sourdine. Son propos, parti de la question : « La Religion catholique est-elle à rétablir en France ? », tient dans sa conclusion : « Je demande si des communes qui, depuis dix ans n'ont pas entendu parler de l'évangile; si des communes où, depuis dix ans, il ne s'est pas fait de premières communions : en deux mots, si des communes sans évangile et sans sacremens doivent s'appeler des communes *sans religion* ou des communes *sans culte* » (p. 99).

Car, cet ecclésiastique veut dénoncer avec force la confusion entre le culte et la religion, preuve que notre problématique n'est pas si « moderne » !

« *C'est le culte,* nous dit-on, *qui est à rétablir et ce n'est pas la religion.* Distinction subtile, spécieuse peut-être pour quelques instans, mais qu'un examen sérieux va faire disparaître (...) Qu'on me réponde. L'enseignement de la vérité, des dogmes, de la morale, des devoirs de la religion; le catéchisme qui les apprend, la prédication qui les conserve, sont-ce là les apanages du culte ? Ce premier sceau du christianisme et sa dernière fin, ses préceptes à partir de l'un, ses moyens pour arriver à l'autre, composent-ils *la religion* ou ne forment-ils que le culte ? Ces sacremens institués par le Christ, le baptême pour les enfans, la communion pour les adultes, le mariage pour les familles, la pénitence et la réconciliation pour les pécheurs, le viatique et l'onction pour les mourans, tout cela doit-il se ranger parmi les cérémonies du culte ou s'appeler l'essence de la religion ? (...) Croira-t-on m'avoir répondu solidement, en me parlant des oratoires particuliers, dispersés çà et là sur cette immense surface du territoire français ? » (pp. 68-69).

Quand bien même la conscience religieuse des Français trancherait-elle de la contestation prise, cette fois, au niveau des principes, l'auteur ne se sentirait nullement rassuré. Pourquoi ? Parce que la foi chrétienne se féminise et « s'installe » confortablement là où on peut la saisir. C'est sa con-

---

(87) *Courrier de Londres,* vol. 50, p. 55 à 108. *Troisième lettre...,* du 30 septembre 1801.

viction après avoir dépouillé un courrier volumineux en provenance de plusieurs diocèses de France :

« Là comme ailleurs, les femmes influent sur la détermination des prêtres. On trouve très commode d'entendre la sainte Messe au coin de son feu ! et nos trop foibles confrères, dont l'égoïsme scandalise les clairvoyans, trouvent aussi très agréable d'être fort bien logés et tendrement soignés par ce qu'on appelle de bonnes dévotes. Aussi dès qu'on parle à ces messieurs de sortir de l'état de nullité, de se répandre dans les campagnes, d'exercer pour la totalité des chrétiens, un ministère qui leur appartient à tous, ils vous décrient aussitôt comme ennemi de la morale et de la religion » (p. 72).

Il s'en tiendra à cette logique : « Mais voici bien un autre changement de scène ! Voici qu'à une autre extrémité de la France, je trouve des villages qui au lieu de la *religion sans culte* ont le *culte sans religion.* Là les paysans vont à l'église tous les dimanches, chantent au lutrin le matin et le soir, mais aucun n'approche du confessional (...) Sans confession, point de communion; sans sacremens, point de religion; sans religion, point de morale; voilà la chaîne... » (p. 94).

Comment, dès lors, écarter le paradoxe, clamé par tant d'observateurs, qui s'abîme dans le plus grand des scandales : une discrimination entre riches et pauvres; entre villes et campagnes... *au nom de la foi chrétienne ?* Comment un clergé concordataire dont les rangs clairsemés affolent les évêques, parviendra-t-il à pénétrer une France rurale, appauvrie par les ravages révolutionnaires, livrée à elle-même et à des modèles anti-chrétiens ?

Anti-chrétiens, parce que prônant des valeurs en contradiction avec l'objet de la foi. Quelques-uns vont marquer durablement la France chrétienne du XIXe siècle moins par leur force d'opposition que par leurs possibilités de syncrétisme dans la tradition des cultes révolutionnaires.

L'un des plus représentatifs est probablement le modèle du néo-stoïcisme révolutionnaire qui accentue le mépris de la vie, avec les conséquences sociales déjà marquées plus haut. Il s'incarne dans ces martyrs de prairial an III étudiés dans plusieurs communications du colloque Romme tenu récemment à Clermont-Ferrand (88).

Ces martyrs sont les conventionnels Rühl, le déchristianisateur qui brisa la Sainte Ampoule à Reims, Goujon, Romme, Duquesnoy et Soubrany dont le destin s'acheva dans le suicide. R. Andrews a cherché à dégager les implications néo-stoïciennes de la philosophie de Cicéron selon qui « le législateur ne doit tenir son autorité que de sa *dignitas* personnelle qu'il ne doit jamais cesser de mettre à l'épreuve dans la praxis politique ». Sous l'influence de la « conscience » inspirée de Rousseau, cette philosophie conduit au principe du suicide vertueux comme forme ultime de la liberté et de l'égalité, comme protestation fructueuse contre un ordre injuste et inéluctable. Monnayée par les Montagnards, surtout sous la forme de l'amour de soi érigé en vertu civique c'est-à-dire le patriotisme, elle conduit au suicide pour les conventionnels accusés. « Les martyrs de Prairial se sont conçus comme chargés du devoir ultime et néo-stoïcien d'incarner exemplairement cet idéal républicain d'un amour de soi qui s'achève dans le dévouement total au bonheur de la cité. Cette conscience de soi politique exigeait le suicide des martyrs de Prairial » et finit de consommer leur divorce avec un christianisme dont les six conventionnels étaient déjà détachés. L'acte, explique J. Dautry, reflète la mentalité révolutionnaire « consistant à aller au-devant du destin que l'on doit subir », en accord avec le genre d'aphorismes tirés de l'*Alphabet républicain* de Chemin-Dupontès, l'organisateur de la théophilanthropie; tel que : « l'homme vertueux regarde la mort comme le commencement de son immortalité ».

A promouvoir ainsi des valeurs païennes dans un contexte strictement philosophique sans support religieux, ne risquait-on pas de renouveler l'erreur précédemment commise par les élites révolutionnaires à propos des fêtes nationales et, dans une certaine mesure, l'échec de la théophilanthropie ? Or, ce support religieux ayant toujours été d'inspi-

---

(88) *Gilbert Romme et son temps*, ouvrage collectif (Paris, 1966).

ration chrétienne, ne pourrait-on jamais dégager une religion de l'incroyance, d'un indispensable syncrétisme ?

La tentative de Saint-Simon décrite par J. Dautry (89) représente un effort certain pour sortir du dilemme. Elle a d'autant plus de poids que son auteur marque de son influence cette seconde génération des Lumières qui, à l'Institut, au Collège de France et dans tous les grands foyers de pensée de la France consulaire et impériale, assied les bases du laïcisme du XIXe siècle.

Proche des Dupuis et des Volney, Saint-Simon, dans une première phase, crée une religion du sacré révolutionnaire en faisant l'expérience syncrétiste. L'expression « religion du sacré révolutionnaire » figure dans le prospectus du 13 nivôse an III (3 janvier 1795), pour la diffusion de ses fameuses cartes à jouer républicaines. La dame de cœur en constitue comme la synthèse : elle porte une lance surmontée d'un bonnet phrygien et à cette lance « est attachée une flamme où est écrit DIEU SEUL » qui réunit le Talmud, le Coran et l'Evangile « symbole des trois plus grandes religions ». Comme le fait remarquer J. Dautry, l'Evangile ne vient plus qu'en troisième place. Il n'empêche que toute la conception de base continue de s'alimenter aux religions révélées et à majorité judéo-chrétiennes. Une épuration doit encore se faire, elle va demander sept ans. Sept années essentielles pour l'évolution des penseurs français qui abandonnent peu ou prou le procédé des religions comparées hérité de l'Encyclopédie pour s'orienter vers le scientisme et ses prolégomènes positivistes.

Durant cet intervalle, la conscience européenne traverse une crise philosophique et religieuse, connue en Allemagne et entrée dans l'historiographie sous le nom de « Querelle de l'Athéisme ». Récemment, Hans-Michaël Baumgartner en livrait une savante étude à partir de la polémique qui s'instaure autour de l'article de Karl Forberg, publié au début de 1798, sur le thème : *Entwickelung des Begriffs der Religion*

---

(89) J. DAUTRY, « Nouveau Christianisme ou nouvelle théophilanthropie ? », dans *Arch. soc. des Religions*, n° 20, juillet-déc. 1965, p. 7-29.

(Développement du concept de la religion). Fichte et Kant entrent dans le conflit : « Pour Kant, Dieu est le postulat de la raison pratique; pour Fichte, l'ordre du monde est le terme absolument premier et absolument certain de toute la connaissance objective (...). Dans la philosophie de Kant, l'Etre suprême est postulé pour produire un ordre (...) au contraire, dans la pensée de Fichte, Dieu est l'ordre lui-même » (90).

Est-ce beaucoup simplifier qu'avancer le succès de Kant auprès des premiers scientistes, même lorsqu'en France toute une école libérale proclamera son aversion pour le philosophe de Köenigsberg ? Il offrait l'avantage d'ouvrir, par l'épistémologie, la crise religieuse et de postuler « la mort du Dieu catholique », Transcendant et Créateur, pour le réduire à « l'ordre moral ». On méditera la conclusion de H.-M. Baumgartner : « La théologie philosophique a subi par là, elle aussi, une transformation sans doute décisive, ce qui indique précisément le reproche d'athéisme. Le savoir de Dieu qu'elle procure ne peut plus être compris comme une information portant sur un objet et sa genèse interne. Sans doute on parle encore de Dieu, mais ce Dieu n'est plus l'objet direct d'un pouvoir direct de savoir. Ce qui est su de lui, c'est non pas lui-même, mais sa « manifestation » (p. 554).

La France post-révolutionnaire se satisfera de cette crise de la métaphysique. Forts d'être justifiés par avance de leur impossibilité intellectuelle d'atteindre l'Inconnaissable, les Idéologues inventeront une religion du savoir. C'est dans ce contexte européen, croyons-nous, qu'il faut réinterpréter la seconde tentative de Saint-Simon pour créer, en 1802, la « religion de Newton ».

Un Newton revu et corrigé, bien entendu, puisque cette religion, d'après J. Dautry, est calquée sur « un patron très proche de la théophilanthropie et du culte décadaire ». D'une analyse très fouillée, deux aspects nous paraissent particulièrement importants pour la constitution du modèle qui façonne la pensée libérale du temps.

---

(90) H. M. Baumgartner, « La Querelle de l'athéisme de 1798-1799 », dans *Arch. de Philosophie*, t. XXXI, oct.-déc. 1968, p. 531-555.

Le premier relève simplement de la tactique anticléricale qui alimente la propagande de l'époque : il témoigne d'un antipapisme qui incline des hommes à la fois si proches et si différents que Saint-Simon, Daunou et l'abbé Grégoire à une riposte aux documents pontificaux sur le Concordat, à la bulle *Ecclesia Dei* et au bref *Tam multa.*

Le second se fonde sur le scientisme. Il reprend les cultes décadaires en les dotant d'une organisation qui leur faisait défaut et leur imprime un dynamisme puisé dans les cérémonies des fêtes révolutionnaires. Il se débarrasse définitivement des implications chrétiennes en ravalant le culte et le dogme au rang d'accessoires et les exorcise comme n'importe quelles autres « superstitions » passées. La morale, seule, devient la valeur privilégiée. Saint-Simon ne paraît pas se douter qu'il réédite de cette manière l'erreur de toutes les élites depuis le XVIIIe siècle : faire triompher la morale au moment même où elle est en procès, l'ériger en religion sans aucun support dogmatique. L'inventeur de la religion de Newton se préoccupe uniquement d'assouvir la faim de religiosité de ses pairs libéraux. Du reste, il faudra cent cinquante ans d'expérience pour déterminer les méfaits d'une morale qui prétend se suffire à elle-même, dans et hors de la pensée chrétienne...

L'important, en définitive, est de cerner le modèle religieux prôné par Saint-Simon « où Jésus-Christ n'était pas fils de Dieu et où Dieu n'était qu'un concept ». Etonnante synthèse de la pensée jacobine sur le sans-culotte Jésus, des cultes révolutionnaires et du primat scientiste de la seconde génération des Lumières. Ce n'était plus la symbiose entre le donné révélé et l'apport des valeurs républicaines, voulue passionnément par l'abbé Grégoire, mais c'était déjà le premier aboutissement des contestations d'une chrétienté... Premier aboutissement, car il nous semble que la tentative de Saint-Simon, dans sa dernière phase, s'apparenterait assez bien à l'offensive de « démythologisation » que connaît, de nos jours, la foi chrétienne sous l'impulsion des disciples de Bultmann, déjà dépassés par les « théologies de la mort de Dieu ».

Assez curieusement, la permanence des habitudes chrétiennes, au début du XIXe siècle, ne contredit pas les signes d'une déchristianisation progressive, alors qu'on invoque encore cette permanence, à la fin de l'Ancien régime, pour contester les prodromes du phénomène. Il est vrai qu'entre temps sont apparus des faits positifs : montée des masses, début de l'industrialisation... et la Révolution.

Question de méthode plus que changement d'optique, d'un siècle à l'autre, quand on perçoit la mise en place lointaine de facteurs identiques à la même réalité : celle des forces profondes en proie à l'antagonisme habitudes-innovations, génératrices d'autres comportements. Parce que les composantes de cet antagonisme restent difficiles à déchiffrer pour l'Ancien Régime, on aurait tendance à transposer le conflit dans la période révolutionnaire, voire à le faire germer au cours des phases d'intense fermentation au mépris de cette loi première des générations selon laquelle les psychologies ne se fabriquent, ni ne se détruisent en un jour.

Le climat de la Révolution nous paraît donc finir d'imprimer la déchristianisation objective dans la conscience de la chrétienté française à titre de révélateur, puis de régulateur de courants jusqu'alors diffus et aveugles. *Révélateur* des agents d'agression à travers les modalités d'une action déchristianisatrice érigée en politique, révélateur aussi des contestations internes à une chrétienté qui croit se retrouver au lendemain du concordat. *Régulateur d'un pluralisme* idéologique qui éclate maintenant au grand jour, d'une poussée populaire obstinée à conquérir ses droits confisqués par des élites au triomphe tapageur, sous la Restauration.

C'est dire déjà que nous ne pensons pas qu'en matière de déchristianisation, la Révolution soit un épiphénomène, trop superficiel pour peser durablement sur les mentalités, ou un cas aberrant, en raison de l'exaspération des sentiments et des idées, à tenir pour négligeable en vue d'une explication en longue durée. Nous ne pensons pas plus à la réconciliation de ces deux contraires, aussi excessifs l'un que l'autre, dans une sorte de voie moyenne, d'un compromis scabreux entre amis ou ennemis de la Révolution.

Nous croyons qu'il faut aller au-delà, c'est-à-dire atteindre l'objet qui fonde la foi chrétienne (le Magistère de l'Eglise, les sacrements, la morale dogmatique), laquelle conditionne la pratique du culte et non l'inverse. Le projet demeure réalisable pour l'historien et ne l'invite pas pour autant à sonder les cœurs, nous avons cru le montrer. Cependant la démonstration souffre encore de l'absence d'un élément prépondérant : l'ecclésiologie. Longtemps reléguée parmi les des travaux historiques de grande valeur scientifique, comme un des signes les plus probants d'une chrétienté, puisque c'est par l'ecclésiologie que se rend concret, à une époque déterminée, l'objet de la foi catholique. On est donc en droit de la considérer comme la clef de voûte d'une histoire religieuse. La période révolutionnaire vérifierait aisément cette assertion. Nous allons nous y efforcer.

CHAPITRE III

LES ECCLÉSIOLOGIES

Combien d'amis historiens nous abandonneront-ils, dès ce liminaire, qui, protestant avec politesse de leur incompétence, qui, désapprouvant plus clairement le projet d'inclure l'ecclésiologie parmi les facteurs explicatifs de la vie religieuse et socio-culturelle de l'époque révolutionnaire ? Leur faudrait-il réviser un procès maintes fois jugé : celui de l'exclusion de la théologie hors des sciences humaines, quand une solide tradition historiographique confirme, par ses silences, ce jugement ? Notons au passage que cette dernière observation, une fois vérifiée, nous obligera à une sorte de rupture de méthode dans le propos de cet ouvrage puisqu'il sera nécessaire de suppléer à la carence des « travaux » historiques, sur ce point, par le recours aux « sources ».

Pour ne pas être totalement vaine, notre démarche qui se veut pleinement historique demande donc une justification préalable. Faute de pouvoir aborder la question de fond, ce qui supposerait un autre travail, contentons-nous de montrer en quoi l'ecclésiologie peut servir l'histoire révolutionnaire des mentalités en conférant à nombre d'attitudes, jugées un peu sommairement d'après des critères politiques, une véritable logique interne, un éclairage intérieur dans les problèmes religieux.

Lorsque, le 27 novembre 1790, Pétion lance à la Constituante sa fameuse apostrophe : « la théologie est à la religion ce que la chicane est à la justice », que veut-il dire au juste ? Rien d'autre que ce que soulignent les applaudissements de cette génération des Lumières devant la boutade : la consommation du divorce entre religion et société, première étape vers cette critique de la religion, au XIXe siècle, en tant qu'aliénation de la conscience au même titre que les autres superstructures idéologiques. Par religion — les débats autour de la Constitution civile du clergé le prouvent abondamment — on entend principalement le fait religieux, institutionnel, réduit à son aspect ecclésiastique : signes et pratique du culte, vie du clergé, etc... Nous avons vu, à propos de la déchristianisation, quels avatars engendrait cette réduction. Il en serait de même pour toute interprétation de la vie chrétienne de groupes sociaux menée indépendamment de son *objet de foi.*

Il n'empêche que les Lumières refusent désormais l'unité et la complémentarité de la vie religieuse et de la vie sociale, qu'elles brisent l'antique modèle de « chrétienté ». Dès lors, la « métaphysique », objet même de la théologie, se transforme en domaine réservé — que l'on respecte ou que l'on combat — mais qui évolue de toute manière hors de la sphère de l'existence habituelle des hommes. Les théologiens donneront eux-mêmes créance à ce mépris en se réfugiant dignement dans l'empyrée des idées d'où ils cultiveront jalousement leur splendide isolement.

Le lien ultime et indestructible entre cette cité céleste et la cité des hommes s'appellera l'ecclésiologie dans la mesure où l'Eglise persiste en tant que fait social et pourvu que l'on définisse ce terme d'ecclésiologie.

Encore inconnue au XIIIe siècle, cette discipline théologique naît des traités *De Ecclesia* qui, dans la controverse antiprotestante, répondent à la nécessité d'une affirmation des caractéristiques fondamentales de l'Eglise catholique; ce sont les quatre « notes » classiques : l'unité, la sainteté, la catholicité et l'apostolicité tirées du symbole de Nicée. Le *De Ecclesia* étudie ces notes dans la tradition apostolique, c'est-à-dire des définitions scripturaires, des développements et commentaires patristiques et conciliaires, des controverses et interprétations d'école. Il en résulte un corps de doctrine qui entre, à côté des autres enseignements de la foi, dans les catéchismes destinés, sous l'autorité des évêques, à former la conscience du peuple chrétien.

Toute la richesse du *De Ecclesia* bien compris tient à la présentation de l'Eglise à deux niveaux absolument conjoints. Le premier affirme l'existence d'un Corps Mystique dont la Tête est Jésus-Christ et les membres, l'Eglise visible composée du pape, des évêques, des prêtres et des fidèles baptisés. Tous vivent de la même grâce du Christ, mais tous ont des fonctions différentes ou hiérarchisées à partir du « sacerdoce » commun conféré par le baptême. En dépit des insistances sur le caractère social de cette vie ecclésiale, ce niveau s'en tient à des considérations spécifiquement spirituelles, voire surnaturelles. De lui dépend — ou devrait dépendre — l'autre niveau qui intéresse les formes extérieures de l'Eglise tout particulièrement dans ses rapports avec l'Etat. Ici se place une option dont l'importance a souvent échappé et, ce faisant, a nourri bien des ambiguïtés. Ou les deux niveaux sont dissociés au sacrifice du premier et l'ecclésiologie se métamorphose en « politique ecclésiastique », ou le jeu complexe du spirituel et du temporel continue de fonctionner dans l'interférence des deux niveaux et l'on accède à ce qu'il faudrait nommer une Théologie politique.

Si les historiens n'ont, la plupart du temps, perçu que la « politique ecclésiastique » à travers l'action de l'Eglise dans le monde, c'est — reconnaissons-le — presque à toutes les époques où théologiens et pasteurs se sont réclamés d'une Eglise apparemment vidée de sa fonction de Corps Mystique. Redevenue Corps social parmi les autres, cette Eglise n'affichait plus ses « notes » que par réaction contre une société ou une civilisation où elle était tenue en relégation et, dès lors, astreinte aux mêmes aléas que les autres groupes idéologiques. Le divorce des temps modernes célébré par Pétion n'a pas de cause plus réelle et plus profonde que cette fameuse scolastique brocardée par les « philosophes » et par les libéraux (1). Suffit-il néanmoins que le conflit religion et société s'envenime par l'essoufflement de la réflexion ecclésiale pour prétendre que l'Eglise renonce alors à sa dimension spirituelle ? Ce serait conclure que l'Eglise se renie elle-même. En réalité le problème demeure toujours pour elle d'éclairer son action politique à la lumière de sa mission spirituelle ainsi que nous essaierons de le montrer pour la période révolutionnaire.

Dans ce cas, demeure l'ouverture à une véritable Théologie politique, fruit de nombreuses recherches d'aujourd'hui, définies par un auteur allemand : « La tâche positive de la Théologie politique vise à déterminer un nouveau genre de rapports entre la religion et la société, entre l'Eglise et la réalité publique sociale, entre la foi eschatologique et la pratique sociale (2) ». En fait, l'histoire de l'Eglise témoigne d'inventions successives dans ses rapports avec la société; avec des fortunes diverses et abstraction faite de l'expression, elle postulait implicitement de la sorte une Théologie politique.

Aussi, quand s'obscurcit la notion permanente de Corps Mystique, l'Eglise, axée sur son aspect de société visible, s'enlise-t-elle dans le juridisme et la Théologie politique, expression la plus noble d'une Eglise en état de mission temporelle, cède le pas à tous les compromis et à toutes les contradictions de la politique.

Notre intention précise consistera à montrer que le contexte révolutionnaire forcera l'Eglise de France, celle de

---

(1) Dans l'ouvrage sur les catéchismes de la Restauration, E. Germain, *Parler du Salut? Aux origines d'une mentalité religieuse* (Paris, 1967) figure le résultat d'une enquête manuscrite du R. P. Brunet, s. j., bibliothécaire au scholasticat de Chantilly, qui porte sur 230 manuels datant de 1650 à 1914. Il s'agit toujours de répondre à la question : « Qu'est-ce que l'Eglise ? ». Des 115 catéchismes édités avant 1816, 88 optent pour une définition qui met en évidence l'institution et l'autorité des pasteurs légitimes. « C'est vraiment la structure sociétaire, hiérarchique et même pyramidale de l'Eglise que nos manuels, dans leur très grande majorité, choisissent de mettre en valeur » aux dépens de « la définition par le Corps Mystique qui perd sa force au XIXe siècle et cède devant l'influence de Bellarmin », p. 511-512, n. 339.

(2) J.-B. Metz, « Théologie politique et liberté critico-sociale », dans *Concilium*, 1968, n° 36, p. 13.

« l'intérieur » autant que celle de l'émigration, à se référer à sa finalité spirituelle. Elle sera obligée de définir sinon une Théologie politique en forme — que nous appellerons « Théologie de la Révolution », si l'on veut bien n'y voir aucune allusion à certaine problématique de notre temps — du moins ses prémisses que sollicite une ecclésiologie singulièrement élargie et rénovée entre 1793 et 1802.

I

DIALECTIQUE D'UNE THÉOLOGIE DE LA RÉVOLUTION FRANÇAISE : POLITIQUE ECCLÉSIASTIQUE ET THÉOLOGIE POLITIQUE

C'est par l'historiographie que les traits essentiels de la politique ecclésiastique au cours de la période révolutionnaire nous sont relativement bien connus. Deux restrictions s'imposent en effet : la première tient au fait de la quasi-inexistence de l'historiographie de l'Eglise constitutionnelle — la grande inconnue — si l'on excepte quelques monographies de prélats assermentés et la littérature polémique autour du serment. La vie du clergé réfractaire demeuré en France, ses moyens d'action sur les fidèles, sa pastorale et sa spiritualité, principalement dans le mouvement des « missions » à partir de 1795, nous échappent aussi presque en totalité. La rareté et la difficulté d'accès des documents — souvent privés — autant que les intentions des historiens, n'ont guère permis jusqu'à maintenant d'explorer convenablement ces secteurs. De sorte que l'historiographie semble s'être repliée sur les milieux de l'émigration. Quelle part fut faite aux problèmes religieux et à quels problèmes d'histoire religieuse ?

Depuis le premier essai de synthèse d'Antoine, en 1828, sur l'*Histoire des émigrés français* jusqu'à nos jours, l'historiographie, à prépondérance française, semble s'être, en gros, orientée vers quatre directions privilégiées.

Les problèmes politiques et diplomatiques, bientôt sous l'influence du maître Emile Bourgeois (1857-1934), dominent les œuvres de A. Lebon jusqu'à celle du Duc de Castries, en passant par H. Forneron, fort soucieux des aspects militaires, et E. Daudet (3). Il s'agit, en somme, d'examiner la nature et l'importance du « complot » des émigrés et du Prétendant au trône de France en association avec les Cours étrangères. Les ecclésiastiques n'apparaissent qu'incidemment dans la mesure où ils se prêtent au rôle d'agents politiques.

Il revenait à M. Marion et à l'école de G. Lefebvre (1874-1959) d'aborder l'aspect social de la Révolution, notamment sous l'angle de l'histoire de la propriété foncière : la vente des biens nationaux et le séquestre des biens des émigrés requéraient les efforts de spécialistes anglo-saxons, autour de D. Greer, et français, dont témoignent aujourd'hui les travaux de M. Bouloiseau (4), de J. Suratteau pour le Mont-Terrible et d'une équipe attelée aux problèmes de la frontière rhénane, parmi d'autres. Le contexte économique ne permet guère de se rendre compte du facteur religieux dans l'attitude des acquéreurs de biens, sauf avec l'étude de R. Marx (5) qui ouvre ainsi de nouvelles possibilités à l'histoire sociale.

Possibilités accrues, grâce au courant idéologique de

---

(3) A. Lebon, *L'Angleterre et l'Emigration française de 1794 à 1801*, Paris, 1882. — H. Forneron, *Histoire générale des émigrés*, Paris, 1884, 2 vol. in-8. — E. Daudet, *Histoire de l'Emigration pendant la Révolution française*, Paris, 1904-1907, 3 vol. in-8. — Duc de Castries, *Le testament de la Monarchie, les Emigrés, 1789-1814*, Paris, 1962. Pour ce dernier ouvrage, on notera l'importante bibliographie, sources manuscrites et imprimées (p. 409-425) avec indication d'archives privées : presque toutes concernent des documents diplomatiques et militaires. Le phénomène de l'émigration ecclésiastique tient une plus grande place, dans *La vie quotidienne des émigrés*, Paris, 1966, ch. VII, p. 149-164.

(4) Spécialement deux répertoires de sources : M. Bouloiseau, « Etude de l'Emigration et de la vente des biens des émigrés, 1792-1827 », I. Sources et bibliographie, dans *Bull. hist. écon. et soc. de la R. F.* (1961), 1962, p. 27-89. — « Sources de l'histoire de l'Emigration et de la Contre-Révolution dans les Archives étrangères », *ibid.* (1966), 1967, p. 77-123. On relève dans les archives de l'U.R.S.S., un plan orléaniste de l'abbé Sieyès (rapport du 22 septembre 1799), p. 112.

(5) R. Marx, « Religion et biens nationaux. La vente des biens ecclésiastiques dans le district de Haguenau », cf. supra, p. 167. Des recherches pourraient être poursuivies en ce sens pour la région rhénane en utilisant les sources et la bibliographie de R. Dufraisse, « Les Emigrés des régions rhénanes et leurs biens », dans *Bull. hist. écon. et soc. de la R. F.* (1963), 1964, p. 129-159.

l'historiographie contre-révolutionnaire pratiquement inauguré par F. Baldensperger dans une étude toujours fondamentale (6), sur laquelle nous allons revenir, et approfondi par le doyen Godechot (7). Incontestablement l'ecclésiologie ne peut ignorer ces écoles et ces maîtres à penser, lors même qu'ils prônent une moderne théocratie aux accents de Bonald et de Maistre.

Une quatrième et dernière direction que nous qualifierions volontiers de typologique pourrait se dégager, semble-t-il, de la littérature des émigrés eux-mêmes; mémoires, journaux de voyage, récits, souvenirs, etc... En insistant sur les modes de vie, les difficultés du pain quotidien, les rivalités sociales, elle se ressent des frémissements et des recherches d'une conscience collective qui suffiraient à détruire, par le clivage des niveaux sociaux-culturels, « la légende de l'émigré », comme l'écrit fort justement l'éminent spécialiste, J. Vidalenc, dans un ouvrage (8) qui, à bien des égards, représente la première grande synthèse des quatre directions que nous avons cru discerner.

De ce rapide survol, forcément très incomplet, une première conclusion s'impose : l'Eglise de France ne suscite qu'un intérêt secondaire et toujours à propos de tractations politiques et de difficultés économiques de son clergé réfugié à l'étranger. C'est à dessein que nous n'avons pas fait un sort particulier aux travaux sur le clergé émigré, car leur préoccupation majeure va aux structures d'accueil en pays étranger et aux statistiques et listes de personnel, quand ils oublient la fermentation politique, sorte de survie pour ces réfractaires d'un naturel turbulent voire frondeur. L'optique, finalement, ne varie guère, du travail exemplaire de T. de Raemy, par exemple, à la récente thèse de R. Picheloup (9).

---

(6) F. Baldensperger, *Le mouvement des idées dans l'émigration française (1789-1815)*, Paris, 1924, 2 vol. in-8.

(7) Tout particulièrement pour notre sujet, J. Godechot, *La Contre-Révolution, doctrine et action, 1789-1804*, Paris, 1961.

(8) J. Vidalenc, *Les Emigrés français, 1789-1825*, Caen, 1963.

(9) T. de Raemy, *L'émigration française dans le canton de Fribourg* (1789-1798), Fribourg, 1935. — R. Picheloup, *Les Ecclésiastiques français émigrés dans l'Etat pontifical, 1792-1800* (Fac. de Lettres, Toulouse, 1968, thèse de doctorat de 3e cycle, dactylo.).

Pouvait-on frayer une cinquième voie, dans cette historiographie, tant que ne s'ouvriraient pas des dépôts d'archives privées, parfois, d'une richesse étonnante? Probablement non, et nous en restions à ce procès-verbal de carence lorsqu'il y a quelques années nous eûmes la bonne fortune, due à l'extrême bienveillance des Supérieurs de la Société, de dépouiller la volumineuse correspondance des Prêtres des Missions Etrangères de Paris, particulièrement précieuse étant donné son caractère triangulaire.

Au cours de l'été de 1792, la Communauté de la rue du Bac a éclaté. Après avoir tenté de la réinstaller en Flandres, plusieurs directeurs du Séminaire ont, soit cherché refuge en province, soit tenté de gagner immédiatement l'étranger pour préserver les intérêts de la Société. Denys Chaumont (1752-1819), ancien missionnaire en Asie jusqu'en 1785, débarque en Angleterre, le 2 octobre 1792, avec deux confrères, MM. Alary et Blandin. Il pénètre aisément chez les émigrés et se crée de hautes relations avec l'épiscopat français comme avec le clergé catholique anglais : position de choix pour devenir une « source » de premier ordre autant par ses informations recueillies parmi les exilés que par ses contacts avec le continent d'où plusieurs missionnaires et son propre frère, prêtre réfractaire du diocèse de Rouen, l'alimentent en nouvelles. Il contrôle, trie le vrai du vraisemblable et communique les renseignements obtenus à ses confrères repliés dans leur Procure de Rome. Le Franc-Comtois Jean-Joseph Descourvières 1744-1804) sert, là-bas, de secrétaire à Denis Boiret (1734-1813), chargé de la réorganisation romaine des Missions Etrangères. Il bénéficie, depuis son arrivée à Rome, le 27 juin 1792, du large appui du cardinal Antonelli, protecteur naturel de la Société de Paris en qualité de membre de la Congrégation de la Propagation de la Foi. Les deux prêtres français mourront à Rome dont ils auront approché les milieux ecclésiastiques les plus fermés, pendant toute la Révolution, en laissant une réputation de grande vertu (10).

(10) Pour tout complément biographique sur ces personnages, cf. *Mémorial de la Société des Missions Etrangères de Paris, 2e partie, 1658-1913*, Paris, 1926, 659 p. in-8. L'auteur principal en est le R. P. A. Lau-

Périodiquement, M. Descourvières réunit les nouvelles anglaises, françaises et romaines en un long bulletin de synthèse intitulé *lettre commune* à l'intention des missionnaires bloqués en Asie. La correspondance de M. Chaumont s'étend sur quatre volumes de cinq à six cents folios chacun, sous la cote *Séminaire,* vol. 36 (1793-1795), 37 (1796-1799), 38 (1800-1802), 39 (1803-1805). Le courrier romain figure sous la cote *Procure-Rome* aux vol. 219 (1774-1792), 220 (1793-1797), 221 (1798-1801), 222 (1802-1803). Les *lettres communes* s'insèrent dans l'une ou l'autre correspondance au gré des possibilités de transmission. Naturellement nous ne tirons de cette masse documentaire que les éléments propres à notre sujet étant entendu que, des plaques tournantes de l'Europe en guerre que sont Londres et Rome, se diffusent quantité de renseignements de toutes natures et se rencontrent des personnalités fort diverses.

Jointe à sa contrepartie : les archives du clergé constitutionnel que conserve la Société des Amis de Port-Royal sous forme de sources imprimées et manuscrites dans la bibliothèque Grégoire, pareille somme de documents atteste des motivations pastorales, des recherches théologiques profondes et continues pour la réorganisation de la vie chrétienne en France et donne au total une image de l'Eglise catholique sensiblement différente de celle qu'a retenue jusqu'alors l'historiographie.

Au sentiment de celle-ci, il suffirait probablement de ratifier l'aphorisme de Merleau-Ponty d'après lequel « on n'a jamais vu une Eglise adopter le parti d'une révolution pour la seule raison que cette dernière apparaisse justifiée. » Les portraits de prélats ne manquent pas, tantôt gentilshommes partageant la vie frivole de leurs nobles commensaux, tantôt réduits à une condition misérable et laborieuse tout en prêtant la main à de ténébreuses affaires qui vont de la conspiration de boudoir à l'espionnage international. Il est vrai que, dans ce genre d'activités, certains ecclésiastiques se taillent une réputation méritée; par exemple, Mgr Louis-François de

---

NAY qui rédigea aussi une étude sur les Missions Etrangères de Paris pendant la Révolution.

Conzié, évêque d'Arras. Membre du conseil du Comte d'Artois à Turin à l'automne de 1789, il suit la fortune du prince à Coblence, en 1791, et prend un ascendant conforme aux relations suivies avec « deux ambassadeurs officiels de la France à l'étranger : le cardinal de Bernis, archevêque d'Albi, ambassadeur de France à Rome qui trahit nettement les volontés de l'Assemblée nationale en servant en même temps les émigrés, et le duc de La Vauguyon, ambassadeur de France à Madrid, qui sert beaucoup plus les intérêts des émigrés que ceux de son gouvernement » (11). Alors que l'abbé Sieyès travaille à la cause orléaniste, l'évêque d'Arras se voit indirectement félicité par Mallet du Pan de ne pas se compromettre avec ce vilain parti et de rester, aux côtés du duc de La Vauguyon, un conseiller de marque pour la Cour de Lisbonne en 1796 (12). Rome apprécie-t-elle ces prélats qui excellent à se faufiler dans l'écheveau politique ? On peut en douter, surtout quand ce n'est pas leur métier et qu'ils deviennent des amateurs malheureux. L'ancien Garde des Sceaux de Louis XVI et archevêque de Bordeaux, Champion de Cicé, l'apprendra à ses dépens. Avec sa duplicité coutumière, le pseudo-internonce de Salamon l'a fort bien jugé : une première fois en 1790, lorsqu'il soupire auprès du cardinal Zelada : « Quelle confiance doivent avoir les Cours étrangères en un pareil ministre ! » ; la seconde, d'une manière apparemment flatteuse, mais qui n'exclut pas la précédente, lorsqu'il célèbre, en 1792, dans l'archevêque une des forteresses de l'ultramontanisme (13). Ce Crispin, comme le désignait Mirabeau, en est réduit, en 1794, à demander asile à Rome. Le cardinal de Bernis avertit avec une courtoisie empreinte de fermeté que « sa présence produiroit une impression fâcheuse ». Réponse qui, en la relatant, scandalisait H. Forneron s'agissant d'un ministre du feu Roi, de conduite « héroïque » (14).

---

(11) J. Godechot, *op. cit.*, p. 169-170.
(12) « Correspondance de Mallet du Pan avec la Cour de Lisbonne », dans *Ann. Hist. de la R. F.*, 1966, n° 1, p. 84-94. Voir les lettres de Berne des 15 février et 12 avril 1796 pour le rôle attribué à l'évêque d'Arras.
(13) Ch. Ledré, *op. cit.*, p. 73-74.
(14) H. Forneron, *op. cit.*, t. I, p. 430.

A poursuivre cette route de la grande et de la petite politique de prélats avides de jouer les utilités, encombrée de surcroît de tous les parti-pris des auteurs, l'historiographie ne se disposait-elle pas à observer l'Eglise de France en période révolutionnaire par le petit bout de la lorgnette ?

La vision se transforme à partir du moment où l'épiscopat légitime se sent interrogé *dans sa charge pastorale* par le régime qui convient à la France et aux intérêts religieux de la France. C'est probablement ici que passe la frontière encore mouvante entre la politique ecclésiastique et la Théologie politique. Elle se précisera en fonction d'une périodisation de mieux en mieux précisée principalement par le Duc de Castries.

Il distingue quatre phases dans le mouvement de l'émigration : de juillet 1789 à septembre 1791, les émigrés subissent la commune réprobation de la nation et du roi, tandis que, d'octobre à septembre 1792, ils sont mis officiellement hors-la-loi, mais incarnent la légitimité aux yeux du Roi. Le 10 Août accuse le tournant décisif : en purifiant les équivoques de la période précédente, ils s'installent dans une « légitimité dressée contre l'illégalité » (15) avant de perdre le bénéfice de ce statut dans le coup d'état du 18 Brumaire. Après cette date, face à la nouvelle légitimité dont Bonaparte est investi, l'Histoire relègue de nouveau les Emigrés en position « d'attente » comme au commencement de la Révolution. Ne serait-ce qu'à cause du caractère cyclique imprimé à cette aventure politique, l'ecclésiologie ne peut se couler naturellement dans ce moule : son projet en perpétuelle mobilité le lui interdirait. En outre, cette conception ne souligne pas suffisamment deux crises essentielles à la maturation d'une Théologie politique : 1793 et 1795-1798.

Les historiens préoccupés par les courants de pensée n'ont pas manqué de s'y pencher. Pour marquer l'étape de 1793, F. Baldensperger intitule éloquemment ses chapitres : « L'examen de conscience »; « Le mea culpa du régime »;

---

(15) Duc de Castries, *op. cit.*, p. 14-15.

« L'expérience religieuse » (16). Il se réclame de l'école de W. James et de sa psychologie du comportement pour parler, comme tant d'autres, de la foi de l'Emigré éclatant, en fin de période révolutionnaire, dans le *Génie du Christianisme*. Nous avons vu quelle médiocre idée se faisait de ce chef-d'œuvre l'épiscopat constitutionnel (17). Il est intéressant de constater néanmoins qu'il y a moins de cinquante ans, l'historiographie consacrait encore le schéma religieux de l'ouvrage de Chateaubriand, c'est-à-dire associait expérience religieuse, conduite morale et christianisme de sentiment. L'ecclésiologie, envisagée à la même époque, nous dira ce qu'il faut en penser.

La rupture risque de se consommer dans la seconde crise de 1795-1798. Du point de vue purement politique, elle met en cause la fameuse alliance du trône et de l'autel. 1795 peut être considérée comme l'année de la première grande contre-offensive royaliste en Europe : les pacifications françaises dans l'Ouest de la France contrecarrées par les insurrections contre-révolutionnaires du Sud-Ouest, la Terreur Blanche, Quiberon; la multitude des foyers d'insurrection dans l'Europe de « la grande Nation » qui « donna aux alliés l'idée d'organiser un grand mouvement contre-révolutionnaire » (18) semblent ébranler l'édifice républicain. A tort, car celui-ci supportera le second grand assaut de 1799. La conjoncture paraît, en tout cas, favorable à l'idéologie comme à l'action royaliste. Pendant que J. de Maistre achève ses percutantes *Considérations sur la France,* le Prétendant signe, en juillet 1795, la *Déclaration de Vérone* qui laisse pressentir la doctrine clairement formulée, le 10 octobre 1797, de la nécessité du catholicisme au rétablissement du pouvoir monarchique (19). L'Eglise de France se voit ainsi comme provoquée par la puissance civile. Comment peut-elle réagir ? Force est bien d'observer que de nouvelles recherches

---

(16) F. BALDENSPERGER, *op. cit.*, t. II, livre II, chapitres II et III; livre III, chapitre III.

(17) Cf. supra, p. 165.

(18) J. GODECHOT, *op. cit.*, p. 334. Voir pour ce développement français et européen de cette flambée réactionnaire, les chapitres XI à XVI.

(19) Voir la note adressée, en 1797, par le Prétendant au cardinal de Montmorency, dans J. VIDALENC, *op. cit.*, p. 339-400.

seront nécessaires pour dessiner les options politiques de l'épiscopat en émigration au cours de cette crise. Crise, en effet, pour deux raisons majeures : à la conscience des prélats monarchistes convaincus, de quelle force monarchique s'agira-t-il ? Au sentiment de beaucoup d'autres, n'est-ce pas le principe même de l'alliance du trône et de l'autel qui fait question ?

En comparaison de la haute stratégie, pour le compte du futur Louis XVIII, menée par l'évêque d'Arras pour réconcilier Condé et ses cousins, combien de prélats s'engagent dans une voie « monarchienne » comme pour accréditer l'appréciation d'A. Lebon : « ... Le grand tort du bon évêque [d'Arras] était de juger par ses propres inclinations de celle des autres : le peuple ne serait soumis et respectueux pour les princes que s'il reconnaissait en eux cette dignité, cette supériorité qu'un royaliste pur ne pouvait hésiter à leur attribuer » (20). C'est bien parce qu'ils hésitent — au nom de quelles motivations profondes ? — que Mallet du Pan qualifie de « Monarchiens, soit Royalistes mitigés » les archevêques de Toulouse et d'Aix, ainsi que l'abbé de Montesquiou (21). F. Baldensperger va plus loin : maints ecclésiastiques français non seulement se réservent ou boudent la Déclaration du Prétendant, mais sont choqués par son opportunisme politique. Ils préféreraient se rallier à la position de La Fayette qui, en janvier 1798, préconise ouvertement la séparation de l'Eglise et de l'Etat. « On peut croire, écrit l'auteur (p. 229), que même des prélats dans leur for intérieur ne voyaient pas sans appréhension se préciser un accord qui risque d'enlever à la foi ce qu'il concède à l'opportunité, qui menace de faire payer en tutelles et en contraintes l'appui qu'il garantit à une vie spirituelle encadrant de bons chrétiens qui doivent demeurer de fidèles sujets. » Quant à E. Daudet, il exprime la même opinion concernant le clergé du second rang (22).

(20) A. Lebon, *op. cit.*, p. 131-132.
(21) J. de Pins, « Mallet du Pan et la Cour de Lisbonne », dans *Ann. Hist. de la R. F.*, 1965, n° 4; lettre à Don Rodrigo du 28 mars 1795, p. 482-483.
(22) E. Daudet, *op. cit.*, t. III, p. 9 à 12.

Croit-on qu'un débat de cette envergure, débouchant sur des positions d'un « libéralisme » insolite dans la tradition tridentine et même gallicane, s'est mûri sous l'emprise des seuls calculs politiques ? Est-ce simple hasard si, en France comme dans les foyers d'émigration, un prodigieux travail théologique requiert à la même époque les efforts des états-majors religieux comme de ceux de prêtres, voire de simples fidèles ? On pressent déjà que l'élaboration d'une Théologie politique va de pair avec l'énoncé des problèmes révolutionnaires, tels qu'ils apparaissent dans l'enchaînement des événements; que c'est à cette Théologie politique qu'il faut demander la raison première d'une conduite politique dont l'historiographie ne nous livre que quelques bribes.

Le doyen Godechot sous-titrait son étude sur l'idéologie contre-révolutionnaire : « Doctrine et action ». Telle est bien aussi la délicate chimie d'une Théologie de la Révolution française à travers le catalyseur de l'ecclésiologie ou plus exactement d'ecclésiologies qui se posent en s'opposant dans une dramatique interpellation à propos de l'hérésie.

II

« L'HÉRÉSIE »
OU LE STATUT SOCIO-CULTUREL DE L'ECCLÉSIOLOGIE

« Il faut qu'il y ait des hérésies, afin que les frères d'une vertu éprouvée soient manifestés parmi vous » (1. Cor. 11/19). Quels que soient les temps et les composantes des erreurs doctrinales, tous les hérésiologues s'accordent pour reconnaître dans cette affirmation de saint Paul, d'une part, la nécessité d'une option entre la raison et la foi qui exige du croyant un effort de soumission et d'obéissance et, d'autre part, la vitalité de l'Eglise accrue après chaque hérésie. Elle est l'occasion d'un progrès dans l'intelligence de la foi parce que l'énergie de l'intelligence humaine croit en raison de l'opposition. Elle incite à un resserrement de l'unité au sein de l'Eglise du moins tant que celle-ci demeure monolithique, que le Corps Mystique vit de la même certitude et repousse massivement les erreurs susceptibles de l'anémier, grâce à ses ressources spirituelles et à son organisation pyramidale.

Le propre des temps modernes sera de récuser ce monolithisme en morcelant le Corps Mystique en plusieurs églises. Du fait que, selon l'analyse d'A. Dupront, s'opère une « promotion progressive de l'hérésie en confession et de confession en église (...) [que] l'hérétique notoire est devenu publiquement, officiellement, ministre d'église, d'une autre Eglise » (23), *la* certitude s'irradie en certitudes. Par le jeu des affrontements, la multiplication des professions de foi transforme le statut du conforme et du non-conforme : d'immuable, il se fait *problématique*. Une relativisation de la vérité s'instaure sous l'action du groupe qui déclare la posséder et la dispense à ses adhérents dans des représentations mentales et un langage qui lui est propre.

De là, une première constatation : l'expérience religieuse du croyant moderne passe par la médiation nécessaire d'un des groupes sociologiquement contraires auquel il appartient. L'intransigeance doctrinale se porte sur l'adhésion stricte à « son » Eglise. Mais qu'advient-il lorsque cette Eglise à son tour est en proie au processus de désagrégation et s'atomise en sectes ? Les disputes de l'une à l'autre exacerbent l'antinomie ou l'agressivité désormais alimentée par des considérations plus *sociales* que doctrinales. Protestants ou catholiques, jansénistes ou jésuites, ultramontains ou constitutionnels subiront cette dangereuse évolution au cours d'un XVIIIe siècle de plus en plus politisé. A la limite, les doctrines, *réduites à des effets,* tiennent leur relativité de la part des sociétés qui les ont produites.

(La sanction intervient alors : « l'hérésie » globale substitue insidieusement, mais résolument un critère social à un critère religieux et engendre un type *non-religieux* de certitude défini par la participation à la société civile. Avant que

(23) A. DUPRONT, « Réflexions sur l'hérésie moderne », dans *Arch. soc. des Religions,* n° 14, juillet-déc. 1962, p. 17. Pour prolonger la réflexion, M. DE CERTEAU, « Religion et Société : les messianismes », dans *Etudes,* avril 1969, p. 608-616.

n'éclate la rupture entre religion et société sous la forme d'une « déchristianisation », et ce sera notre seconde constatation, les groupes axés sur leur antagonisme social prétendent discuter de l'héritage commun de la foi en lui superposant leurs propres représentations mentales, en l'infléchissant selon leurs aspirations idéologiques. L'accusation réciproque d'hérésie se charge de redoutables équivoques socio-culturelles dont l'ecclésiologie fait les frais.

On objectera peut-être que nous dramatisons complaisamment le débat ultramontains-constitutionnels qui nous occupe, puisque les conformistes se contentent le plus souvent de traiter leurs adversaires de schismatiques. Ce serait oublier que, par trois fois, dans l'important discours qu'il prononce, le 27 novembre 1790, à l'Assemblée, l'abbé Maury apostrophe « l'hérétique Camus ». La contestation ouverte entre le Prince-Evêque de Liège et Philbert, évêque nouvellement élu des Ardennes, montrera, à elle seule, qu'il ne s'agit pas d'un excès de langage. Après avoir renouvelé sa profession de foi tridentine, le 11 décembre, en adhérant à l'*Exposition des Principes* signée par trente Evêques Députés de l'Assemblée nationale de la France, le prélat s'adressait personnellement, dans une lettre publique du 18 janvier 1791, à l'ancien curé de Sedan. Il l'incitait à renoncer à son évêché constitutionnel (24).

Qu'il prenne garde !

« On a cru pouvoir rompre la chaîne sacrée qui, par la divine Institution de Jésus-Christ unit tous les fidèles à leurs pasteurs et leurs pasteurs à leur Chef. En vain a-t-on prétendu se saisir et disposer à son gré d'une juridiction dont le principe est toujours dans le Ciel et que la succession apostolique peut seule transmettre par l'observation des Saints Canons. Cette divine juridiction ainsi transmise aux Evêques qui en possèdent la plénitude est communiquée par eux à la Hiérarchie Ecclésiastique dans leurs diocèses. La *multitude* entière des pasteurs et des fidèles ne forme encore, comme aux temps apostoliques, *qu'un*

---

(24) *Lettre de S. A. C. Mgr l'Evêque et Prince de Liège à M. Philibert* (sic) *prêtre de la Congrégation de la Mission et curé de l'Eglise paroissiale de St-Charles de la Ville de Sedan,* de l'Abbaye St-Maximin de Trêves, 10 janv. 1791, 13 p. in-4. Le document n'est que signalé par J. LEFLON, *Nicolas Philbert, évêque constitutionnel des Ardennes* (Mézières, 1954), p. 32.

cœur et qu'une âme pour être tous unis à la Pierre fondamentale de l'édifice de Jésus-Christ. Elle est et sera toujours le Centre de Communion Ecclésiastique parce qu'elle est le Siège des Successeurs de Saint Pierre qui exercent de Droit divin la Primauté d'honneur et de juridiction dans toute l'Eglise.

Telle est la Constitution essentielle du Corps Mystique de l'Eglise. C'est en la rompant qu'on tombe dans le schisme. Le schisme est en effet défini par les théologiens d'après Saint Thomas : « la division par laquelle quelqu'un se sépare de l'Unité de l'Eglise, en tant que l'Eglise est un Corps Mystique formé par tous les Fidèles comme ses membres et par le Pontife Romain comme son Chef. »

Est-ce tout ? Non, car le schisme appelle l'hérésie pour l'Evêque de Liège qui s'appuie sur une citation du canoniste Van Espen :

« Quoique le schisme peut absolument exister sans hérésie, il est pourtant à l'ordinaire joint à l'hérésie et même s'il étoit au commencement sans hérésie et consistoit peut-être dans une seule question de fait, cependant il finiroit presque toujours par dégénérer dans l'hérésie » (pp. III et IV).

Manifestement, le prélat enferme avec sincérité la doctrine du Corps Mystique dans une représentation ultramontaine dont les implications sociales ne lui paraissent qu'accidentelles. Il appartiendra à la conscience religieuse du XIXe siècle de décanter le socio-culturel du spirituel. Auteur, en 1791, d'un *Parallèle des révolutions sous le rapport des hérésies qui ont désolé l'Eglise,* le fougueux abbé Marie-Nicolas Guillon pourfend le second mennaisisme dans son *Histoire de la nouvelle Hérésie du XIXe siècle.* Que reproche-t-il finalement à la doctrine de La Mennais ? De « violer la tradition catholique, d'altérer et pervertir la sainte doctrine, d'attaquer et de détruire tous les principes de l'ordre social, de commander la licence et la révolte sous le nom de liberté... »; et plus brièvement : « On l'a démontré invinciblement : la doctrine de M. de La Mennais est hétérodoxe, antisociale » (25). L'équation brutalement posée fait réfléchir le cardinal Newman, ce grand initiateur de l'ecclésio-

(25) M. N. S. GUILLON, *Histoire de la nouvelle hérésie du XIXe siècle...,* Paris, 2e édit., 1835, 2 vol. in-8, t. I, p. XXXI et XXXV.

logie contemporaine. En 1864, au terme d'une *Apologie* douloureuse il avoue finement en évoquant sa bête noire : le libéralisme, qui signifie, pour lui, anti-dogmatique : « Si j'osais me comparer à Lacordaire, je dirais que nous avons été l'un et l'autre inconséquents : lui, catholique, en s'appelant libéral; moi, protestant, en étant antilibéral; et de plus, que la cause de cette inconséquence a été la même des deux côtés. Autrement dit, nous avons été tous deux si bons conservateurs, que nous avons chacun adopté ce que nous avons trouvé établi dans notre patrie respective, au moment de notre entrée dans la vie active. Le torysme était le symbole d'Oxford; la Révolution française fut l'héritage de Lacordaire, il en fit ce qu'on pouvait en faire de mieux. » (26).

*
* *

Remarquons que c'est le même ecclésiologue qui relève ces inconséquences sociologiques après avoir retrouvé la doctrine du développement — et non des variations — du dogme. En 1789, l'Eglise de France ne pressent même pas un dynamisme de l'ecclésiologie : comme le reste du monde chrétien, elle se cramponne à un fixisme qui lui semble être le gage de l'authenticité de la foi. La stabilité des structures sociales renforce sa conviction : il n'y a pas plus de « partis » au sens moderne, au sein de cette Eglise, que dans les premières assemblées révolutionnaires. Ici comme là, les antagonismes de groupes s'épanouissent en tendances souvent encore très souples : des jansénismes aux colorations floues plutôt qu'*un* jansénisme; des gallicans, que des historiens soucieux de distinctions intellectuelles doivent répartir en « modérés », « parlementaires », « épiscopaux »; quant aux ultramontains... ! Tout cela pourrait se subdiviser à l'infini pour alimenter des classifications artificielles. Depuis longtemps, cependant, cette civilisation des Lumières secrète des pluralismes qui animent des cercles restreints, sinon ésotériques.

---

(26) Newman, *Apologia pro vita sua*, Paris, (Desclée de Brouwer), édit. de 1967, p. 472.

Sauf pour quelques esprits prévenus, la confrontation soudaine, à l'aurore de la crise révolutionnaire, de ces pluralismes perturbateurs avec la conception totalitaire forgée à la suite de Trente jette le désarroi parmi les ecclésiastiques et les fidèles. Partisans du « mouvement » et de la « résistance » s'arment des schémas conçus dans leur milieu de vie et de culture et se battent, dans la confusion du double langage de la raison et de la foi, à l'occasion de la Constitution civile du clergé. Pour quel profit ?

Un dialogue de sourds apparemment, au long de ces innombrables opuscules qui fleurissent dans la rue et des comptes rendus de séances à la Constituante; ponctué d'arguments mille fois ressassés; cristallisé dans des attitudes extrêmes et exterminatrices du schisme et de l'hérésie naissante. Une analyse plus attentive permet, néanmoins, de déceler autre chose, notamment dans le duel qui oppose l'abbé Maury et « l'hérétique » Camus, les 26 et 27 novembre 1790. La conjoncture était propice à une explication de fond.

La Constitution civile du clergé, adoptée en juillet, rencontre les plus grandes difficultés dans son application. Le 30 octobre, les évêques députés de l'Assemblée publient leur *Exposé des principes de la Constitution civile du clergé,* autrement dit le *non possumus* ultramontain. Le ton monte sur « le côté gauche » : les 5 et 6 novembre, Duquesnoy et Merlin de Douai dénoncent cette attitude intolérable qui a enhardi Mgr Lefranc de Pompignan, archevêque de Vienne, protestant au nom de soixante prélats dont le siège est supprimé ou réuni à un autre, au mépris de l'autorité spirituelle de l'Eglise. Les 26 et 27 devraient être des journées décisives, car le rapporteur Voidel veut briser la « ligue qui s'est formée contre l'Etat et contre la religion » en faisant voter l'obligation pour les ecclésiastiques fonctionnaires publics de prêter le serment constitutionnel dans la quinzaine. Pendant que des ultramontains passent à la contre-offensive de l'ajournement, certains se troublent ou recherchent un compromis. Un « tiers parti » réclame la tenue d'un concile national et suivrait volontiers Mgr de Bonnal, évêque de Clermont, dans une formule transactionnelle de serment tendant à excepter

« les choses spirituelles ». Les évêques de Soissons, de Lisieux et de Châlons applaudissent positivement à cette négociation. Mgr de Fontanges, archevêque de Toulouse, défend une fois de plus les limites respectives de la puissance spirituelle et de la puissance civile et s'en tient « au point fixe d'où il faut partir : la religion catholique est en France la religion nationale, la religion d'Etat ». Devant les murmures, il achève son long discours avec le désir de plaire : « Ce serait une grande et fatale erreur de confondre nos institutions religieuses avec nos institutions sociales ». Péroraison inattendue et contradictoire avec le développement. La séance du 26 se termine lorsque Mirabeau a placé ses banderilles sur l'*Exposé des principes* considéré comme une forfaiture vis-à-vis de la Déclaration des quatre Articles de 1682. Camus demande alors la parole, après l'intervention de l'abbé de Montesquiou, mais la séance est renvoyée au samedi soir 27.

Séance mouvementée, mentionne le procès-verbal (27). L'abbé Maury ouvre le feu en répondant fort courageusement à ses contradicteurs de la veille. L'atmosphère est au « complot » : le rapporteur Voidel avait attaqué la conjuration d' « une prélature aristocratique ». Maury riposte en décomposant les agissements du clan adverse :

« Ils préparent de loin et en silence le rapprochement des griefs qu'ils veulent nous imputer. Quand ils ont ramassé dans les ténèbres les armes que la calomnie leur présente dans toutes les parties de cet Empire, plusieurs comités qui ne sont jamais gênés dans leurs opinions par la présence de nos partisans, se réunissent à notre insu pour tracer le plan du combat qu'ils doivent nous livrer. Un rapporteur est choisi pour servir d'organe à ces conseils clandestins où chacun apporte en tribut ses moyens de nuire... »

L'antagonisme de groupes bat désormais son plein : Maury

---

(27) *Arch. Parlem.*, t. XXI, pour la séance du 26, p. 1 à 38. — Les discours de Maury et de Camus figurent en annexes, p. 81 à 103. — Sur le rôle tactique de plusieurs députés au cours de ces séances, BUCHEZ et ROUX, *Histoire parlementaire de la Révolution*, t. VIII, p. 167. Pour les discussions devant l'Assemblée du projet de la Constitution civile du clergé et leurs échos dans la presse périodique du 29 mai au 12 juillet 1790, J. HAAK, *De discussie over de « Constitution civile du Clergé » (1790). Opiniegeschiedenis van een conflict*, Groninguen (J. B. Wolters), 1964.

a parfaitement conscience non plus de rappeler seulement les fondements de l'ecclésiologie du Concile de Trente, mais de prendre la tête, selon sa propre expression, du « parti » ultramontain. Alors qu'il se contente de railler la théologie de Mirabeau, il acère et ajuste ses pointes contre Camus qui, avant de défendre ses thèses jansénistes au demeurant déjà connues, incarne, pour l'abbé, le faux-frère. L'ancien avocat du clergé, titre sur lequel le futur cardinal insiste fortement, trahit la cause sacrée du catholicisme devant la meute des « philosophes » et des incrédules impatients de l'hallali.

Dans ce contexte passionné, l'abbé Maury magnifie la structure pyramidale de l'Eglise en s'appuyant plusieurs fois sur les canons du Concile de Trente et en récupérant le point de vue grégorien qui embrassait la chrétienté médiévale dans un vaste augustinisme politique. Conception totalitaire où les fidèles n'apparaissent jamais dans le discours, où les évêques perdent leur caractère propre au profit du Siège Romain, où l'on doit discuter si cette Eglise est bien au service du peuple. Dès lors, il s'insurge contre cette église de fonctionnaires bâtie par la Constituante et qui reposerait sur le principe d'amovibilité du clergé. Il revient, à deux reprises, sur l'expression d' « évêque universel » employée par Mirabeau pour désigner l'Ordinaire diocésain. « Le Corps de l'Eglise, rétorque l'abbé Maury, est pour chaque évêque ce que le Corps législatif est pour chaque juge. » Profitant de la maladresse de Mirabeau qui voulait seulement restaurer une vérité : chaque évêque est docteur universel de l'Eglise, Maury feint de comprendre qu'il s'agit d'un pouvoir universel et non limité à un diocèse, « doctrine trop solennellement réprouvée dans l'Eglise pour qu'elle puisse jamais y devenir un principe de droit commun. » Quant à la primauté d'honneur et de juridiction que l'on semble concéder à l'évêque de Rome, « il est de foi » que cette primauté est « de droit divin », attachée, du reste, non à la personne du Pape, mais au Siège Romain; or, c'est justement l'objet de la controverse. Dans la logique de Maury, celui qui nie ou discute un tel principe est « hérétique » et « infecté de l'esprit de parti », comme Camus.

Il affirme ensuite l'origine ecclésiastique de la puissance législative en une langue quasi grégorienne :

« Le divin fondateur de la société chrétienne a nécessairement conféré aux apôtres et à leurs successeurs l'autorité nécessaire à sa perpétuité; le pouvoir de prêcher la doctrine qu'il avait enseignée; d'administrer les sacrements qu'il avait établis; d'instituer les ministres qu'il avait chargés de ces fonctions sacrées et, *par conséquent*, le droit de déterminer le territoire de leur juridiction puisque cette mission est la mesure de leurs devoirs, enfin, la faculté de faire des lois et des règlements indispensables pour développer le véritable esprit de la religion. »

Ce « par conséquent », que nous avons souligné, traduit admirablement la logique des ultramontains qui bloquent par là-même, nous aurons l'occasion de le remarquer au cours de cette étude, dogme, discipline et morale. Les questions de discipline prennent rang parmi les objets de foi. Si l'on argue du caractère variable de la discipline, Maury répond péremptoirement que c'est « une hérésie en théologie ». Dans une distinction qui ne manque pas de solidité en soi et qu'adoptera le cardinal Newman plus tard, il rappelle que ce qui varie, en matière de discipline, ce sont les points particuliers et non les principes. Il est des points fondamentaux de discipline établis par Jésus-Christ lui-même, telles

« la primauté d'honneur et de juridiction qui appartient au pape, dans toute l'Eglise, la supériorité des évêques sur les prêtres et sur les autres ministres inférieurs du culte. »

L'inconvénient d'un système semblable réside précisément dans la notion du fondamental. Ce qui l'est, l'est en raison d'une théologie dogmatique d'où découlent des canons disciplinaires et non par l'inverse : ainsi la supériorité des évêques par rapport aux prêtres et des prêtres par rapport aux ordres mineurs trouve sa source et sa raison dans une théologie du Sacerdoce que sanctionnent, en quelque sorte, secondairement des dispositions disciplinaires.

Maury, d'esprit plus délié que ses ennemis ne le prétendent, sent trop ce que sa position contient d'anachronismes et qu'à vouloir exagérément prouver, il risque de tout perdre. Peut-être bien également subit-il l'influence de son milieu qui, bien que d'opinion ultramontaine, baigne dans le gallicanisme. Plutôt qu'à une concession habile, on peut penser à une inconséquence, comme l'entendait Newman, lorsqu'il déclare à la surprise générale :

« Nous ne pensons pas néanmoins que le pape pût, sans heurter de front nos libertés [gallicanes], bouleverser de son propre mouvement tous les diocèses du royaume et les étendre ou les circonscrire à son gré. Ces changements arbitraires ne seraient pas tolérés dans les pays les plus ultramontains et le pape serait tenu, dans toute la Catholicité, d'agir de concert avec les Eglises dont il voudrait changer les circonscriptions diocésaines. »

Ainsi passe le premier éclair prophétique de ce discours, car, de ceci, les évêques légitimes de France sauront se souvenir au moment du Concordat ! Le second déchaîne les clameurs de l'Assemblée : au comble de l'exaltation, l'ardent champion de la Papauté prend fait et cause pour « la gloire de l'Eglise de France, de cette Eglise aujourd'hui inconnue et qui n'en est pas la première Eglise de l'Univers (...). En louant les prêtres fidèles comme la postérité les louera, je sers la chose publique, car, prenez-y garde, il n'est pas bon de faire des martyrs... »

Prophète du passé avec tout le clergé ultramontain qu'il représente, désespérément tourné vers une chrétienté qui sombre et dont il préfère ignorer le délabrement, Maury et ses confrères se détournent, par l'émigration prochaine, d'un univers mental et social dont Camus va lui présenter l'esquisse.

D'une violence contenue par une érudition — parfois pesante — destinée à écraser son adversaire, le jurisconsulte Camus compose avec ce mélange de haine et de respect qu'on lui prête. L'atmosphère vient de se renouveler avec sa présence à la tribune de l'Assemblée : les députés ont la sensation de quitter un prétoire où Maury avait lancé l'un de ses plus fameux plaidoyers, pour se voir astreints à un cours magistral qu'affectionneront les Idéologues de l'Institut et du Collège de France, prochains compagnons et pairs de Camus. Sa double personnalité de janséniste et de canoniste laïc lui interdit les phrases creuses pour développer son ecclésiologie qui transpire d'un vocabulaire encore très neuf (28).

Ignorant les attaques personnelles dont l'ont criblé ses adversaires, il en vient rapidement à l'essentiel : le texte de l'*Exposé des principes de la Constitution civile du clergé*, du 30 octobre; il en condamne les « errements », ce qui est aussi une autre forme de l'anathème !

« C'est un axiome généralement reconnu que la religion est dans l'Etat et non l'Etat dans la religion; conséquemment qu'il faut que la religion soit reçue dans l'Etat et qu'elle y soit admise en connaissance de cause et que tout ce qui n'est que discipline, est sujet aux modifications exigées par l'Etat qui, en recevant la religion, dicte à ses ministres les conditions sous lesquelles il consent à les recevoir. Jamais ces conditions ne tomberont sur le dogme, parce qu'il n'est pas au pouvoir des puissances de la terre de changer les dogmes de la vraie religion. La forme catholique forme un tout qu'on ne saurait altérer dans une de ces parties sans anéantir son ensemble. Mais il n'en est pas de même de sa discipline, de ses pratiques extérieures : et c'est sans doute la raison pour laquelle son divin fondateur l'a chargée de très peu de pratiques extérieures : il voulait qu'elle s'établit dans le cœur des hommes et que les coutumes si variées des peuples divers ne missent aucun obstacle à sa propagation. C'est sans doute un grand bienfait de Dieu de vouloir, lorsque nous sommes encore dans ce premier âge où notre raison et notre volonté ne peuvent se manifester par aucun signe extérieur, de vouloir, dis-je, se contenter des promesses de nos parents, pour nous inscrire au nombre des croyants; mais quand notre raison se développe, il demande alors de nous un autre hommage, un culte volontaire, une obéissance raisonnable *rationabile obsequium.* Le sacrifice du cœur est le seul qui puisse lui plaire et il ne partirait pas du cœur s'il n'était pas volontaire et réfléchi. »

Cette vue plus biblique que catholique va éclairer son ecclésiologie.

« Je soutiens donc qu'il est surprenant qu'à la fin du XVIIIe siècle, que dans cette Eglise qu'on prétend environner de lumières, on élève une question telle que celle que vous avez

---

(28) A la suite du grand retentissement de ce discours, il le remaniera avant de le publier sous la forme d'un *Développement de M. Camus, député à l'Assemblée nationale dans la séance du 27 novembre 1790*, Paris, 1790, 38 p. in-8. Ce texte devait déclencher jusqu'en 1792 une violente polémique parmi les journalistes et les folliculaires.

entendu agiter. Le pape est le centre de l'unité : l'Assemblée Nationale l'a reconnu (...) On vous dit que le pape n'est pas évêque universel; comme évêque de Rome, il ne peut donc rien sur la démarcation des autres diocèses; il a la primauté, la surveillance, mais il n'a pas le droit de donner des ordres aux évêques... »

Il est temps de clore ce débat oiseux, car, ou bien on accepte un despotisme ecclésiastique dénoncé par les conciliaristes de Bâle et de Constance, dont il évoque l'œuvre, ou bien « reconnaissez que le pape ne peut avoir aucun pouvoir direct en France » et allez au vote sans plus de discours !

Ce qu'il y a de détestable, au sentiment de Camus, dans l'*Exposé des principes* c'est justement la persistance du despotisme des premiers pasteurs par une vision tronquée de l'Eglise. Pourquoi n'y relève-t-on aucune signature de curés, comme si « les évêques étaient les seuls juges de la foi et que les prêtres quoique revêtus du même sacerdoce ne devaient pas exprimer leurs sentiments d'une manière dogmatique » ? Comme si les laïcs, non plus, n'avaient pas leur mot à dire ! Excellent prétexte à une savante exégèse d'un capitulaire de 782, cité fautivement par l'*Exposé des principes :* non, l'Empereur, d'après la nature même du document, ne dirigeait pas les affaires au concours unique des évêques, mais des évêques, des prêtres et des laïcs, corrige le docte Camus.

Simple humeur d'un presbytérianiste convaincu ? Pour détromper ses détracteurs, il pose la clef de voûte de son système théologique; difficilement perçue par ses contemporains, elle recevra la consécration de Vatican II. Il s'agit, en effet, du sacerdoce conféré par le sacrement premier du baptême et partagé par tous les chrétiens, fidèles, prêtres, évêques et pape. Or, l'Eglise tridentine profite de ce sacerdoce baptismal pour remettre les chrétiens, au nom de l'Autorité, dans une sujétion dont justement les délivrait le baptême en les faisant enfants de Dieu.

« On a observé à M. Camus lorsqu'il parlait à la tribune, que nous étions baptisés; et l'on en concluait, dit-il, à ce qu'il m'a paru que nous ne pouvions plus, dans cette position, délibérer sur la religion » (p. 104).

Camus opérait une véritable révolution copernicienne de l'ecclésiologie dont le sens échappait à L. Sciout. Selon lui « la doctrine de Camus n'était pas gallicane, n'était pas janséniste, puisque les jansénistes d'Utrecht eux-mêmes n'osaient pas dénier ouvertement au pape la primauté de juridiction; elle était protestante ! » et, donc, hérétique! (29).

Cette intervention n'a pas une valeur décisive, uniquement parce qu'elle entraîne le vote du décret sur le serment constitutionnel et l'adhésion de vingt-sept curés, députés à l'Assemblée. Elle est anticipatrice dans son fond et dans sa forme.

Dans son fond, parce qu'en prônant — au plan « politique » — le fonctionnariat ecclésiastique, elle rappelle que le clergé est au service d'un peuple — Nation et non l'inverse : le thème sera maintes fois repris ensuite et dénaturé par le slogan : « citoyen avant que d'être prêtre. » — Ainsi s'instaure un nouveau rapport de l'Eglise et du monde — propos de Théologie politique — qui heurte la conception tridentine du prêtre « séparé » du monde. La distinction formelle — classique, en ecclésiologie janséniste — entraîne celle de la foi et du culte ou des pratiques extérieures, comme si Camus prévoyait déjà le processus de déchristianisation. Dans cette foi sensible au cœur célébré par l'orateur, se mêlent incontestablement des résonances pascaliennes et rousseauistes. Mais on peut y discerner un germe de libération plus que de liberté religieuse : la foi ne peut être réduite à un conditionnement ecclésiastique. Assurément, si les principes théologiques de Camus demeurent très fermes, ils ouvrent une possibilité dangereuse aux consciences religieuses en révolution : dans l'immédiat, il y a risque d'une coupure entre une religion personnelle et l'adhésion à une Eglise établie; à plus long terme et comme pour pallier l'inconvénient précédent, on finira par admettre que l'on peut rejoindre une Eglise sans adhérer à ses dogmes parce que les dogmes ne doivent pas faire obstacle à la foi et, par l'indiffé-

---

(29) L. Sciout, *Histoire de la Constitution civile du clergé, 1790-1801*, Paris, 1872, t. I, p. 330-333.

rentisme du début du XIXe siècle, s'épanouit « l'Aufklärung » ruineux pour les religions positives.

Jamais Camus n'entendra cela : s'il appartient effectivement à une culture d'Aufklärung, c'est à celle d'un monde profondément catholique. Hanté par la nécessité pour l'Eglise d'appréhender toutes les civilisations, il y a fait allusion dans son discours, passionné dans sa jeunesse par la malheureuse querelle des rites chinois, il ne peut concevoir que raison et foi ne marchent pas du même pas vers la perfectibilité d'une anthropologie chrétienne. On aura remarqué que son vocabulaire dominé par les mots « foi », « raison », « religion », « croyant », s'assortit d'expressions à la fois mystiques — elles éclateront dans ses méditations de captivité en 1796 (30) — et rationalistes par l'insistance sur le « volontaire » et le « réfléchi ».

Scandaleux pour les uns, incompréhensible pour les autres, il n'avait que peu de chance d'être suivi en 1790-1791. Ses amis jansénistes, l'abbé Jabineau, le grand canoniste Maultrot engagent une polémique furieuse autour de son discours. Pourtant Maultrot avait appuyé Camus, lorsqu'en 1768 ils avaient aidé le clergé de second rang à donner l'assaut au « despotisme épiscopal » lors du synode de Luçon. En 1773-1774, ils se retrouvaient côte à côte dans une action semblable contre Mgr de Condorcet, évêque de Lisieux. La rupture, explique E. Préclin (31), datait de 1784 : Maultrot virant vers « un gallicanisme plus épiscopal que parlementaire » pendant que Camus, l'année suivante, sonnait l'heure de la révolte des curés avec sa *Lettre de MM. les Curés du diocèse d'Anjou à M. l'illustrissime et révérendissime évêque d'Angers*. Or, c'est précisément au tournant de 1784-1785 que les *Nouvelles Ecclésiastiques* opèrent un revirement remarqué : des « appels » au populaire à ce retour à l'aristocratisme de culture analysé dans le précédent chapitre. La ligne de partage se définira complètement et ouvertement lors du débat

(30) *Mes Pensées et ma Déclaration sur la religion*, Paris, 1796, 48 p. in-8. Elles se tissent de citations libres des *Pensées* de Pascal auquel il revient invinciblement comme vers le type de la « modernité » religieuse.

(31) E. PRÉCLIN, *Les jansénistes du XVIIIe siècle et la Constitution civile du clergé*, Paris, 1929, p. 318; 324-328; 339.

sur la Constitution civile. Acculés à l'option du serment, les jansénistes réfractaires chercheront avant tout à se prémunir contre le mirage des Lumières inclus dans l'adhésion au nouveau régime. Quelques-uns, à la suite de Maultrot, iront jusqu'à tomber dans l' « inconséquence » tridentine, tant de fois combattue auparavant, pour mieux sauver leur conservatisme naturel.

On peut se demander si, parmi les constitutionnels, jansénistes ou non, certains ne s'effraient pas du pari engagé par Camus d'accorder une ecclésiologie à la fois aux Lumières et au catholicisme. L'audace du ci-devant avocat du clergé contraste, en effet, avec la prudence calculée d'hommes aussi avertis que Grégoire et Saurine. Ils sont loin de partager une confiance illimitée dans l'Etat. Comme pour marquer ses réticences, Grégoire, sur le point de jurer, le 27 décembre, émaille son discours d'expressions tridentines qui ne lui sont guère coutumières. Durand de Maillane cache difficilement sa perplexité profonde à l'abri de banalités.

Un des rares, peut-être, à correspondre aux aspirations de Camus, serait Claude Fauchet, prédicateur du Roi et sans doute l'un des meilleurs orateurs de la Constituante. Avec une vigueur peu commune, il aborde d'abord l'anthropologie religieuse sous le signe des Lumières dans la troisième section de son œuvre-clef, en 1789 (32). Il établit la logique qui découle de la Déclaration des droits de l'homme : la liberté de conscience qu'une religion nationale et catholique se doit de respecter. Et de prévenir le danger aperçu par ceux qui craignent que « la majorité des Représentans du peuple françois soient des impies qui établiront en loi l'indifférence du culte (...) Bonnes gens c'est impossible » (p. 185) à condition de bien reconnaître que « la loi de la Tolérance a pour objet non les cultes, mais les personnes qui assure à tous les hommes de quelque religion qu'ils soient *ou ne soient pas* accueil (...) tant qu'ils ne troubleront pas la Société » (p. 187). Réalisant l'audace de son propos, il s'empresse d'affirmer que les non-catholiques ne sauraient accéder aux grandes respon-

(32) *De la Religion nationale*, Paris, 1789, 299 p. in-8.

sabilités nationales et tire son épingle du jeu par cette astucieuse distinction : « Ils sont et ne peuvent être *de* la famille, mais ils sont *dans* la famille Nationale et doivent y être bien-aimés... » (p. 195).

Peu importe la subtilité, puisqu'il a exposé la nécessité des pluralismes pour la vie chrétienne moderne. Cette nécessité n'émane-t-elle pas directement du message évangélique? C'est l'argument de son fameux sermon prononcé, le 4 février 1791, à Notre-Dame de Paris (33).

« La loi de Sinaï et la loi de l'Evangile écartent toute puissance arbitraire de dessus les hommes, ne leur imposent de règle que la raison suprême et les mettent sous le régime divin de la liberté » (p. 6). Et, commentant vraisemblablement l'Epître aux Galates (33bis), il s'exclame : « L'Evangile ! C'est la Nouvelle de la joie, c'est l'annonce de la libération (...) Dieu homme a voulu qu'on fut libre même de le méconnoître et d'inapprécier sa charité infinie, tant il ménage les droits de la raison humaine ! Mais il a vu, il a voulu les progrès naturels de la raison qui devoient enfin renouveller le monde et amener librement tous les hommes à la divine fraternité » (p. 19).

Le progrès de la raison associé à la liberté religieuse devient désormais, pour les tenants de l'Aufklärung catholique un droit imprescriptible de la bonne Théologie politique : les corollaires de ce sacerdoce commun des baptisés, cher à Camus. Avant peu, elle conduira l'ecclésiologie révolutionnaire à l'angoissante question de la sécularisation.

Pour l'heure, Camus et Fauchet doivent admettre de se voir trahis par des hommes comme Mirabeau et Pétion. Le premier, au cours de la séance du 22 août 1789, transformait en sa langue « philosophique » le principe de tolérance en un droit à l'insurrection morale. Le 23, Pétion s'armait de l'édit de 1785 pour présenter un texte remanié élucidant la liberté de conscience inscrite dans la Déclaration des droits de l'homme. « Comme aucune société ne peut exister sans religion, tout homme a le droit de vivre libre dans sa croyance et ses opinions religieuses (expression destinée à remplacer

(33) *Sermon sur l'accord de la Religion et de la Liberté*, Paris, 1791, 32 p. in-8.

(33bis) Le texte de Galates (5/13) « Mes frères, vous avez été appelés à la liberté, seulement ne prenez pas de cette liberté un prétexte de

le mot malheureux de *culte*) parce qu'elles tiennent à la pensée que la Divinité seule peut juger » (34). Les rares murmures approbateurs saluant de pareilles initiatives indiquent à tout le moins que l'opinion générale n'est pas mûre pour une révolution spirituelle de cette sorte.

Empêchera-t-on d'avoir jeté le discrédit sur un projet théologique dont on ne saurait nier les intentions orthodoxes ? Malheureusement cette orthodoxie-là connaîtra les plus graves distorsions. Fourcroy en fera le bilan dans son grand rapport sur l'enseignement, le 19 frimaire an II. Devant la pénurie d'instituteurs, il n'hésite pas : « ... Je voudrais que ceux qui ont révisé le projet n'eussent pas porté la haine de tout culte jusqu'à déclarer incompatibilité entre les fonctions d'instituteur et le service, de quelque manière qu'on l'entende, d'un culte quelconque. Cette aveugle intolérance ne s'aperçoit pas qu'elle exclut des fonctions d'instituteurs, tous les adorateurs de la divinité qui, par quelque acte public, lui rendraient habituellement hommage. En vérité l'extravagance ne saurait aller plus loin. Peut-être ceux qui ont révisé ne voulaient-ils parler que des prêtres catholiques, protestants ou juifs ? Si cela est ainsi, pourquoi ne pas le dire ? Pourquoi présenter toujours des demi-pensées dans les lois ? (35).

Point n'était besoin d'attendre l'an II pour expliciter ces « demi-pensées ». Les augures l'avaient prédit en 1790-1791 : en s'écartant du chemin tracé à la foi catholique depuis le Concile de Trente, « l'hérésie » favoriserait tout simplement la haine de la religion.

Un réflexe normal joue, par conséquent, pendant cette première période : éviter l'aventure et maintenir l'ecclésiologie dans son *statu quo* en ignorant le dilemme social auquel la chrétienté française est acculée : soit pour le nouveau régime, ce qui implique un nouveau type d'Eglise; soit contre,

---

vivre selon la chair; mais assujettissez-vous les uns aux autres par la charité » sera souvent opposé aux catholiques par les libéraux jusqu'en 1830, cf. J. TOUCHARD, *Aux origines du catholicisme social, Louis Rousseau,* Paris, 1968, p. 72-73.

(34) BUCHEZ et ROUX, *op. cit.,* t. II, p. 323-335.
(35) *Arch. Parlem.,* t. LXXXI, p. 229-244.

ce qui est admettre en fait ce qu'on refuse en droit, c'est-à-dire la rupture entre religion et société.

Tout se précipite au cours de l'année 1792. Les conséquences du serment de 1791, puis celui de 1792, les massacres de Septembre et l'abolition de la royauté à la suite du 10 Août confrontent deux Eglises aux caractéristiques nettes : la constitutionnelle dont on avait déclaré hautement l'existence comme impossible; la tridentine qui, par le phénomène de l'émigration, regroupe des ultramontains de la première heure et des ralliés plus tardifs à l'instar de Barruel encore persuadé, six mois auparavant, de « baptiser » la Constitution civile du clergé. Désormais les positions se clarifient, mais les motivations se brouillent : comment les constitutionnels défendraient-ils leur point de vue sans magnifier le régime républicain ? Comment l'apologie de Rome échapperait-elle, dans l'argumentation tridentine, à celle de la Royauté ? Aussi voit-on la priorité accordée à une ultime décantation sociologique à la fin de cette phase. On se compte dans chaque camp et chaque camp anathématise l'autre comme pour mieux définir les lignes de partage. Les rapports Eglise-Etat, premier thème de réflexion ecclésiale, donnent l'occasion de brandir des manifestes vengeurs, au détriment de la plus élémentaire objectivité. L'ecclésiologie se met en marche... pour s'enliser.

Apparemment l'enlisement s'accentue entre 1793 et 1797, englobant même les démarcations établies dans la véhémence de 1792. Que se passe-t-il donc ? D'un groupe à l'autre, les déboires politiques renforcent l'amertume et le désarroi politique. Les constitutionnels ont dû rompre leur mariage d'amour avec le nouveau régime; ils y demeurent fidèles par nécessité et en supporteront persécution et avanies. Les émigrés n'ignorent pas ce destin paradoxal : l'accueil mitigé, la précarité d'existence et la sourde suspicion dont beaucoup sont l'objet à l'étranger, récompensent mal leur geste héroïque, leur fidélité sans faille à la cause du Saint-Siège. Le rêve passe et les réalités révolutionnaires s'installent. Elles exigent des solutions urgentes pour aider les catholiques de France à sortir de l'imbroglio politico-religieux. Aussi pasteurs et théologiens, s'arrachant — pour un temps — à leur nostalgie politique, s'efforcent-ils en divers lieux à restaurer une authentique conscience d'Eglise. Restaurer ou rénover ? Tel est l'épineux problème, traité fort différemment selon les ecclésiologies qu'offrent les grands thèmes de la sécularisation et de l'unité de l'Eglise au cours de ces années tournantes.

Les événements politiques de 1798 à 1800 se chargeront moins d'édulcorer que de vérifier la solidité du travail accompli. Sans doute les pressions de Louis XVIII sur l'épiscopat légitime, les promesses du Premier Consul envers l'épiscopat constitutionnel, la fièvre générale devant le dénouement imminent de la crise engendrent des attitudes régressives, du style 1792. Pourtant l'espérance d'une nouvelle conscience d'Eglise s'est levée qui contient quelque chose d'irrépressible. L'erreur des responsables politiques et religieux consistera à en mépriser les symptômes : telle la résistance des évêques non-démissionnaires en face de Rome. Au-delà d'un vieux ressentiment chauvin et d'un amour-propre froissé, elle posait clairement, nous le verrons, le quatrième thème des recherches ecclésiologiques : la subalternation de l'Episcopat à la Papauté, autrement dit une révision drastique du tridentinisme classique. Bien que saisissant l'occasion d'un contentieux politique, elle s'inspire d'un processus parvenu presque à son terme lorsque les groupes s'interrogent sur leur propre signification ecclésiale et non plus sur celle de leurs adversaires. Les constitutionnels ne réagissent pas autrement à l'heure où leurs deux conciles nationaux révèlent les dissonances jansénistes, jansénisantes ou gallicanes. Querelles de « chapelles » ou rançon d'une prise de conscience aiguë de la mission catholique après un long et sévère examen doctrinal ?

Bonaparte et Pie VII trancheront dans le vif et imposeront le Concordat, solution jugée dérisoire par rapport aux efforts ecclésiologiques déployés durant les dernières années. La frustration sera si cruellement ressentie que les ennemis de la veille, dans leurs chefs les plus conscients, réclameront la tenue d'un concile œcuménique, comme si, à leur sentiment, seules des assises de toute la chrétienté pouvaient concilier le dépôt de la foi et les hommes aussi bien que les cultures du XIXe siècle naissant.

Il est plus aisé de confisquer les entreprises humaines que les aspirations d'une conscience collective. C'est pourquoi nous suivrons celles-ci en choisissant l'enquête thématique de préférence à une chronologie trop rigide. En revanche, nous respecterons le plus fidèlement possible le schéma ecclésiologique qui distingue l'Eglise enseignante (le pape et les évêques) de l'Eglise enseignée (les prêtres et les fidèles).

III

L'ECCLÉSIOLOGIE TRADITIONNELLE DEVANT LES RÉALITÉS RÉVOLUTIONNAIRES

La quasi-totalité des évêques français, suivis par un nombreux clergé, ont pris le chemin de l'émigration, absolument convaincus que les idées de liberté et d'égalité étaient subversives de l'image pyramidale symbolisant leur ecclésiologie. Le principe d'égalité plus encore que celui de liberté leur paraît propre à confondre tous les états, à abolir le principe d'ordre, comme l'a prouvé la Constituante, à contester les structures hiérarchiques d'où découlent, dans l'Eglise, les notions de pouvoir et de juridiction. « Républicaniser » l'Eglise, ce serait saper les fondements de la société ecclésiale et, en ce sens, le refus des évêques de participer au régime nouveau dénote autant une réaction de théologiens que d'aristocrates englués dans leurs privilèges. La conduite à tenir se résume dans une inébranlable fermeté à l'égard des décrets tridentins, mainteneurs authentiques de la foi catholique, et dans cette tradition vivante que représente le Siège Romain. Il suffit que Rome parle et les Ordinaires de diocèses exécuteront.

Mgr Hachette des Portes, évêque de Glandève, donne le ton dans sa lettre pastorale du 29 septembre 1792. Il réfute énergiquement les termes de liberté et d'égalité comme contraires à « la définition expresse du Concile de Trente (...). Quand l'Eglise a parlé, tout doute, toute perplexité est un outrage fait à son autorité, tout délai à se soumettre est un cri de désobéissance ». Or, l'Eglise « reconnaissez-la dans le corps des Premiers Pasteurs unis au Souverain Pontife, chef de l'Eglise; Pierre a parlé par l'organe de Pie VI » (36).

Qu'advient-il alors quand Rome se tait, du moins officiellement, se réserve ? Quand la France et les autres pays pris dans la marche révolutionnaire, lancent, du fond des paroisses vers l'évêque, des appels angoissés pour débrouiller des questions de théologie sacramentaire et morale dans leur complexité politico-religieuse ?... Un vaste plan de rechristianisation doit déjà être élaboré en fonction d'une éventuelle rentrée en France des pasteurs légitimes. Mais dans quelle France ?

Livrés à eux-mêmes, communiquant difficilement avec le Chef de la Chrétienté, quelques-uns, des plus actifs, ressentent péniblement combien les solutions et décisions romaines ne cadrent pas toujours avec les problèmes spécifiquement français. Malaise bienfaisant, au demeurant, car il va développer le sentiment de la responsabilité personnelle des pasteurs : ils vont devoir, en exil et collégialement, déployer une activité doctrinale sans commune mesure avec la parfois longue et paisible administration, honneur, jusqu'ici, de leur épiscopat.

*
* *

La fin de l'année 1792 et les premiers mois de 1793 marquent une relative stabilisation dans l'implantation du clergé émigré français en Europe occidentale, après les sorties précipitées, les gîtes transitoires et les errances qui caractérisent les départs en exil depuis 1790. De là, certaines concentrations jusqu'aux premières conquêtes révolutionnaires.

---

(36) *Lettre pastorale... au clergé et aux fidelles de son diocèse du Comté de Nice, après la reddition de cette ville, le 29 septembre 1792*, Bologne (février 1793), 28 p. in-8.

En Allemagne, signalons comme centres très actifs, celui de Constance où résident cinq évêques sous la présidence de Mgr de Juigné, archevêque de Paris; celui de Munster où le cardinal de La Rochefoucauld, archevêque de Rouen, a regroupé cinq évêques qui ont en charge les trois mille prêtres réfugiés dans la principauté de Cologne. La Suisse et le Valais accueillent six mille prêtres sur lesquels, en 1793, veillent les six évêques français de Poitiers, Riez, Meaux, Châlons-sur-Marne, Gap et Sisteron, qui vont instituer la Conférence de Fribourg dont nous aurons à étudier les délibérations. L'Italie — Rome notamment — voit un afflux massif d'ecclésiastiques fugitifs : plus de treize cents prêtres sont hébergés par le cardinal Mattei, archevêque de Ferrare. L'Espagne et le Portugal regroupent environ cinq mille prêtres autour de l'archevêque d'Auch et des évêques de Lavaur, Comminges, Tarbes, Alais, Blois et La Rochelle. Quant à l'Angleterre, elle verra une trentaine d'évêques faire halte chez elle entre 1791 et 1802; les effectifs d'ecclésiastiques français réfugiés s'élevaient déjà à trois mille, le 16 septembre 1792; ils atteindront sept mille en 1793 et huit mille en 1794 (37).

Pareils rassemblements entretiennent une dangereuse fermentation à Londres et provoquent les évêques français à des consultations théologiques innombrables sur le contentieux politique français.

Comment procéder ? Leurs informations — et donc leurs éléments de jugement — demeurent fragmentaires; il leur est difficile de statuer sur des questions qui sont également examinées à Rome, avec le risque d'aboutir à des conclusions divergentes. Risque aussi ressenti, d'un groupe d'évêques à

---

(37) M. J. Picot, *Mémoires pour servir à l'histoire ecclésiastique pendant le XVIII*e *siècle*, Paris, 3e édit., 1853-1857, 7 vol.; t. VI, p. 234 et s. Il semble que les chiffres aient été exagérés pour certains lieux par les mémorialistes du XIXe siècle et qu'il faille reculer la stabilisation d'effectifs jusqu'à la fin de 1794. Pour l'Etat Pontifical, la différence est peu sensible entre mars 1793 (date du premier recensement) et mars 1794 (deuxième recensement). Après avoir repoussé une demande d'entrée de six cents prêtres français venant de Suisse, le 1er octobre, les autorités de l'Etat pontifical dénombrent, à la fin de 1794, un peu plus de 3.000 ecclésiastiques (2.462 séculiers, 511 réguliers, une centaine de religieuses), d'après R. Picheloup, *op. cit.*, p. 105-116.

l'autre, d'un pays d'exil à l'autre, d'être désavoué par des confrères dont la maturité doctrinale et pastorale demande encore à s'exprimer. Lors même que l'exil se prolonge et que s'accroît le danger des incohérences et des contradictions entre pasteurs émigrés, apparaît la nécessité de délibérations collégiales qui vont briser une politique d'immobilisme.

M. Boiret (toujours par la plume de M. Descourvières) donne à M. Chaumont les raisons de ce réveil : de Rome, le 6 juillet 1793 :

« Vous ne nous avez rien dit d'une très belle lettre de M. de Saint-Paul [Mgr de la Marche, évêque de Saint-Pol-de-Léon] qu'on a publiée dans ce pays en italien (...) On nous dit que tous les Evêques français, qui sont à Londres, se réunissent pour travailler à un plan de conduite en cas de rentrée en France, afin qu'il soit uniforme. D'autres sont rassemblés pour la même fin à Bruxelles au nombre de 18. Marquez-nous donc ce qu'il en est pour ceux de Londres. Il est bon que tous conspirent pour un plan qui exclue du ministère les schismatiques déclarés. On craint que sans cela Rome ne mollisse trop. Si vous pouvez avoir connoissance des règles que proposeront sur ce sujet les Evêques qui sont à Londres, ne manquez pas de nous en faire part aussitôt. Cela seroit très important pour obliger et éclairer des personnes en place qu'il nous est extrêmement important de ménager » (38).

Dans ses deux réponses des 1er août et 20 septembre 1793, M. Chaumont explique qu'il est parfaitement exact qu'on se réunit à Bruxelles et à Londres et que même certains évêques réfugiés en Angleterre se disposent à gagner Bruxelles pour conférer avec leurs collègues. Mais s'agit-il bien d'un plan de réorganisation de la vie chrétienne en France, en cas de rentrée des pasteurs légitimes ?

« On parle de deux plans, l'un par l'Evêque de Boulogne [Mgr Asseline], l'autre par M. l'archevêque de Tours [Mgr de Conzié]... Les deux rejettent tout intrus et jureur persécuteur... » Toutefois le plan de Mgr Asseline « est plus modéré à l'égard des simples jureurs ». Le raidissement de Mgr de Conzié apparaît principalement dans sa volonté de « rendre toutes les cures amovibles pendant 5 ans. La punition, en ce cas, tomberoit

---

(38) *Arch. des M.E.P.*, Rome-Procure, vol. 220, f° 74.

même sur les non-jureurs et cette disposition révolte beaucoup dans ce païs-ci. Le premier [le plan de l'archevêque de Tours], a d'abord été envoïé à Rome, le second devoit être envoïé et sûrement qu'il l'est déjà avec les observations qui ont été faites à Londres sur le premier. Presque tous les évêques qui étoient à Bruxelles ont adopté celui(ci), on n'excepte que MM. de Clermont et de Boulogne qui cependant ont signé pour ne pas se diviser des autres. Ceux de Londres n'ont pas été satisfaits de cette conduite et paroissent portés pour le second plan. » (39)

Sans autre explication, M. Chaumont signale, à la fin de sa deuxième lettre, le départ de Londres de cinq évêques français : MM. de Dijon, de Sées, de Limoges, de Laon et de Coutances. La sortie de l'évêque de Montpellier serait imminente. Est-ce pour des raisons personnelles ou à la suite des discussions qui ont éclaté sur la présentation des rapports de Mgr de Conzié et de Mgr Asseline ?... En tout cas, le groupe des Treize, comme on les appellera bientôt, modèle au Comité de Londres une personnalité qui a tout lieu d'inquiéter Rome. Les milieux de la Curie s'alarment de voir l'Unité de l'Eglise débattue à travers le serment constitutionnel de 1790 et le serment civique de 1792.

Rome s'était enfin prononcée contre le premier, mais continuait de se réserver officiellement à l'égard du second; la matière demeurait donc « libre ». Certains prélats n'hésitent plus à stimuler leur énergie doctrinale d'ardeurs proches de celles des conciliaristes. Ne réclame-t-on pas d'un peu partout leur sentiment à propos de l'opportunité et de l'orientation des décisions pontificales ? Quelques-uns, membres du groupe de Londres, y prendront goût... En recouvrant leur fonction doctrinale, ils éprouvent le besoin de sortir le débat sur les serments de l'ornière juridique où il est enlisé depuis 1790 et où tendent à le maintenir les plans de Bruxelles et de Londres. A force de tirer en tous sens le fameux *Sermon sur l'Unité* du plus illustre des gallicans, Bossuet, la nécessité se fait jour de réfléchir sur la nature et

---

(39) *Arch. des M.E.P.*, Séminaire, vol. 36, f° 148 et f° 164-165. L'Evêque de Clermont, rappelons-le, était Mgr de Bonnal qui avait failli créer un tiers-parti à la Constituante en proposant l'adhésion à la Constitution civile du Clergé, à condition d'inclure dans le serment : « sous réserve des choses spirituelles ».

le sens de l'unité de l'Eglise, dans la conjoncture actuelle, avec le soutien de théologiens experts.

La liaison entre l'aspect canonique et son fondement théologique commence de se faire dans les esprits, vers la fin de 1793, à la faveur du contexte politique et social : affermissement de la Révolution, aggravation des épreuves de l'exil. Un tel cycle de purifications agit sur le cœur, décante les idées et interroge le clergé contre-révolutionnaire sur sa propre signification. Les prêtres du second rang entrent, à leur tour, dans cette volonté d'ascèse spirituelle et intellectuelle et l'expriment publiquement dans cette brochure d'une haute personnalité ecclésiastique qui, avec la caution officielle de cardinaux de la Curie, sera largement diffusée en Italie. Le titre appelle un programme : *Réflexions sur les divers objets qui doivent occuper MM. les prêtres françois émigrés par un prêtre françois, vicaire général* (40). L'*Avertissement* va droit au but :

« On nous a imputé des abus dont nous n'étions pas coupables, mais on vouloit nous avilir aux yeux du peuple et lui ôter la confiance qu'il avoit en nous. Cependant, il est juste que nous nous jugions nous-mêmes rigoureusement sur le passé et que nous formions pour l'avenir un règlement de vie. »

Ce règlement devra comporter, outre un recours plus fréquent et plus instant à la prière et à la mortification, un véritable plan de travail théologique pour une double fin : réfuter théologiquement la doctrine des Droits de l'homme « répandue sous forme de catéchisme parmi la jeunesse » et contrecarrer de la même manière « la présence et les thèses soutenues par les intrus et les schismatiques ». Une sorte de compendium ecclésiologique figure, à cet effet, à la page 9.

« L'Eglise constitutionnelle n'est pas *apostolique;* on connoît le lieu et l'époque de sa naissance et ceux qui leur ont donné le jour; elle n'est pas *catholique :* on sait où elle est et combien elle est restreinte et méprisée par les siens mêmes; elle n'est pas *sainte :* ses excès font horreur et sont innombrables; elle n'est pas *Une :* elle n'a aucun centre d'unité, les variations sont déjà

(40) *Bibl. municip. d'Arles,* ms. 144, VIII. Brochure de 23 p. in-8, publiée à Rome, 1794, chez Antoine Fulgoni.

infinies; elle n'est pas *infaillible* : combien n'a-t-elle pas innové dans la Foi ? La croyance et le régime de *l'Eglise constitutionnelle* font le plus grand contraste avec ceux de *l'Eglise Romaine*, notre mère, de l'Eglise de France avant la révolution et de toutes les Eglises catholiques de l'Univers. »

Mgr Charles d'Aviau, archevêque de Vienne, qui a quitté Turin à la fin de 1792 pour s'installer à Saint-Maurice-en-Valais, exprime les mêmes préoccupations à ses prêtres, le 11 novembre 1793. Que l'exil soit le temps du silence, de la méditation et de l'étude des sciences ecclésiastiques pour affermir l'espérance qui embrase actuellement la chrétienté dans la consolation de voir « les églises particulières s'unir, plus étroitement que jamais, à l'église-mère et maîtresse de toutes les églises. Les liens d'unité indissoluble se sont resserrés de plus en plus. Les ministres de la Parole ont pu être menacés, dispersés ou enchaînés, elle n'a pu être captive et si l'Eglise gallicane a essuyé des attaques plus directes et plus terribles, elle a été particulièrement assistée !... » (41). S'il invite ses prêtres à travailler à la « lumière de la doctrine des Béatitudes », son collègue de Saint-Maurice, l'évêque du Puy, ne sait encore, le 20 décembre, qu'assortir son hymne à Pie VI d'invectives vengeresses contre la révolution « trône de l'impiété ».

Pas plus qu'à Londres ou à Bruxelles, on ne peut parler, par conséquent, d'une unanimité « suisse » de l'épiscopat français émigré dans la prise de conscience des réalités révolutionnaires. La tâche en incombera aux conférences théologiques qui fleurissent en Europe de 1793 à 1796.

Elles ont le mérite d'élargir la base de réflexion en englobant tous les problèmes posés jusqu'à ce jour par le régime révolutionnaire. Au moment de rentrer en France, recommandait la brochure romaine, « nous rencontrerons des cas de conscience dont la décision sera très embarrassante pour les personnes mêmes les plus instruites. Nous n'aurons pas toujours le temps de bien réfléchir ni de con-

(41) *Arch. des M.E.P.*, vol. 1055, f° 273 à 284, *Lettre de M. l'archevêque de Vienne aux ecclésiastiques de son diocèse bannis et dispersés pour leur opposition au schisme.*

sulter : il faudra nous décider sur le champ et d'après nos lumières ». Apparemment, c'est inviter les ecclésiastiques à rafraîchir la casuistique enseignée au séminaire. Semblable exercice scolaire serait-il apte à l'examen des sujets qualifiés de prioritaires par la brochure ?

En tête, naturellement, le serment, bien qu'on sache que « tous les sermens qu'on a exigés en France depuis le commencement de la révolution jusqu'à ce jour, soient ou téméraires ou injustes ou hérétiques et schismatiques ». Mais suivent les autres matières : la foi, car « nous trouverons des chrétiens qui ont dissimulé ou trahi extérieurement leur foi en mille manières différentes » depuis les coupables de « mauvaises lectures » jusqu'aux idolâtres ayant consommé publiquement leurs actes « sur ce qu'ils appellent *Autel de la patrie* et aux pieds de la *Statue* et de l'*Arbre de la liberté,* devant les bustes de *Rousseau,* de *Voltaire,* de *Mirabeau...* » et la justice également, puisqu'il faudra légiférer au confessionnal à propos des biens du clergé, des successions civiles et de ceux « qui ont porté le fer et le feu chez les nations voisines ». Enfin, et non le moindre, le terrible problème du mariage étant donné que « le nombre des mariages non valablement contractés sera infini, soit à cause du divorce qui se multiplie parmi les patriotes françois, soit par le défaut de juridiction nécessaire dans celui qui aura administré le Sacrement, soit par l'existence de quelque empêchement qui n'aura pas été levé, soit par l'omission de quelqu'autre formalité essentielle à laquelle on n'aura pas fait attention... ».

Cultes révolutionnaires, service militaire, biens du clergé, divorce, etc..., voilà désormais qu'après l'Unité, les théologiens et pasteurs de la France en émigration se voient sommés de réfléchir et de définir un agir moral et politique pour les chrétiens, en fonction de ce que nous appellerions aujourd'hui l'hypothèse de la sécularisation. A la fin du XVIIIe siècle, ce débat à la fois éternel et nouveau dans l'Eglise — état temporel, ne signifie encore rien d'autre que soustraire une chose, un territoire ou une institution à l'obédience et à la souveraineté des prêtres et de l'Eglise ou les en affranchir. Dans le creuset révolutionnaire surgissent et s'imposent les notions de la légalité et de l'illégalité, de la légitimité ou de l'illégitimité d'une société en voie de sécularisation, toutes options que s'efforcera de trancher, après quelles incertitudes et quels détours, l'ecclésiologie des XIXe et XXe siècles dont les émigrés deviennent les promoteurs involontaires, les précurseurs contraints par les événements, dès 1795.

En corollaire, vient se greffer sur la « sécularisation » l'affaire de la soumission à la constitution de l'an III : la loi du 20 fructidor (6 septembre 1795) autorisait à une déclaration de culte les prêtres qui s'y soumettraient. Fallait-il condamner cette soumission et courir le risque d'abandonner de nouveau les paroisses françaises aux mains des constitutionnels ou bien approuver les soumissionnaires et par là même reconnaître, de droit, la République ? L'alternative réclamait donc, en réalité, une définition aussi rapide que possible des rapports de l'Eglise et de l'Etat. Chaque fraction de l'épiscopat en émigration y concourt avec une ardeur quasi passionnelle dont l'intensité et la durée surpassent de loin les controverses à propos de la Constitution civile du clergé. Il s'agit de se prononcer sur le décret du 6 vendémiaire an IV (28 septembre 1795) imposé aux prêtres de France, à la suite de la loi du 20 fructidor, comme un préalable à toute déclaration de culte : « Je reconnais que l'universalité des citoyens français est le Souverain et je promets soumission et obéissance aux lois de la république ».

Les évêques réunis à Constance prennent position les premiers, au mois de septembre, sans attendre le décret du 6 vendémiaire. On discerne dans cette initiative l'action personnelle de l'archevêque de Paris dont l'intransigeance royaliste est fouaillée, à deux reprises, à ce moment. C'est lui qui, au nom du groupe, avait présenté, le 31 juillet, les condoléances de l'Episcopat pour le décès de l'enfant du Temple. Louis XVIII avait remercié son « cousin », l'archevêque, dans une lettre publiée dans les journaux italiens. La pérennité de la royauté française en sortait confirmée aux yeux de tous, tandis que la république se voyait rejetée dans les ténèbres extérieures. Malheureusement, les prêtres formant le Conseil diocésain à Paris ne partageaient pas ce sentiment et le plus influent d'entre eux, M. Emery, représentait à Mgr de Juigné les dommages incalculables qu'entraînerait la condamnation des soumissionnaires. Les Parisiens avaient eu l'imprudence de s'abriter derrière l'autorité d'un des quatre évêques soumis, M. d'Alais. La réplique « allemande » fut foudroyante : on s'étonnait du manque de bon sens des administrateurs parisiens subjugués « par un jeune évêque d'une petite ville située à deux cents lieues de la capitale » (42).

Dans ces conditions, il fallait craindre un document d'une extrême rigueur, de la part des six évêques de Constance. Or, dans leurs instructions aux prêtres qui rentrent en France, édictées vraisemblablement au mois d'octobre, la sagesse doctrinale l'emportait sur les querelles partisanes. Il était recommandé :

« en l'absence d'une autorité légitime, de faire plus d'attention à la loi naturelle pour régler les actions. L'ordre actuel quoiqu'établi par une autorité illégitime, doit être observé dans ce qu'il ordonne ou défend dans les cas que la force peut atteindre, pour ne point attirer sur soi et sur les autres les suites de la résistance. On peut néanmoins s'exposer soi-même à des peines légères pour conserver de plus grands biens temporels. On doit s'écarter de l'ordre public quand les choses sont autrement ordonnées ou défendues par la loi naturelle ou divine. Rien ne peut excuser l'obéissance aux lois irreligieuses (43) ».

Remarquons que ces instructions engageaient l'autorité conjointe des évêques de Constance et de Fribourg; ceux-ci, indirectement concernés par l'affaire parisienne et moins compromis dans le soutien à Louis XVIII, avaient délibéré dans le sens de cette gradation doctrinale, marque du document, résultat d'une véritable maturation théologique. On devine l'âpreté des discussions pour atteindre cet équilibre quand on sait que l'évêque de Sisteron pesait de toute sa science de canoniste sur les Fribourgeois.

Ennemi de tout compromis, Mgr François de Bovet passait pour un des conseillers les plus écoutés de Rome. Le

---

(42) *Arch. des M.E.P.*, vol. 1055, f° 217 et 218. Sur les thèses parisiennes en matière de soumission au régime républicain, cf. supra, p.
(43) *Arch. des M.E.P.*, vol. 1055, f° 269.

14 mai, contre l'avis de ses collègues, il avait réfuté l'opinion de l'évêque de Lavaur qui envisageait d'admettre les prêtres abdicataires à la communion des Laïcs après un temps de pénitence, parce que « la pénitence est le remède commun à tous ces crimes » ; M. de Sisteron rétorquait par « la rigueur des anciens canons » (44). Le 24 octobre, dans ses *Réflexions sur le décret du 28 septembre 1795...* il accentuait la position prise par l'évêque de Boulogne partant pour sa nouvelle résidence d'Hildesheim en Basse-Saxe. Mgr Asseline, si modéré à propos des prêtres constitutionnels, dénonçait le caractère pernicieux de l'article V du décret du 11 prairial an III (30 mai 1795) stipulant la future promesse de soumission aux lois républicaines pour tout exercice du culte. Pouvait-on envisager une soumission même passive ? Non, parce qu'elle ne peut jouer en pareil cas :

« L'acte de soumission n'a pas pour objet de simples loix de police, mais il sert positivement, et d'une manière très active, la puissance injuste qui ne cherche à l'arracher aux prêtres catholiques que pour parvenir plus sûrement à son but, en persuadant le peuple, par l'exemple de ses prêtres, que la religion sainte dont il réclame le libre exercice ne l'empêche point de méconnoître son légitime Souverain. »

Telle était la doctrine : la pratique pouvait s'accommoder d'avantages si sérieux qu'il réservait l'examen de la licéité de la promesse. Mgr de Bovet bloque les deux aspects et condamne le tout, en vertu du fait que le mot « obéissance » est ajouté à la soumission, ce qui signifie que l'autorité républicaine veut « exercer sur la Religion et le ministère, sur les ministres et sur les consciences un empire absolu, une véritable inquisition » (45). Les décisions collégiales de Fribourg et de Constance évitaient donc le refus catégorique.

Comment à Londres réagirait-on ? Rome semblait ne vouloir se prononcer qu'après l'avis émis par les évêques d'Outre-Manche et leur silence inquiétait... M. Descourvières,

---

(44) *Bibl. municip. d'Arles,* ms. 144, f° 209-211; f° 212-214.

(45) *Arch. des M.E.P.,* vol. 1055, f° 225-231; f° 231-232.. Sur les activités doctrinales de Mgr de Bovet à Fribourg, TOBIE DE RAEMY, *op. cit.,* p. 132-133.

toujours secrétaire de M. Boiret, harcèle M. Chaumont sur ce sujet, tout en multipliant les témoignages en faveur d'une imminente condamnation de la promesse.

Du 4 février 1797 :

« Nous avons eu, ici, communication d'un très petit écrit contenant l'avis unanime des Evêques français réfugiés en Angleterre sur la soumission aux loix de la république et le culte, du 22 juin 1796. Nous sommes surpris que depuis ce tems là vous ne nous en ayez donné aucune connoissance. Nous vous avons souvent prié de nous faire part d'écrits semblables ».

Ne chuchotait-on pas à Rome, comme le mentionne une autre lettre du 13 mai (46), que Mgr de Boisgelin, archevêque d'Aix, « opinait pour la soumission contre l'avis de ses confrères ?... ». Le 27 juin, M. Chaumont parvient à cette synthèse :

« 12 évêques français (47) s'étoient assemblés, ici, pour examiner si la soumission étoit licite. Le résultat de leurs conférences, en ce qu'ils ont été parfaitement d'accord, est qu'on devoit conserver la charité et l'union qu'on eût fait la soumission ou non. Les opinions ne furent pas si unanimes sur le point si l'on pouvoit en conférence faire la soumission ou non. M. l'archevêque d'Aix, m'a-t-on dit, étoit d'avis que ce n'étoit point à l'Eglise de décider quand est-ce qu'un gouvernement pouvoit être suffisamment établi pour que tous les habitans d'un pays puissent en conférence lui promettre soumission sans blesser le droit de celui qui avoit précédé. Le Roi a écrit dernièrement aux évêques pour les prier de ne point traiter avec sévérité les prêtres de leurs diocèses qui ont fait l'acte de soumission » (48).

A Rome, on suffoque d'indignation au reçu de ces délibérations. La distinction faite à Londres entre le problème doctrinal de la licéité et le problème pastoral de la charité échappe aux émigrés d'Italie. Ils ne retiennent que la présomption d'ouverture à la République étayée par cette

---

(46) *Arch. des M.E.P.,* Rome-Procure, vol. 220, f° 501 et 516.

(47) Ce qui prouve que tous les évêques français présents à Londres, en 1796, ne participaient pas aux conférences puisque dix-neuf sont recensés, à cette même date par A. Theiner, *Documents inédits sur les affaires religieuses de la France* (*1790-1800*), Paris, 1858, 2 vol. in-8, t. II, p. 657-658.

(48) *Arch. des M.E.P.,* Rome-Procure, vol. 221, f° 454.

fameuse « intention du Roi » dont M. Boiret avait pourtant dit, le 15 septembre 1795, que sa publication avait rallié les membres de l'épiscopat favorables jusqu'alors à la soumission. L'entêtement des « Romains » devient tel qu'ils suspectent l'authenticité du bref *Pastoralis sollicitudo* (5 juillet 1796). Le Pape, à la joie des constitutionnels, n'entamait-il pas, avec ce document, le processus de sécularisation par une reconnaissance de fait du nouveau régime ? Plus stupéfiante sera la déclaration du Prince-Evêque de Bâle dans sa *Lettre de Carême* du 1er février 1797.

« Nous ignorons si le prétendu Bref du 5 juillet 1796 est leur ouvrage [aux intrus], mais n'ayant reçu aucun avis de Rome relativement à un Bref de cette espèce et d'ailleurs y remarquant des traits qui Nous en faisoient fortement soupçonner l'origine, Nous avons cru devoir prendre, auprès du Saint-Siège même, les informations que demandoit la chose. C'est donc après avoir acquis des connoissances légales sur cet objet, que Nous vous déclarons, N. T. C. F., en toute vérité qu' (...) il est évidemment une des œuvres de ténèbres que le mensonge fabrique et répand impunément dans ces jours d'impudence et de séduction tant pour accréditer ses fauteurs que pour rendre odieux les Ministres de la vérité » (pp. 9-10).

Le serment de haine à la royauté, puis la promesse de fidélité à la Constitution de l'an VIII mettront le comble à la fureur des ultramontains passionnés. Le ton de la correspondance entre les Missionnaires tourne franchement à l'aigre quand on aborde ce sujet en 1800 et 1801. A Londres, on veut s'en tenir aux assurances données par le *Moniteur*. A Rome, au contraire, « nous ne croïons pas qu'il y ait 20 évêques de France déclarés en faveur de la promesse de fidélité sans y comprendre ceux d'Angleterre... » et l'on renvoie M. Chaumont à sa théologie morale pour mieux comprendre la duperie des explications du *Moniteur*. Toutefois, M. Boiret tient à préciser, le 21 mars 1801 : « Quelles sont les raisons qui déterminent certaines personnes à combattre la promesse de fidélité ? Nous n'y sommes pas portés par les intérêts de la famille des Bourbons : nous savons que les bouleversements des empires sont dans l'ordre de la divine providence et que les chrétiens ont reconnu ceux qui jouissoient de l'autorité quoique usurpée et cela en tous tems. » Ce qui laissait entendre qu'on était prêt à accepter beaucoup plus qu'on en avait l'air...

Pour écrire, comme G. Lefebvre (49), que « la plupart de ceux qui s'étaient refusés aux serments antérieurs persistèrent, malgré l'avis d'Emery [dans leur refus d'allégeance à la Constitution de l'an VIII] », il faudrait pouvoir prouver l'unanimité de l'épiscopat en émigration dans ce refus, et par là même, en déduire que le schéma tridentin demeure intact. Or, c'est le contraire qui se produit.

Le 29 août 1800, dans un long rapport où il explique les positions doctrinales des uns et des autres, M. Chaumont constate : en faveur de la soumission, les archevêques d'Auch et de Toulouse, l'évêque de Langres; « l'évêque de Toulon y engageoit aussi ses prêtres et rappeloient ceux qui étoient hors de France, mais après la réception d'un bref du Saint Père, il s'est contenté de leur laisser la liberté de rentrer »; les administrateurs du diocèse de Cahors; « 7 évêques qui sont en France, savoir les évêques de Marseille, de Mâcon, de Senlis, de Lectour, d'Angers, d'Alais, de Saint-Papoul, le grand vicariat de Tournay ». L'évêque d'Amiens, dans une lettre datée de Paderborn, le 18 août, maintient la légitimité de la promesse jusqu'au prononcé pontifical; de même les archevêques d'Aix, de Bordeaux, et de Narbonne, les évêques de Lescar, Périgueux, Troyes, Comminges, Angoulême, Noyon, Uzès, Arras, Vannes et Avranches. Sont considérés comme opposants « chancelans », les évêques de Tréguier, Léon et Montpellier, alors que les archevêques de Rouen (50) et de Paris et surtout Mgr Asseline, évêque de Boulogne, défendent à leurs prêtres toute prestation républicaine. Motif : la disette des prêtres « orthodoxes » et les fortes implantations du clergé constitutionnel dans leurs diocèses;

---

(49) G. Lefebvre, *Napoléon* (Peuples et Civilisations), édit. de 1953, p. 90.

(50) Après le décès du cardinal de La Rochefoucauld, l'évêque de Sées, Mgr Duplessis d'Argentré, sera nommé administrateur du diocèse de Rouen. M. Chaumont commente, le 11 août 1801 : « Les vicaires généraux ont autorisé la promesse de fidélité, l'Ev. de Scez s'y est opposé... ne voilà-t-il pas autel contre autel ? ».

par exemple dans la région de Dieppe (51). Enfin l'informateur déclare ne rien savoir d'un certain nombre d'autres prélats qui, pour les diocèses de Nantes, Rodez et Lombez entre autres, s'enferment dans un silence systématique (52).

Que les évêques « soumissionnaires » s'inclinent par réalisme politique et non par opportunisme, c'est la frontière qu'entend tracer M. Chaumont en déclarant dès le 16 juin :

> « Le plus grand mal qui résulte de cette différence d'opinions, c'est qu'il s'établit en France un schisme scandaleux entre ceux qui font la soumission et ceux qui la refusent et qu'en quelques endroits, ils s'anathématisent pour ainsi dire les uns les autres. Cette conduite est opposée à l'idée des Evêques qui sont ici. Quoiqu'ils condamnent la soumission, ils veulent que les uns et les autres vivent en paix et en union entre eux ».

La position de Mgr Dillon, archevêque de Narbonne et doyen d'âge, a permis au Comité de Londres de sortir de l'impasse : il confie à M. Chaumont « que les fidèles de France devoient être par rapport au gouvernement actuel ce qu'une ville conquise est par rapport au vainqueur. » En conséquence on ne recommandera pas la promesse qui impliquerait une reconnaissance de droit du gouvernement actuel et donc un acte « injuste » à l'égard du « légitime Souverain », mais on se conduira en soumissionnaires envers le vainqueur. Le principe doctrinal demeure sauf et maints évêques, dans leurs déclarations personnelles, retrouveront spontanément la formule souhaitée en 1790, par l'évêque de Clermont « sauf en ce qui concerne les choses spirituelles... »

Puisqu'après dix ans d'échec, triomphait ce tiers parti, fort de plus d'une trentaine d'archevêques et évêques appartenant à ce Collège d'Ancien Régime qui avait préféré s'en tenir au schéma tridentin en niant la réalité révolutionnaire, c'est peut-être l'occasion de prêter un certain crédit à l'affirmation de Grégoire. Selon lui, en 1790, « divers évêques, tels

---

(51) *Bibl. nat.*, nouv. acq. fr., ms. 4525. *Mémoires sur la soumission du clergé aux lois de la République en 1795 et sur la promesse de fidélité à la Constitution du 22 frimaire an VIII*, par Voulonne, vic. génér. de Boulogne.
(52) *Arch. des M.E.P.*, Séminaire, vol. 38, f° 83-84 et f° 277.

que ceux de Langres, Besançon, Blois, Chartres et Rhodez, avoient pris des mesures pour organiser leurs diocèses sur le plan de la Constitution civile du clergé : tout à coup, ils changèrent de direction, lorsqu'entraînés par des évêques de l'Assemblée, ils crurent que leur résistance combinée entraîneroit l'échec de la loi nouvelle » (53).

*
* *

Dix ans d'expériences diverses et amères avaient ouvert la voie aux prémices d'une théologie politique dont Rome allait mesurer l'importance au cours d'un dernier épisode proprement dramatique.

Il s'agit des trente-quatre prélats qui refusent la démission demandée aux évêques légitimes par la lettre apostolique *Tam multa* du 15 août 1801, dans un délai de dix jours et à l'exclusion de toute réponse dilatoire sous peine d'être regardée comme négative. Raidis par l'ultimatum pontifical, ulcérés par la convention conclue entre le Saint-Siège et le gouvernement français, le 15 juillet, hors de toute consultation de l'épiscopat, les prélats non-démissionnaires s'engagent dans une politique anticoncordataire qui prendra les proportions d'un schisme avec la Petite Eglise inspirée par Mgr de Coucy, l'évêque de La Rochelle. Les études, qui ont traité de ce sujet, ne paraissent pas tellement soucieuses d'expliquer la genèse d'une pareille rupture avec le Siège romain. On invoque hâtivement le vieux démon gallican conjugué avec la haine révolutionnaire incarnée dans Bonaparte. Celui-ci, contrairement à ce qu'on croit, jouissait dans les milieux religieux de l'émigration française en Angleterre d'une incroyable faveur. M. Chaumont rapporte à ses confrères romains, le 9 mars 1800, qu'on dit à Londres que Bonaparte « faisoit dire la messe tous les jours à 11 heures, par un prêtre inconstitutionnel, qu'il disoit aussi ses prières du soir ». De toute manière il faudrait justifier sérieusement la volte-face de nombre de ces non-démissionnaires qui figuraient parmi les évêques soumissionnaires de 1800. En récla-

(53) H. Grégoire, *Mémoires*, Paris, 1840, 2 vol. in-8, t. II, p. 16. — Sur la tactique de l'évêque de Clermont, cf. supra p. 197-198.

mant toute l'attention sur leur politique anticoncordataire ne s'expose-t-on pas, une fois de plus, à prendre les conséquences pour les causes ? En courant directement à la formation de la Petite Eglise, ne fait-on pas bon marché de toute une évolution psychologique, voire doctrinale ?

« Le foyer est à Londres. L'Archevêque de Narbonne est l'*antesignanus* [instigateur], le boutefeu est l'Evêque d'Usez, Mgr de Bethisy... Quelques Evêques français qui sont en Allemagne avaient refusé leur démission (ils avoient d'abord feint de ne point avoir reçu le bref pontifical) parce que 13 l'avoient refusé ici » (54), renseigne, le 15 janvier 1802, M. Chaumont désormais muré dans une réprobation totale à l'endroit de ces récalcitrants. Il déclare ultérieurement leur conserver néanmoins tout son respect (55). Après beaucoup de paroles et de menaces regrettables, les membres du Comité de Londres retrouvent leur calme et font passer par la voie hiérarchique, Mgr Erskine, nonce officieux en Angleterre, un mémorandum dont la rédaction originale remonte au 23 décembre 1801. La réédition de mai 1802 subira d'importants remaniements de forme (55). Les treize signataires auxquels s'ajoute Mgr des Galois de La Tour, évêque nommé de Moulins, qui attend toujours ses bulles en France, en sont : l'archevêque de Narbonne, Mgr Dillon; les évêques d'Arras (Mgr Louis de Conzié), de Montpellier (Mgr de Malide), de Noyon (Mgr de Grimaldi), de Saint-Pol-de-Léon (Mgr de La Marche), surnommé « l'archange de l'émigration » par Barruel, de Périgueux (Mgr de Grossolles de Flammarens), d'Avranches (Mgr Godart de Belbeuf), de Vannes (Mgr Amelot), d'Uzès (Mgr de Béthisy), de Rodez (Mgr Seignelay-Colbert de Castle Hill), de Nantes (Mgr de La Laurencie), d'Angoulême (Mgr d'Albignac de Castelnau), de Lombez (Mgr

---

(54) *Arch. des M.E.P.*, Séminaire, vol. 38, f° 346.

(55) *Mémoire des évêques françois résidens à Londres qui n'ont pas donné leur démission*, Londres, imprimerie de Cox, Great Queen Street, mai 1802, 163 p. in-8. — Ces témoignages et documents permettent de rétablir les faits, concernant « Le manifeste de Londres », curieusement tronqués dans P. LESOURD ET CLAUDE PAILLAT, *Dossier secret, l'Eglise de France*, Paris, 1968, 2 vol.; t. II, *De la Révolution à nos jours*, p. 155. Cet ouvrage apporte toutefois des pièces d'archives privées fort intéressantes à propos de l'attitude des évêques non-démissionnaires et la Petite Eglise, p. 148 à 163.

de Chauvigny de Blot). Avec toutes les marques de déférence requise, ils entendaient porter devant le Pape non seulement leurs griefs, mais le véritable sens de ceux-ci, c'est-à-dire l'esquisse d'un nouvelle ecclésiologie.

Dans une première partie, ils en rappelaient les fondements : profession de foi romaine en la personne du Pape « foyer de la catholicité », dans toute sa plénitude et ses prérogatives à condition qu'ils n'obscurcissent en rien celles de l'épiscopat « institution divine, reçue de Jésus-Christ lui-même, caractère sacré... Nous verrons que chaque Evêque est dans son diocèse, pasteur ordinaire, chargé encore solidairement et jusqu'à un certain point de la sollicitude de toutes les Eglises, mais lié plus spécialement à son Eglise particulière par le titre de sa consécration et par sa mission qui forment une alliance qui ne peut être rompue que par la mort, un jugement légal, conforme à la discipline de l'Eglise, ou une démission libre, motivée, canonique » (pp. 28-29). Enonciation théologique qu'ils étayaient de nombreuses preuves scripturaires, patristiques et historiques parmi lesquelles saint Bernard occupe une place de choix. La conclusion s'imposait : l'autorité du Pape est « souveraine, mais non pas absolue » (p. 136), d'où la distinction entre le domaine de la foi et celui de la discipline. Distinction de nature et non de convenance : la foi vient de Dieu, la discipline, de l'Eglise, et comme telle, sujette à des variations. « Or, qui est plus en état et en droit d'en juger que les pasteurs immédiats et ordinaires ? » (p. 57). Et quelle meilleure façon de les entendre sinon dans la tenue des conciles « assemblées vénérables dont l'institution et la forme remontent jusqu'à l'institution divine ? » (p. 67).

De ces fondements découlent des principes résumés dans la solennelle formulation suivante : « Ainsi tracée de la propre main de son Divin Législateur, se dévoile clairement à nos yeux la constitution de l'Eglise et la correspondance mutuelle des autorités établies par son régime est invariablement fixée. Il y a pour le maintien et la perfection de l'unité un pouvoir transcendant, mais cette unité elle-même résulte du concours et de l'action de ce pouvoir avec d'autres qui, quoique subordonnés, ont la même origine que lui. Ainsi l'universalité morale des Evêques, en union avec la chaire de Pierre, voilà dans les principes de la foi catholique, ce qui forme le corps dépositaire de la vérité dans l'enseignement (...); dépositaire, enfin, de l'autorité souveraine de l'Eglise, dans les divers objets de son gouvernement, soit en état de dispersion par tout l'univers, soit dans un concile général et œcuménique convoqué et tenu dans les formes canoniques; voilà ce qui constitue l'Eglise enseignante » (pp. 71-72).

Suivent les applications de ces principes tendant à montrer surtout les infractions commises par Rome. L'argument principal vise la déposition arbitraire par le Pape, d'évêques qui doivent dès lors se considérer comme « déserteurs » et privés de communion, à moins qu'interviennent les « formes canoniques pour autoriser leur démission et la rendre valide » (p. 77). Un autre argument, sans doute le plus novateur dans l'esprit de ces évêques d'Ancien Régime, vient de ce que les conventions concordataires ruinent la stabilité de l'Episcopat (p. 107). Elles transforment les pasteurs en fonctionnaires gouvernementaux quand, plus que jamais, s'impose « l'indépendance nécessaire au ministère sacerdotal ». Les « Allemands » poussent encore plus loin dans ce sens, au cours de leur *Lettre* commune du 26 mars. Six prélats la contresignent : en tête le Cardinal de Montmorency, évêque de Metz, Mgr de Talleyrand-Périgord, archevêque de Reims; puis les évêques de Limoges, de Sées, de Digne et de Boulogne (56) : « Qui pourrait répondre d'ailleurs de la durée du nouvel Episcopat après que l'extinction de l'ancien auroit été consommée pour accomplir la volonté d'une puissance temporelle ?... » (p. 15). Le Pape ne se contredit-il pas puisque, dans son Encyclique du 15 mai 1800, il rappelait à tous les évêques de la catholicité qu'ils étaient gardiens de la discipline autant que de la foi ? (p. 29). « Enfin quelque haute idée que nous ayons de l'importance du libre exercice du culte public nous n'avons pu nous empêcher de considérer que ce libre exer-

---

(56) *Lettre de plusieurs évêques françois retirés en Allemagne au Pape Pie VII*, Londres, imprimerie de Cox, fils, 74 p. in-8.

cice n'est pas essentiel à la Religion; qu'elle a su en supporter la privation pendant ses trois premiers siècles où elle s'est couverte de tant de gloire... » (p. 58). Le 21 juillet 1802, les six prélats réfugiés en Allemagne se ralliaient aux quatorze protestataires de Londres. Un mouvement irréversible s'emparait de l'épiscopat français, revenu ou encore en émigration : le 6 avril 1803, trente-huit d'entre eux formaient opposition à tous les actes concordataires y compris les Articles Organiques.

Des recherches approfondies nous diront certainement ce que cette doctrine emprunte exactement à la Déclaration de 1682, fort à la mode parmi les évêques anciens réfractaires et anciens constitutionnels. De même à l'égard de certaines thèses de l'ecclésiologie janséniste du XVIIIe siècle tant contrebattues par plusieurs de ces prélats désormais en délicatesse avec Rome. En délicatesse, mais non pas en rupture. Avec sa probité coutumière, M. Chaumont atteste de la bonne volonté de beaucoup; même au lendemain de la publication du *Mémoire*.

Du 8 juin 1802 :

« Nous ne savons pas encore quelles mesures les Ev. non démiss. qui sont à Londres prendront par rapport aux bulles du S. P. ni s'ils prendront une mesure générale. Il est du moins certain que M. l'Ev. de Léon a approuvé la conduite des prêtres de son diocèse qui partoient pour se soumettre aux nouveaux Evêques, qu'il les a même exhortés à prendre les places qu'on leur donneroit, que M. l'Ev. de Vannes a permis à ses prêtres de retourner, qu'il est dans la disposition de ne point mettre d'opposition au peu de bien (c'est son expression) que les nouveaux arrangemens peuvent produire; M. l'Ev. de Rhodez a dit à une personne qui me l'a répété qu'il écrivoit à ses diocésains pour les engager à recevoir les secours spirituels de ceux qui leur seroient envoïés. M. l'Ev. d'Arras a témoigné les mêmes dispositions. On assure la même chose de M. l'Ev. de Nantes... »

et de d'autres encore, tel M. de Boulogne.

Il s'en faut, d'ailleurs, que certains de leurs collègues, ralliés au Concordat, abdiquent toute résistance. Du 19 octobre 1802 :

« Vous sçavez sans doute que M. l'Archevêque d'Auch et M. l'Arch. de Toulouse ont accepté, l'un, l'évêché de Troyes vacant par la mort de M. l'ancien Ev. de Lescar, l'autre, l'Evêché d'Autun vacant par la mort de M. l'ancien Ev. de Macon. Je sçais de bonne source qu'ils n'ont accepté qu'à condition qu'on leur laisseroit pleine autorité pour le gouvernement de leurs diocèses, qu'ils continueroient de porter le pallium, qu'ils ne dépendroient d'aucun métropolitain. Les deux prélats sont respectables; ils sont depuis quelques tems dans l'intérieur de la France, ils n'ont sûrement accepté que parce qu'ils ont vu la possibilité de faire le bien et leur jugement n'est point à mépriser » (57).

Celui des protestataires non plus, quand ils résistent à la tentation de corrompre leur position doctrinale en manipulant l'opinion. Leur sens ecclésial n'a pas à être suspecté puisqu'ils demandent de considérer une question contentieuse pour l'ecclésiologie traditionnelle et devenue cruciale par l'explosion révolutionnaire : la nature et les rapports subalternes de l'Episcopat à la Papauté au lieu d'une passive subordination.

N'est-ce pas en grande partie du règlement de cette controverse séculaire que dépend l'examen doctrinal des autres difficultés posées par la Révolution; l'unité dans l'Eglise, la « sécularisation », les rapports de l'Eglise et de l'Etat ? Mettent-elles ou non en cause la conscience religieuse de la « grande Nation » alors que Rome se borne à offrir, par le Concordat, un expédient administratif à des affaires strictement françaises ?

Parce qu'il rompt avec l'habituelle tactique gallicane, l'appel à un concile œcuménique — et non plus national — émanant de Londres ne cessera d'éveiller des échos favorables dans la catholicité de l'Empire, au fur et à mesure que le Concordat se révélera plus apte à soulever des difficultés qu'à les résoudre; la crise religieuse de 1810-1813 n'éclatera pas en génération spontanée. Sans spéculer sur la conscience « catholique » des évêques d'Ancien Régime, il nous est loisible de constater deux choses. D'une part, ces hommes

(57) *Arch. des M.E.P.*, Séminaire, vol. 38, f° 428 et f° 551. L'influence de M. Emery, supérieur général de Saint-Sulpice, n'est certainement pas étrangère à cette bonne volonté de l'épiscopat d'accepter les nouveaux sièges sans rien céder sur la foi et sur la discipline universelle de l'Eglise, cf. C. Latreille, *Après le Concordat, l'opposition de 1803 à nos jours*, Paris, 1910, p. 28 et s.

furent brutalement arrachés à la quiétude provinciale de leurs diocèses pour courir l'Europe pendant dix ans et participer en victimes à ses grands bouleversements matériels et spirituels. D'autre part, ils ont vécu cette épreuve dans l'apprentissage de la collégialité avec, bientôt, les prélats étrangers : comment leur horizon n'aurait-il pas été élargi, comment leurs façons de voir n'en auraient-elles pas été affectées ? Ils l'ont d'ailleurs montré en réagissant les premiers puisqu'ils ont suscité, dès 1793, un réel travail théologique au sein de leur clergé en exil.

C'est en prenant conscience des formes et des résultats de ce grand labeur que nous percevrons le plan des assises du concile souhaité; les linéaments d'une ecclésiologie révolutionnaire assumée par les voies traditionnelles, les moyens de redonner aux fidèles du naissant XIXe siècle, un dépôt doctrinal, cohérent et adapté aux circonstances nouvelles.

IV

JALONS POUR UNE ECCLÉSIOLOGIE RÉVOLUTIONNAIRE : ENTRE ULTRAMONTAINS ET CONSTITUTIONNELS

Fait unique dans les annales d'une Eglise particulière : des conférences théologiques interdiocésaines fonctionnent en territoire étranger. Nées à l'improviste pour traiter des mêmes objets, elles travaillent sans plan préconçu et sans liaison organique entre elles. Elles englobent tous les niveaux de la hiérarchie catholique et jouissent d'un pouvoir délibératif, du moins pour les assemblées épiscopales. Parallèlement, en France, d'autres théologiens s'affairent aux mêmes questions : les uns, dans des conseils diocésains de l'Eglise réfractaire; les autres à l'intérieur du clergé constitutionnel dont les consultations regroupées serviront aux élaborations ecclésiologiques des conciles nationaux de 1797 et de 1801.

Trois perspectives, donc, représentant toutes les écoles

théologiques alors connues, mais résolument individualisées par leurs différences. Aveugles à leurs tangences, quand elles pouvaient déterminer le fonds commun d'une théologie politique adéquate à la chrétienté post-révolutionnaire. En somme, bien qu'apparemment stérile dans ses conclusions, ce long labeur aura au moins posé les questions qui devront plus tard trouver une solution et forger une optique nouvelle pour les futures générations d'ecclésiastiques. Sans cette réflexion, il n'est pas certain que le mennaisisme de 1830, par exemple, eût été possible; avec elle, l'anticléricalisme des premiers Libéraux aurait pris un autre cours...

Parmi les émigrés, les conférences revêtent trois formes de 1793 à 1796 : épiscopales avec assistance d'experts théologiques, pour celles de Londres et de Fribourg-Constance; presbytérales, pour celles de Ferrare; mixtes, dans certaines tenues de conciles provinciaux, comme ce fut le cas en juin 1795, où l'archevêque de Reims, Mgr de Talleyrand-Périgord, réunit en Saxe, cinq de ses huit évêques suffragants. Dans un ordre différent et avec des développements variables, les matières traitées sont identiques et se divisent en plusieurs rubriques. La théologie sacramentaire occupe partout la place principale : rôle des sacrements et pouvoirs pour leur administration en tenant compte des situations canoniques du clergé (réfractaire, constitutionnel, semi-constitutionnel, soumissionnaire simple, etc...) et des fidèles, notamment pour le mariage en période révolutionnaire. A Ferrare, on éprouve le besoin d'une longue introduction dogmatique sur la foi. Une deuxième rubrique, non moins abondante, envisage tous les serments de 1790 à l'an V et sépare les séculiers des réguliers dont le cas se complique des vœux perpétuels. La troisième relève de la théologie morale proprement dite et n'apparaît que dans les conférences dont les sessions se tiennent encore en 1796. Londres, dont les conférences ont lieu entre le 1er juin et le 30 septembre 1793, ignore ce genre de questions. Mais, sur les vingt-deux articles du règlement des évêques de la province de Reims, sept concernent les biens appelés nationaux, la réparation de leurs dommages, les assignats, les fonctions publiques en régime révolutionnaire, la guerre, les marques de civisme, les successions. Fribourg distingue les décrets de la République qui ont un rapport direct à la vertu de la religion; à la justice; à l'ordre civil (impositions, contrebande, loi du maximum, dépôts des émigrés, décrets sur les successions, intérêt du prêt, pensions, assignats et faux-assignats); enfin sont envisagées « toutes les espèces de coopération aux œuvres d'iniquité dont la révolution a été le prétexte, l'occasion et la source » (places dans l'administration républicaine, force publique extérieure, force publique intérieure, travaux publics, écrits révolutionnaires, assemblées publiques).

Selon l'autorité reconnue des assemblées, la forme et l'intention des délibérations changent. Les conférences épiscopales légifèrent. Londres, qui ouvre la voie, s'en tient à des conclusions encore fort administratives qui doivent recevoir force de loi (sous réserve d'éventuelles décisions pontificales) dans tous les diocèses des évêques délibérants. La province de Reims émet un « Avis concernant l'exercice du Saint Ministère dans les circonstances présentes » (58). Fribourg-Constance met sur pied un « Recueil d'instruction et de décisions à l'usage des missionnaires de France », c'est-à-dire des prêtres émigrés qui s'apprêtent à rentrer en France après le 18 Fructidor pour exercer leur ministère selon l'ecclésiologie tridentine. Ainsi s'affirment les trois buts des conférences épiscopales : continuer le gouvernement pastoral de leurs diocèses; conseiller Rome où une congrégation de cardinaux centralise, depuis la fin de 1792, les opinions des prélats et prépare, à partir de ces matériaux, les éléments de décision du Pape; instruire les prêtres qui retournent en France et qui devront subir un examen doctrinal, à leur départ, surtout s'ils sont investis des pouvoirs de chef de mission (59).

Après tout, l'épiscopat ne faisait que recouvrer ainsi la plénitude de ses fonctions. Il en allait autrement avec l'expérience originale menée à Ferrare par les soins du cardinal-

(58) *Arch. des M.E.P.*, vol. 1055, f° 289 à 314.
(59) CH. LEDRÉ, *Le culte caché sous la Révolution : les missions de l'abbé Linsolas*, Paris, 1949.

archevêque Alexandre Mattei (1740-1820) (60). En fidèle disciple de saint Charles Borromée, il tenait fidèlement dans son diocèse, depuis son arrivée en 1777, synodes et conférences ecclésiastiques. Il organisait des retraites pour son clergé et doublait son sens pastoral d'une proverbiale charité qui lui fit supporter la charge personnelle de trois cents prêtres émigrés français (61). La ville en comptait près de quinze cents en 1793. Non content de pourvoir à leurs besoins matériels, le cardinal voulut les rendre utiles à l'Eglise en instituant des conférences théologiques avec le concours des Prêtres de la Mission qui avaient une maison non loin du palais épiscopal. L'un de ces Lazaristes français, Etienne Cellard, prêtre de la Mission de Lyon, âgé de 37 ans, en devint le directeur (62), bien que les évêques de Fréjus, Mgr de Beausset, et de Toulon, Mgr de Castellane-Mazangues, fussent

---

(60) D'autres milieux de l'émigration française rassemblèrent des prêtres plutôt, semble-t-il, pour les instruire que pour les amener à délibérer des problèmes révolutionnaires : ainsi l'abbé Laurent-Joseph Cossart (1753-1802), curé de Wimille au diocèse de Boulogne et proche parent de Jean-Baptiste Cossart, administrateur apostolique du diocèse de Tours de 1795 à 1796, après la mort de Mgr de Conzié à Amsterdam. Sous l'autorité de Mgr Asseline, il organise avec plusieurs confrères des conférences pastorales pour quelque deux cents prêtres réfugiés à Münster, *Cours de prônes en forme d'instructions familières sur la religion et les principaux devoirs du christianisme. Par un grand nombre d'ecclésiastiques françois réfugiés en Allemagne*, Münster, 1799, 2 vol. in-8. Le texte en sera repris dans le *Miroir du Clergé*, Lyon, 1815, qui connaît plusieurs rééditions dont la dernière, corrigée et augmentée des *Principaux devoirs d'un prêtre en forme d'examen*, Lyon et Paris, 1824, 2 vol. in-12. A la faveur de retraites, ainsi la deuxième prêchée à Fribourg à partir du 16 avril 1794 par les supérieurs et directeurs des séminaires de Besançon, Châlon-sur-Saône, Nevers et Limoges devant trois cents prêtres et sept évêques, se tiennent des conférences ecclésiastiques en forme d'instructions, cf. TOBIE DE RAEMY, *op. cit.*, p. 91.

(61) F. X. FELLER, *Dictionnaire historique ou Biographie universelle*, Paris, 1836, t. XIV, col. 210. Lorsque Bonaparte marchera sur Rome, en 1797, Mgr Mattei négociera avec lui et prendra part au traité de Tolentino.

(62) *Arch. Vatic.*, Emigrati Rivoluzioni Francese, reg. 19, lettres des 1er juin et 23 juillet 1796. Voir aussi dans le fonds Epoca Napoleonica Francia (1792-1815), liasse 22, doss. 8, « questions préliminaires sur la restitution, décidées au cours de l'année 1796 par MM. les prêtres français résidant à Ferrare » (66 pages).

C'est le texte publié, dans sa thèse, par R. PICHELOUP, *op. cit.* (suppléments, p. 4 à 25). Il ne forme que le premier des cinq cahiers conservés dans le ms. 144 de la Bibl. munic. d'Arles et des six du vol. 1056 des M.E.P. De sorte qu'abstraction est faite des questions sur le schisme, la discipline, la juridiction, le mariage, la foi, etc... R. PICHELOUP étudie attentivement l'œuvre de l'Hospitalité aux Français, son fonctionnement et les activités de son directeur, Mgr Caleppi (p. 231-247).

à l'époque les hôtes du Cardinal. Celui-ci élabora lui-même le règlement des sessions qui devaient se dérouler à l'archevêché et dans la maison des Lazaristes, du 15 janvier 1793 au 23 juillet 1796, date à laquelle le général Robert chassera les prêtres français de Ferrare dans les vingt-quatre heures. Les conférences obéissaient à un protocole très strict (63) : réunions de deux à trois fois par semaine à partir de trois heures de l'après-midi pour l'étude de questions de théologie morale « ad finem enutriendi et fovendi spiritum pietatis ac religionis quo ex Gallia emigrati aut deportati fuerunt ». Le règlement ne prévoyait pas les matières, mais la méthode des discussions en même temps que les prières d'usage pour le Roi et pour les victimes de la Révolution. Pour la clarté des débats, deux interlocuteurs seulement en présence : l'un exposant la thèse, l'autre la discutant. On devait toujours s'en tenir à une langue simple et claire et aux sources scripturaires, patristiques et conciliaires, dans le plus grand souci de la charité et de l'amour de la vérité.

Aura-t-on eu connaissance, en France, du règlement de Ferrare ou doit-on conclure à une simple coïncidence puisque *la Seconde lettre Encyclique de plusieurs Evêques réunis à Paris* porte les mêmes prescriptions fondamentales à l'usage des presbytères constitutionnels en 1795 ? la première hypothèse paraît peu vraisemblable et donne à la seconde tout son relief. Elle manifeste, en effet, la volonté généralisée de sortir le clergé du second rang d'une paralysie doctrinale, rançon de sa sujétion envers une hiérarchie sourcilleuse. Les nécessités qui auront provoqué cette sorte d'émancipation ne déclencheront pas pour autant une explosion démocratique chez les prêtres réfugiés. Dans une lettre du 1er juin 1793, ils présentent au cardinal Mattei les premiers fruits de leurs travaux et tiennent à spécifier : « ...Il nous convenait par bien des motifs, et faute de moyens, d'aborder avec circonspection des matières la plupart neuves et aussi neuves que délicates (...). Nos réponses ne sont pas des décisions à nos

---

(63) A. THEINER, *op. cit.*, t. II, p. 568-570. Texte latin en douze articles.

yeux et si nous avons la témérité de les regarder comme telles, nous prierons alors Votre Eminence, d'après les principes dont nous tirons aujourd'hui notre gloire, de vouloir bien les soumettre en notre nom à l'oracle de Sa Sainteté » (63 *bis*). Aussi respecteront-ils la forme classique des conférences ecclésiastiques, celle des cas de conscience énoncés dans une question principale et traités dans des réponses subdivisées. En raison des bouleversements sociaux, des engagements politiques et des options ecclésiologiques des membres de leur clergé, les évêques constitutionnels devront montrer davantage de fermeté. Leurs deux premières *Lettres encycliques* s'attacheront, et à bannir le presbytérianisme nommément visé, et à rappeler que le corps épiscopal est, par nature, hiérarchiquement supérieur à celui des prêtres. Ces deux points, au reste, passeront sans difficulté réelle et, malgré quelques conflits locaux, ne seront même pas évoqués au cours des deux conciles nationaux. Après l'émancipation de fait des prêtres, cette revendication de droit des évêques pouvait constituer une seconde base d'accord de toutes les parties catholiques en conflit au moment du Concordat. Elles ne sont pas si nombreuses dans ce dialogue difficile pour qu'on omette de les souligner.

Dans les deux camps, seule l'accumulation des épreuves et des soucis doctrinaux fera surgir, au long des années, le bien commun et plier des tempéraments récalcitrants : on devine cette évolution au ton des conférences épiscopales. De l'austérité canonique de Londres, en 1793, on passe à l'urgence d'enseigner plutôt que de condamner avec l'assemblée provinciale de Reims en 1795. Ferrare cherche à cerner toute la complexité de la pastorale révolutionnaire en subdivisant scrupuleusement tous les cas qui représentent autant de situations concrètes : les protégés du cardinal Mattei n'en sont plus à bloquer, comme le voulaient les intégristes romains, serment constitutionnel et serment civique, car il est clair qu'on connaît l'affaire Emery et que l'on veut en tenir compte. Dans ce domaine encore, l'un des plus délicats, l'abbé

(63 *bis*) *Ibidem*, p. 566.

Lambert rapporte dans ses souvenirs la fusion opérée entre Fribourg dominée, rappelons-le par le sévère M. de Sisteron, et Constance porté à l'indulgence avant les démêlés personnels de Mgr de Juigné avec son conseil parisien. Le serment de liberté-égalité avait créé, dit l'abbé Lambert, en qualité de secrétaire particulier de l'archevêque de Paris « une espèce de scission... Les deux opinions ont fini par se rapprocher et s'adoucir : tellement que l'indulgence des évêques de Constance n'a point dégénéré en mollesse et que le fonds d'austérité et de sévérité qu'ont retenu ceux de Fribourg n'a jamais été jusqu'à la dureté. La congrégation des Cardinaux consultée sur cette question a renvoyé, comme les évêques de Constance, chacun à sa propre conscience, en attendant la décision du Souverain pontife » (64).

Même si les minutes des délibérations ne gardent que fort rarement traces des transactions accomplies entre les opinions divergentes, les textes de ces conciliabules sont précieux dans la mesure où ils témoignent d'une pensée officielle qui engage l'épiscopat français. En ce qui concerne Londres et Ferrare, leur authenticité est garantie par deux sources qui s'éclairent et se complètent mutuellement.

Ainsi MM. Boiret et Descourvières reçoivent de M. Chaumont, le 30 octobre 1793, les fragments des délibérations londoniennes concernant le mariage, dans le texte latin soumis à Rome (65). Le texte intégral des quatre sessions a été heureusement recueilli par M. Laurent Bonnemant, promoteur du diocèse d'Arles, qui réside à Bologne en octobre 1795 : il rencontrera les Missionnaires parisiens lors de leur repli sur Venise (66). Ils possèdent ensemble une copie des conférences de Ferrare, mais l'ordre des matières est parfois différent d'une source à l'autre. La copie des Missions Etrangères est beaucoup plus complète que le texte arlésien qui ignore les questions sur la discipline, sur le culte décadaire et sur la foi, ce qui laisse penser qu'il est légèrement antérieur à la rela-

(64) Abbé Lambert, *Mémoires de familles historiques et religieuses*, Paris, 1822, p. 247.
(65) *Arch. des M.E.P.*, vol. 1055, f°s 317-325 et f°s 343-346.
(66) *Bibl. munic. d'Arles*, ms. 144, f°s 95-106.

tion parisienne (67). Nous croyons posséder le texte intégral des conférences de Fribourg que les missionnaires ont copié sur l'exemplaire de l'archevêque de Vienne (68), mais un doute subsiste, car, en 1812, Grégoire réclame à son ami Le Coz, archevêque concordataire de Besançon, le texte de ces conférences. Le Coz répond d'abord, le 26 juillet, qu'il les possède en cinq volumes in-quarto, puis le 30 novembre, il lui fait part de l'envoi de « cinq volumes in-8 manuscrits » qu'il avoue n'avoir jamais eu le temps de compulser (69). Il semble, toutefois, qu'on ait réuni sous le titre de « conférences de Fribourg » non seulement les délibérations générales, mais encore plusieurs discours, avis ou instructions particulières comme celles que Mgr de Clugny adresse, le 25 octobre 1794, aux « missionnaires qui seront approuvés pour le diocèse de Riez » (70).

Il n'est point question évidemment, dans le cadre de cette étude, d'analyser, même succinctement, les quelque six cents pages in-folio qui forment la masse documentaire de ce travail ni de multiplier les explications techniques nécessaires au vocabulaire et à certains concepts théologiques. Il nous suffira, pour demeurer fidèle à notre propos ecclésiologique, d'aborder deux des quatre problèmes majeurs devant modifier les thèses traditionnelles : l'unité dans l'Eglise et la sécularisation, puisque nous est déjà connu à propos des relations Eglise-Etat et des rapports subalternes de l'Episcopat à l'ègard de la Papauté, le sentiment des prélats.

Comme telle, une réflexion sur l'Unité de l'Eglise ne s'impose pas aux catholiques romains de l'émigration. Elle ne donne lieu, dans leurs conférences, à aucun enseignement *ex cathedra* parce que la situation leur apparaît très claire-

(67) *Arch. des M.E.P.*, vol. 1056, f°s 1 à 226. *Bibl. munic. d'Arles*, ms. 144, 54 p. petit in-8.

(68) *Arch. des M.E.P.*, vol. 1056, f°s 227 à 310, en trois cahiers.

(69) L. Pingaud, *Correspondance de Le Coz et de Grégoire*, Besançon, 1906, p. 80 et 87.

(70) *Arch. des M.E.P.*, vol. 1055, f°s 325 à 328. — *Bibl. munic. d'Arles*, ms. 144, f°s 147 à 155.

ment : la communion des fidèles à l'Eglise dépend de la validité des sacrements reçus des mains de prêtres habilités, d'une part, au moyen de leur Ordination, et de l'autre, à celui des pouvoirs de juridiction accordés par l'Ordinaire aux prêtres qui relèvent de son autorité. Principe de stricte théologie qui peut encore s'énoncer sous la forme suivante : depuis les Apôtres, nul ne s'envoie, mais chacun est envoyé par l'Eglise, autrement dit reçoit sa mission d'une autorité supérieure. La recommandation finale des évêques fribourgeois aux missionnaires illustre parfaitement cette doctrine :

« L'impossibilité de tout prévoir dans des circonstances aussi extraordinaires et auxquelles on étoit si peu préparé, laissera encore subsister bien des embarras pour nos zélés missionnaires, mais en fait de difficultés et surtout de pouvoirs, il y a bien moins d'inconvéniens à laisser éprouver aux fidèles quelques besoins que d'y pourvoir en usant d'un pouvoir qu'on n'a pas ».

En vertu de cela, les prêtres de Ferrare distingueront toujours parmi les cas d'abdication sacerdotale et de soumission aux différents serments, le clergé canoniquement institué et qui le demeure, quelles que soient les fautes qu'il ait pu commettre, et le clergé intrus. Les deux premières questions de la Ve conférence sur la juridiction défendent ce point de vue :

« Les évêques et curés légitimement institués, mais jureurs et schismatiques ont-ils perdu leur juridiction ? » Réponse négative qui suppose quelques éclaircissements pour éviter la contradiction brutale qui voudrait que des prêtres réputés schismatiques, donc coupés de la communion de l'Eglise, puissent encore conserver un ministère catholique. Les canonistes donneront donc l'explication suivante : s'il est vrai que le bref *Charitas* du 13 avril 1791 porte une suspense envers les jureurs, qualifiée de suspense *ab ordine,* qui atteint l'exercice du Sacerdoce et non la foi du chrétien, elle ne s'étend, selon eux, qu'à la juridiction extérieure. S'étend-elle à la juridiction intérieure dans le tribunal de la pénitence de manière à rendre les actes invalides ? Les théologiens de Ferrare en discutent et s'opposent : tous admettent toutefois que les prêtres passibles de cette suspense ne sont pas nommément dénoncés; or, pour qu'une censure produise son plein effet, il faut que celui qui l'encourt soit nommément dénoncé. Le paragraphe cinquième du bref *Inter funestas* du 26 septembre 1791 vient à l'appui de la thèse : « Quant aux curés jureurs schismatiques, ils n'ont pas perdu leur juridiction selon l'instruction pastorale de M. l'archevêque d'Aix pour les prêtres de son diocèse et de celle de M. l'évêque de Langres et de 40 évêques qui l'ont adoptée. Néanmoins ces curés se rendent coupables en exerçant leur juridiction » (71).

Ce qui introduit la deuxième question : « Quelles sont les principales raisons sur lesquelles on s'appuie pour établir que les évêques et les curés intrus n'ont point de juridiction dans les places à charges d'âmes qu'ils ont usurpées ? ».

On invoque la XXIVe session du Concile de Trente qui établit en son septième chapitre la distinction entre la puissance de l'Ordre et celle de la juridiction, d'où découle cet autre principe intangible : seule une autorité légitime peut déléguer une juridiction légitime.

Ici se noue définitivement la controverse ecclésiologique entre ultramontains et constitutionnels. Tout en reconnaissant que les décrets tridentins n'ont jamais été reçus officiellement en France, les premiers rappellent dans les conférences de Ferrare sur le mariage, par exemple, que de nombreux conciles provinciaux les ont adoptés. Les autres rétorquent que le droit et les coutumes gallicanes continuent de les ignorer et refusent d'accréditer des absurdités théologiques du genre puissance de l'Ordre et puissance de juridiction. Pour eux, la juridiction est inhérente à la mission laquelle se confère naturellement dans la réception du sacrement de l'Ordre. Les évêques ne sont-ils pas régulateurs et non auteurs du pouvoir ministériel, s'il est vrai qu'ils sont dispensateurs et non auteurs des sacrements ? Cette espèce d'invulnérabilité et de force infuse des signes de la foi, les pousse à maintenir une différence de nature entre le plan *sacramentaire* et le plan *disciplinaire*. Celui-ci est à celui-là ce qu'est la morale au

(71) La chose semble moins claire en 1793. A la question « si les schismatiques assermentés doivent être destitués des cures et des bénéfices dont ils ont les titres canoniques... », les évêques de Londres concluaient, le 1er juin, par la négative, mais contre l'opinion des évêques de Bruxelles, qui, avec le cardinal de Montmorency, désiraient que tous soient décrétés « d'hérésie formelle ». La ferveur absolutiste dénoncée à Londres par J. VIDALENC, *op. cit.*, p. 383-384, a donc son foyer en Belgique et ne survivra pas aux tentatives libérales du Comité de Londres.

dogme : seconde et contingente. La confusion crée à Ferrare, au nom du droit canonique, aboutit en réalité à tenir des « schismatiques » dans un service légitime, ce qui, avouons-le, complique singulièrement la conception de l'unité de l'Eglise !

Selon l'opinion des constitutionnels, l'unité dans l'Eglise prend son origine dans la foi communiquée à travers les sacrements, et rien d'autre. L'un des oracles théologiques, conseiller officiel de Grégoire, l'exprime avec force.

Claude Debertier jouit d'une réputation d'austérité. Farouche dans ses devoirs épiscopaux à Rodez, au plus fort de la Terreur, il trouve grâce auprès de P. Pisani. L'historien du clergé constitutionnel lui décerne cette mention flatteuse « esprit positif qui voyait juste » ; sans doute parce qu'attentif à naviguer au plus près des thèses ultramontaines. A peine intronisé, le 24 mars 1791, il publiait une profession de foi « d'un gallicanisme modéré » dont nous extrayons seulement deux articles :

« Je crois... 3° Que le Pape est le chef visible de l'Eglise, et que le siège qu'il occupe, comme successeur de saint Pierre, est le centre de l'unité catholique. J'ai toujours eu et j'ai encore en horreur profonde tout schisme par lequel on méconnoitroit l'autorité du Pontife romain ou l'on se sépareroit de l'unité attachée au Saint-Siège. 4° Que J.-C. a donné à Pierre et à ses successeurs la primauté d'honneur et de jurisdiction à laquelle est due toute obéissance réglée par les canons » (72).

Plusieurs fois il interviendra dans les Conciles nationaux pour rappeler ses confrères au « langage des Apôtres ».

Sous l'Empire, il rédige plusieurs mémoires presque tous inédits, dont celui intitulé : *Cause importante à juger ou la Cause du clergé constitutionnel débattue et soumise à l'Eglise catholique*. Il s'efforce de répondre à un contradicteur fictif sur la nature et le rôle de l'Eglise révolutionnaire. L'ancien évêque de Rodez se montre particulièrement sensible au

---

(72) P. Pisani, *Répertoire biographique de l'épiscopat constitutionnel* (1791-1802). Paris, 1907, p. 377-382.

reproche de schisme. Au terme d'une longue démonstration, il conclut (73) :

« Si donc il y eût jamais un reproche mal fondé, c'est celui qui nous a été fait d'avoir rompu tous les liens qui unissoient l'Eglise Gallicane au Saint-Siège. Prier pour le Pape, le nommer dans le Canon de la messe, lui écrire en signe de communion, déclarer dans les mandemens et dans les lettres pastorales qu'on demeure uni au Saint-Siège, l'informer de la tenue des Conciles nationaux, lui témoigner le désir de le voir présider aux saintes assemblées, y faire publiquement la profession de foi rédigée par les soins de Pie IV après le Concile de Trente, faire tout pour établir les anciennes et canoniques relations entre le Pontife romain et le Clergé Gallican, est-ce là vouloir et faire le schisme?

Mais, direz-vous, si le Pape vous refuse tout témoignage de communion, pouvez-vous dire que vous êtes en communion avec lui ? — Oui très certainement, nous pouvons le dire et l'assurer. Car dès lors qu'on conserve la foi, qu'on observe les loix de l'Eglise, quelque mécontentement que l'on ait causé au Pape pour avoir embrassé un parti qui lui déplaît, on n'est pas moins en communion avec le Saint-Siège, quoique le Pape refuse d'en donner les signes. Il faut une faute et une faute très grave pour être exclu de la communion de l'Eglise. Où il n'y a pas de faute, point d'exclusion. L'Eglise reçoit tous ses enfans dans son sein, tant qu'ils demeurent dans sa foi, qu'ils sont soumis à ses loix et qu'ils ne sont pas pour leurs frères un sujet de scandale. Ainsi unis à l'Eglise, leur mère, ils le sont au Saint-Siège qui est inséparable de l'Eglise; et si celui qui l'occupe refuse sans cause de leur en donner un gage, il rendra compte à Dieu de ce refus injuste, contraire à l'esprit de Jésus-Christ et de l'Eglise. »

Et qui donc a maintenu la foi, rempart de l'Unité, renchérissent les constitutionnels ? Les prêtres instruisant et secourant le peuple de Dieu contre vents et marées révolutionnaires ou les pasteurs dits légitimes abandonnant diocèses et paroisses au mépris de la sacro-sainte juridiction ?

Avant même de connaître le décret porté contre les « déserteurs » par le deuxième concile national, les émigrés, piqués au vif, ripostent. Maintes lettres pastorales entre-

---

(73) *Bibl. Soc. de Port-Royal,* manuscrits Debertier, t. V, 124 p. in-8, p. 54-56. Cf. A.-C. Sabatié, *Debertier évêque constitutionnel et le clergé de Rodez.* Paris, 1912. L'auteur, qui fait allusion aux œuvres manuscrites de l'ancien évêque (p. 453-454), ignorait l'existence des documents cités ici.

prennent de timides justifications personnelles, mais les conférences épiscopales écartent ce sujet brûlant. Il est vrai qu'un manifeste du 15 août 1798, signé par quarante-sept évêques, l'évêque nommé de Moulins et le prince évêque de Bâle, relève l'accusation (74) :

« Du reste, nous ne nous plaindrons point de ce qu'on qualifie notre retraite forcée de *lâche* ou *perfide désertion qui laissoit l'Eglise de France sans secours*. Ces imputations nous rappellent ce que Jésus-Christ disoit à ses disciples (...) et si nous croyons devoir écarter l'odieux qu'on cherche si injustement à répandre sur notre conduite, ce n'est par aucun sentiment d'amertume contre ceux qui nous ont calomniés que nous agissons ainsi : nous ne le faisons que dans la vue d'empêcher le scandale que leurs calomnies pourroient occasionner aux fidèles.

Non, nous n'avons pas cru nous rendre coupables de lâcheté, en conformant notre conduite à cette parole du divin Maître : « lorsqu'on vous persécutera dans une ville, fuyez dans une autre », sur-tout quand nous avons reconnu que notre présence dans nos diocèses ne servoit qu'à aigrir les méchans, à rendre la persécution plus active et à augmenter les périls que couroient sans cesse nos coopérateurs. »

Il appartenait aux prêtres de Ferrare d'apporter les arguments juridiques en faveur de l'émigration. Ils s'y reprennent par deux fois : d'abord dans les discussions de discipline, ensuite dans la neuvième question sur la Foi au cours d'une dissertation de quatorze pages.

« Les Fidèles peuvent-ils fuir la persécution ? Dans quel cas un pasteur peut-il abandonner son troupeau au temps de la persécution ? ».

Pour les fidèles — et il faut songer ici aux laïcs émigrés — la fuite qui expose la vie des personnes et la perte de leurs biens n'est pas une abjuration tacite de la foi, mais au contraire « la vraye et solennelle profession » d'après saint Cyprien en référence à l' « évasion » de saint Paul à Damas. Quant aux pasteurs ayant charge d'âmes, ils doivent de toute nécessité procurer les secours spirituels au péril de leur vie.

---

(74) *Instructions sur les atteintes portées à la religion, données en 1798, au nom de tous les évêques de France sortis du royaume,* réimp. à Besançon, 1819, 155 p. in-8, p. 65-66.

Toutefois peut-on dire que les pasteurs légitimes ont fui la persécution ? Non.

« Ils sont restés pendant plus d'une année au milieu de leurs troupeaux, dépouillés de leurs biens, exposés à toutes sortes de désagrémens et quelquefois même à la mort... Ils ne pouvoient être obligés de rester au milieu de leurs ouailles que pour pourvoir à leurs besoins, or, en y restant, il leur étoit impossible d'y pourvoir. Journellement exposés à des inquisitions domiciliaires, environnés de toute part d'une foule de délateurs soudoyés pour découvrir tout ce que pouvoient faire les prêtres, ils auroient été bientôt renfermés dans des prisons inaccessibles aux fidèles ou relégués dans des isles ou même massacrés... » Au bout de tant d'hypothèses et de futuribles, l'objectivité commande de reconnaître que « dans le grand nombre, il est possible que quelques-uns ayant été un peu trop précipités dans la fuite du danger ou qu'en fuyant ils n'ayent pas pris les moyens qui étoient en leur pouvoir pour venir au secours de leurs ouailles. Nous ne prétendons pas les excuser. »

La gêne qui affaiblit ce plaidoyer discutable augmenterait bien davantage en répondant directement à l'évêque Debertier :

« ... Fallait-il abandonner les fidèles confiés à nos soins pour ne vouloir pas subir une réforme que nous croyions devoir être très utile à l'Eglise ? La résistance, si elle eût été générale, n'exposait-elle pas la Religion ? Tous les ministres de cette Religion, à la conservation de laquelle il est si juste de tout sacrifier, n'auraient-ils pas été avec quelque raison, accusés d'être les ennemis du peuple, de vouloir conserver leur domination et leurs richesses et d'être eux-mêmes les premiers fauteurs des abus qui déshonoroient l'Eglise ? Pour prévenir tous ces maux et une suite incalculable de malheurs, ce n'était pas assez de se soumettre, il étoit encore très urgent de se prêter à l'exécution de la loi. Quelque peine que nous éprouvassions à remplacer des Evêques et des curés estimables, il fallut par amour pour la Religion, et par zèle pour le salut des âmes, se décider à prendre des postes auxquels la loi et le vœu des peuples nous appeloient. Nous n'avons donc pas renoncé aux droits sacrés de l'Eglise, nous les avons au contraire défendus. A moins qu'on n'appelle la domination du Clergé ses biens, ses richesses et le renversement total des canons, droits sacrés de l'Eglise. Car nous avons renoncé et à une domination que J.-C. a interdite à ses Apôtres, et à des biens et à des richesses périssables dont l'Eglise peut se passer, nous contentant, suivant le précepte de l'Apôtre, du vêtement et de la nourriture; et enfin toutes les coutumes introduites contre les règles dans l'Eglise, par l'ambition, l'avarice et des prétentions aussi fausses qu'injustes. Cette renonciation qui n'a rien en elle-même que de louable, étoit devenue le plus rigoureux [devoir] dès lors que la loi l'exigeoit... »

La querelle de l'Unité se voyait de la sorte renvoyée au grand débat moderne sur la sécularisation.

***

Reconnaissez-donc, disaient les constitutionnels aux ultramontains, que vos scrupules de canonistes s'abritent derrière votre peur de propriétaires, que toute votre conception ecclésiale tient à un certain type de société contrairement à la vocation du christianisme. N'est-ce pourtant pas cette exigence foncière que réaffirme, avant toute autre chose, l'*Avis* des évêques de la province de Reims en 1795 ?

Que les missionnaires partent du principe « que J.-C. a donné à son Eglise une puissance spirituelle véritablement souveraine et indépendante en ce qui est de son ressort de toute puissance civile... ». Qu'ils se guident sur ces deux préceptes : « Rendez à César ce qui est à César et à Dieu ce qui est à Dieu » et « faites aux hommes ce que vous désirez qu'ils vous fassent (Mat. 22/21 et 7/12) ». Les constitutionnels ne parlent pas différemment.

Toutefois le malheur veut que les évêques émigrés protestent de l'indépendance de l'Eglise en face de la puissance civile, à partir du moment où celle-ci s'incarne dans un régime républicain, illégitime à leurs yeux, et que les constitutionnels doivent leur existence à cette même puissance civile au prix de nouvelles inféodations. Les intérêts de parti sacrifieront une occasion inespérée d'épurer le débat au bénéfice d'une Théologie politique dont le besoin était ressenti en commun. D'autant que la sécularisation s'impose comme une situation de fait avec laquelle les ultramontains doivent composer.

Il était relativement facile de le nier dans deux domaines vitaux pour la conscience des fidèles : les biens du clergé et des émigrés; le mariage. Sur le premier point, toutes les conférences adoptent la doctrine de Fribourg : l'acquéreur de biens nationaux, parce que détenteur du bien d'autrui, ne jouit d'aucune propriété. Faute de pouvoir restituer, dans les circonstances actuelles, au légitime propriétaire, il doit mettre en dépôt les fruits de la propriété, étant dans les dispositions de rendre tout ce qu'il pourra et dès qu'il le pourra. De même l'intérêt du prêt, quoique permis par l'Assemblée Nationale, contrevient à la loi divine et aux lois ecclésiastiques. Un raisonnement identique proscrira le divorce sans résoudre toutes les conditions de validité du mariage catholique rappelées à Londres, au cours de la quatrième délibération du 30 septembre 1793. Un long préambule et treize articles établissent comme nul et sans valeur tout mariage contracté sans la présence du propre curé légitime — nécessaire d'après le Concile de Trente. Les fidèles demeurent astreints à la législation de l'Eglise concernant les empêchements à mariage sous peine d'invalidité de leur union. Entrent cependant en ligne de compte les « dangers notoires et manifestes, comme les dénonciations qui constituent un vrai motif de crainte, en beaucoup de cas » au point que « l'impuissance de recourir au propre pasteur légitime doit être regardée en France depuis la publication et exécution des susdits décrets comme l'état habituel de la communauté des fidèles ». Comment concilier cet « état habituel » avec une législation ecclésiastique devenue, elle, extraordinaire ? A la communauté de supporter les conséquences de cette distorsion dont les conférences se contenteront d'examiner les incroyables possibilités !

Semblable désinvolture, que d'aucun qualifieront ensuite de criminelle, semble présider au règlement d'autres questions, comme la dix-huitième sur la Foi, à Ferrare.

« A-t-on pu pendant la révolution, sans blesser la foi, nier qu'on fut aristocrate, dire, assurer, jurer qu'on étoit patriote ? Non tant que cela comportoit une signification purement civile et que ces allégations n'étoient point faites sous serment. Mais on n'a pu, sans enfreindre le précepte négatif de la foi, nier qu'on fut aristocrate et encore moins qu'on fut patriotte dans toutes les occasions auxquelles le mot *aristocratte* désignoit un catholique et celui de patriotte, un partisan de la révolution ecclésiastique, car le mot *aristocratte* répondoit alors à la qualification de chrétien chez les infidèlles, de papiste chez les hérétiques et celui de *patriotte* à ceux de mahométan en Turquie, de protestant en Allemagne, etc... Cette décision est de Saint Augustin (tract. 113 in Joann.) »

En revanche, la science des théologiens tridentins bute devant les créations spécifiquement révolutionnaires telle que les assignats. L'assemblée épiscopale de Fribourg-Constance y revient à deux reprises sans cacher son embarras. Elle se défend d'abord de reconnaître la légitimité du papier-monnaie tout en étant contrainte de constater qu'il a force de loi chez les Français : « Ils vouloient la Révolution et ils adoptoient tous les moïens pour l'opérer ». On ne peut donc retenir davantage l'objection d'après laquelle « la portion saine de la nation » a refusé l'argent républicain, car, « quand il est question dans un corps, une société, d'accepter une charge commune, on compte les voix, on ne les pèse pas ». Remarque qui, érigée en principe, aurait dû conduire les évêques émigrés fort loin !... En conséquence, on se rangera à la décision des évêques qui avaient auparavant consulté des théologiens de Paris pour trancher entre deux opinions contraires. Les uns estiment qu'on ne peut et qu'on n'a jamais pu payer ses dettes avec des assignats, d'où l'obligation de dédommagement envers les créanciers; les autres admettent que les transactions en assignats, n'attentent pas à la justice. Devant la difficulté de la controverse, il est admis, d'une part, qu'à l'exception du prêt gratuit, les confesseurs n'inquiéteront pas les fidèles qui se seront acquittés d'un contrat en assignats et d'autre part, qu'il est indifférent que les assignats soient reçus ou achetés.

Bien entendu, la décision demeure boîteuse au regard de la justice qui veut une stricte équivalence entre le paiement et la dette. Or, l'équivalence disparaît quand le paiement se fait en assignats pour une dette contractée antérieurement à leur émission. A cela on rétorquera que si la nouvelle monnaie n'indemnise pas le créancier « c'est le vice de la loi, ce n'est pas une injustice de la part du débiteur ». D'ailleurs, « lorsque l'injustice est générale et que la nation consent à la supporter, elle devient une charge commune ». Les confesseurs obligeront néanmoins à restitution, et les agioteurs, et les fabricants de faux assignats,

« sur le pied, précisent les évêques de la province de Reims, de la valeur légale desdits assignats quoi qu'elle fut supérieure à leur valeur réelle ». Conscients d'être engagés dans un processus scabreux, les conférenciers de Fribourg s'empressent d'observer « que ce que nous avons dit des assignats ne regarde que la France : qu'il nous paroit qu'en Savoye et dans les autres pays occupés maintenant par les François, les assignats sont plutôt une servitude commune ou un joug imposé par la force qu'une charge commune acceptée par la nation : que, par conséquent, il faudroit raisonner des assignats dans ces pays-là, comme nous avons raisonné de la loi du maximum » à propos de laquelle ils concluaient, malgré sa suppression, à son caractère vexatoire, et donc sujette à des soustractions « chaque fois que l'on a pu. »

Dans l'atmosphère de déchristianisation, la pensée de la hiérarchie catholique exprimée à travers ces décrets, choisis de préférence à d'autres pour leur contenu sociologique, n'apparaîtra que plus révélatrice d'une mentalité trop tourmentée pour apaiser les consciences.

Empêtrés dans des contradictions non résolues, les évêques édictent une législation qui ne satisfera personne, mais déclenchera des drames durables dans les confessionnaux de la période concordataire. Trahis à la fois par leurs redoutables exigences doctrinales et par le pragmatisme contraint de leur pastorale, ils n'hésiteront pas, en tout cas, à forger l'axiome politico-moral de la responsabilité collective de tout un peuple envers ses propres maux révolutionnaires.

Les *Considérations sur la France* de J. de Maistre, publiées à la même époque, se chargent de la philosophie de la chose :

« Il faut encore faire une observation importante : c'est que tout attentat commis contre la souveraineté *au nom de la nation,* est toujours plus ou moins un crime national; car c'est toujours plus ou moins la faute de la Nation si un nombre quelconque de factieux s'est mis en état de commettre le crime en son nom. Ainsi tous les Français n'ont pas *voulu* la mort de Louis XVI; mais l'immense majorité du peuple *a voulu* pendant plus de deux ans, toutes les folies, toutes les injustices, tous les attentats qui amenèrent la catastrophe du 21 janvier. » (75)

Convaincus de la justesse de l'axiome, les prélats refuseront à la partie adverse, les constitutionnels, l'apport ecclésiologique qui leur faisait défaut et les catholiques devront aussi en supporter les frais. Les obstacles à un rapprochement théologique étaient-ils donc plus forts que les préjugés ?

*
* *

En sollicitant des ouvertures officielles du côté des réfractaires, en 1795, les parisiens groupés autour de Grégoire espéraient prouver au contraire la possibilité d'une détente, voire d'une entente. Après les invitations d'usage, ils attendirent, au cours de deux séances introductives du premier concile national, leurs confrères du clergé orthodoxe. En vain. La solennelle confrontation n'aura jamais lieu. Grande eût été la surprise des prêtres « romains » s'ils avaient simplement soumis à la discussion les dix-sept articles de doctrine que venait de rédiger le clergé en émigration à titre de profession de foi pour tous les ecclésiastiques français (75 *bis*). Il nous suffira d'indiquer la réponse des conformistes après chaque thèse de cette profession, antimoderniste avant la lettre, pour clarifier définitivement cette longue et tortueuse controverse ecclésiologique encore envenimée par une historiographie partielle, sinon partiale.

1. *La puissance spirituelle ne réside point dans le corps des fidèles en sorte qu'ils soient sensés l'exercer par le ministère des pasteurs, mais seulement dans les pasteurs canoniquement ordonnés et institués.*

Les jansénistes et beaucoup de gallicans font leur la définition insérée dans les *Nouvelles Ecclésiastiques* de 1778 :

---

(75) *Œuvres complètes*, édition *ne varietur*, t. I, ch. II, p. 12.
(75 *bis*) *Bibl. Munic. d'Arles*, ms. 144, f° 155, *Articles de doctrine opposés aux erreurs des partisans de la Constitution française sur lesquels les prêtres adhérans à cette constitution doivent donner une déclaration expresse de leurs sentimens.*

« C'est l'assemblée de tous les fidèles qui sous la conduite des Pasteurs légitimes ne sont qu'un même Corps dont Jésus-Christ est le chef invisible et le Pape le Chef visible »... Il reste entendu que, communautaire par nature, l'Eglise visible doit emprunter des structures hiérarchiques qui confondent toute anarchie et démocratie directe. « Les Pasteurs légitimes sont les Evêques et sous leur autorité les Prêtres parce qu'ils succèdent aux apôtres et aux 72 disciples que Jésus-Christ a établis pour instruire et pour gouverner les fidèles » (76).

2. *La puissance civile n'a pas le droit de changer, réformer ou modifier les lois de l'Eglise, ni de lui prescrire de nouvelles règles de discipline.*

Réponse de l'évêque Debertier : A la puissance civile représentée par l'assemblée constituante « nous ne lui avons accordé que ce qu'il ne nous étoit pas permis de refuser. N'étoit-elle pas, avec le Roi, puissance législative ? Or, toute puissance législative n'a-t-elle pas le droit de s'opposer à toute institution ecclésiastique non *nécessaire au salut des âmes* et qui ne peut s'accorder avec le bien temporel des Etats ? ... On suppose aussi faussement que nous avons reconnu dans l'assemblée constituante un tel droit de protection sur les matières de discipline essentielle et intérieure qu'il aille jusqu'à pouvoir changer les coutumes anciennes et en établir de nouvelles. C'est précisément l'inverse... ». Restait à s'entendre sur la notion de « discipline » conjointe à la légitimité de la puissance civile...

3. *Tout ministre qui n'est appelé et institué que par le peuple ou les magistrats n'est point un légitime ministre de la Parole de Dieu et des Sacremens.*

Pourquoi, rétorquent les constitutionnels, les Evêques et les curés dits légitimes se sont-ils insurgés contre la puissance civile qui les a dépossédés non de leur caractère,

(76) Sur la discussion de cette thèse, cf. B. Plongeron, « Une image de l'Eglise » d'après les « Nouvelles Ecclésiastiques (1728-1790) », dans *Revue d'Hist. Egl. de France*, juillet-déc. 1967, p. 248-252.

mais de leurs territoires ? « Ce n'était pas à nous, expose Debertier, d'examiner et de juger la conduite du Souverain, si son décret par lequel il refusoit territoire à ces Evêques et à ces pasteurs du second ordre, étoit juste ou injuste. Il nous suffisoit de n'y pas voir une injustice évidente et de voir très évidemment que la loi à laquelle nous nous soumettions n'attaquoit la Religion ni dans sa morale ni dans ses dogmes ». De toute manière le soin des fidèles primait. On a d'ailleurs trop souvent négligé le respect et le désir d'entente à l'amiable que les constitutionnels manifestaient à l'égard des non-conformistes. L'exclusive ne vient pas d'eux.

4. *Outre le pouvoir d'Ordre, il faut reconnoître un autre pouvoir de juridiction nécessaire pour exercer validement certaines fonctions pastorales.*

C'est probablement, nous l'avons déjà vu, l'une des contestations les plus profondes des constitutionnels : elle posait, à tout le moins, la nécessité d'une théologie du sacerdoce et même d'un approfondissement de l'enseignement tridentin puisqu'au Concile, on n'avait pu s'entendre sur l'origine divine ou humaine de la juridiction des évêques et encore moins sur l'autre question de fond : la primauté papale et l'origine du pouvoir des évêques, en dépit des affirmations de la thèse suivante (77).

5. *Le Pape a de droit divin non seulement une primauté d'honneur, mais encore une primauté de juridiction sur toutes les églises du monde. C'est en vertu de cette juridiction qu'il enseigne dans toute l'Eglise et qu'il est en droit de réformer l'enseignement des autres pasteurs, qu'il porte des censures, qu'il se réserve l'absolution de certains cas, qu'il donne des dispenses.*

Les prérogatives pontificales ne souffrent d'aucune diffi-

---

(77) W. Bertrams, « De quaestione circa originem potestatis juridictionis episcoporum in concilio tridentino non resoluta », dans *Periodica Rer. Mor. Can. Litt.* 52 (1963), p. 458-462. — H. Grisar, « Die Frage des päpstlichen Primates und des Ursprunges der bischöflichen Gewalt auf dem Tridentinum », *Zeitschr. Kath. Theol.* 8 (1884), p. 453-507, p. 727-784.

culté, une fois adoptée la précision gallicane : qu'en matière de foi, le Pape ne peut agir seul, mais de concert avec les évêques. Quant à l'irritante dispute des censures et dispenses, Debertier fait remarquer : « l'Etat ne saurait demeurer indifférent sur cette matière qui l'intéresse dans une partie essentielle de sa législation. Si, donc, le législateur françois considérant : 1° que la réserve de certaines dispenses donne à la Cour de Rome une trop grande influence sur l'état politique des citoyens; 2° que c'est une chose qui fait passer beaucoup d'argent dans un pays étranger; 3° qu'il n'y a d'autre loi que l'usage qui ait établi cette réserve; 4° que cet usage n'a eu lieu que peu à peu et qu'il n'a jamais, pas même dans les derniers tems, été uniforme pour tous les diocèses de France, si, dis-je, le législateur françois, entraîné par tous ces motifs, a voulu qu'à l'avenir, ceux qui auroient besoin de dispenses s'adressassent à leurs Evêques (...) peut-on lui en faire un crime ?... ».

6. *La juridiction des évêques et, à plus forte raison, celle des curés, n'est pas universelle, mais bornée à un diocèse, à une paroisse par l'Eglise. Il n'est pas au pouvoir de la puissance civile de la diminuer ni de l'étendre, de l'ôter aux uns et de la donner aux autres.*

C'est une mauvaise querelle, selon les conformistes, que reprocher à la Constituante la redistribution des évêchés en fonction des nouveaux départements. « Elle n'a fait en cela, rappelle Debertier, qu'ordonner l'exécution de ce qui a été réglé par l'Eglise elle-même qui, depuis sa fondation, s'est toujours fait un devoir de distribuer son territoire ecclésiastique sur le modèle de la distribution civile et qui a voulu que toute Métropole civile fût par là même métropole ecclésiastique ».

Grégoire ne manque jamais d'ajouter, sur ce chapitre, que les évêques Réunis sont finalement plus farouches sur le principe que leurs détracteurs puisqu'ils n'acceptent pas le transfert à un autre siège d'un évêque quand il est « marié » à une cathédrale, sous peine d'adultère.

7. *Les évêques successeurs des Apôtres sont supérieurs aux prêtres par leur caractère et par leur juridiction. Ils peuvent en faire tous les actes validement sans avoir recueilli le suffrage de leur presbytère et la puissance civile ne peut lier leur juridiction par cette formalité.*

La thèse englobe deux accusations demandant à être séparées : 1° sur l'éternel reproche d'une puissance civile envahissant la compétence ecclésiastique, les constitutionnels ont déjà répondu nettement par la négative et s'en tiennent à la distinction entre juridiction extérieure (de la compétence de la puissance civile) et la juridiction intérieure (du seul droit ecclésiastique).

2° A l'accusation de presbytérianisme, l'Evêque Debertier objecte la question de droit et la question de fait. Sur le droit : « Le IVe Concile de Carthage avait donc aussi consacré le presbytérianisme en ordonnant, canon 22, que l'Evêque ne juge aucune cause sans ses clercs et qu'autrement la sentence seroit nulle ? ». Le fait appelle des nuances d'importance, car : « autre chose est de délibérer et prendre l'avis des membres d'un Conseil, autre chose être obligé de suivre l'avis du plus grand nombre. La loi exigeoit que l'Evêque y fut astreint en deux cas seulement, ou plutôt dans un seul cas, lorsqu'il s'agirait de destituer un membre du Conseil ». Ce qui a permis aux *Evêques Réunis,* dans leur Lettre encyclique de 1795, de reprendre presque mot pour mot l'énoncé de la thèse précitée !

8. *Des évêques qui monteroient sur des sièges érigés par la seule autorité civile n'entreroient point dans la succession du ministère apostolique.*

Naturellement cette *damnatio memoriae* indigne d'abord les évêques conformistes, en attendant de provoquer leurs sarcasmes lors de la « légitimation » des ex-constitutionnels intégrés dans le personnel concordataire.

9. *L'Eglise n'admet pour la distribution des divers ministères que des élections ou des nominations canoniques : pour être canonique le mode d'élection ou de nomination,*

quel qu'il soit, doit être approuvé par l'Eglise et la puissance civile ne peut en introduire un nouveau.

En ce qui concerne l'institution des évêques, personne ne s'insurgea contre la puissance civile quand elle s'appelait royauté et qu'elle favorisait des concordats « sources funestes d'une infinité de maux qui ont affligé et affligent encore l'Eglise. Les Concordats n'ont été adoptés par aucune de ses décisions. Ils n'ont même jamais été soumis à ses délibérations (...). C'est une erreur grossière de dire que le Pape est la source de toute juridiction dans l'Eglise, que les évêques la reçoivent de celui qui leur donne l'institution. C'est mettre l'homme à la place de Jésus-Christ, c'est dire que les évêques ne sont point établis par le saint-Esprit pour gouverner l'Eglise de Dieu ».

Debertier reconnaît que le mode d'élection des curés s'accommode « d'une apparence de nouveauté, mais si l'on fait attention à l'esprit qui dirigea toujours l'Eglise, on voit aisément que ce mode en est très rapproché » à preuve la consultation des fidèles avant l'ordination des prêtres.

10. *Il n'appartient qu'à l'autorité spirituelle de fixer les règles à suivre dans l'examen de la doctrine de ceux qui sont destinés à la charge pastorale et la forme de profession de foi que l'Eglise exige d'eux.*

Les constitutionnels en demeurent pleinement convaincus et n'ont jamais considéré les serments imposés par l'autorité civile comme des professions de foi, malgré l'allusion contenue dans cette proposition.

11. *Le Pape, selon la discipline actuelle, est le seul qui ait le droit de confirmer et d'instituer les évêques. Cette discipline ne peut changer par un effet des loix civiles.*

La réponse des objectants est contenue dans le point neuvième.

12. *Lorsqu'un pasteur est canoniquement institué dans l'Eglise, il ne peut cesser de l'être que par la mort, par sa démission libre et acceptée par l'Eglise ou par une*

déposition canonique. Celui qui usurpe est intrus et schismatique.

L'intrusion, ripostent les constitutionnels, n'est pas de notre fait, mais de la nécessité de ne point laisser les fidèles sans pasteurs; quant à être schismatique pour autant, c'est avoir une piètre opinion de l'unité dans l'Eglise.

13. *Les absolutions que donneroit un prêtre non revêtu d'une jurisdiction ordinaire, hors le cas de nécessité, sans l'approbation de l'Evêque, seroient nulles.*

C'est revenir, une fois de plus, à cette question de juridiction déjà abordée en plusieurs autres thèses. Les théologiens constitutionnels font observer que cette nullité ne frappe que les cas réservés selon le chapitre septième de la XIVe session du Concile de Trente.

14. *Le Sacerdoce de la nouvelle loi imprime un caractère indélébile.*

15. *Le mariage est indissoluble et le divorce proscrit par l'Evangile.*

Ces deux articles sont au « credo » des constitutionnels, purement et simplement.

16. *L'Eglise dispersée est infaillible et tout fidèle doit se soumettre d'esprit et de cœur, aux jugements dogmatiques émanés du Saint-Siège et acceptés par le Corps épiscopal.*

De nos jours, encore, les théologiens continuent de s'interroger sur l'exacte nature d'un « jugement dogmatique » souvent brandi comme argument suprême au cours de l'histoire de l'Eglise.

Quoi qu'il en soit, au sentiment de Debertier, « il est de la dernière importance de ne pas admettre comme un jugement de l'Eglise, ce qui n'est que l'opinion de quelques docteurs, ou si vous voulez, de quelques Evêques, ou encore du Pape et de son conseil. L'Eglise ne décide en matière de foi et de morale que d'après l'Ecriture et une tradition constante. Elle veut une unanimité morale de sentimens, après le plus mûr examen et les discussions les plus approfondies, soit qu'elle se trouve réunie en Concile soit qu'il ne puisse point y avoir de Concile et qu'elle soit dispersée. Elle s'explique avec la plus grande clarté sur le dogme qu'elle définit, ou sur les erreurs qu'elle condamne afin que ses enfans sachent ce qu'ils doivent croire et ce qu'ils doivent rejetter. Elle notifie son jugement à tous les fidèles par la voie des Pasteurs afin que tous soient également instruits. On n'enseigne plus par toute la catholicité que conformément à ses décisions ». Ce qui met directement en cause la dernière proposition :

17. *Le Saint-Siège a légitimement condamné la constitution civile du clergé et son jugement a été reçu à la presque unanimité des évêques de France et du consentement au moins tacite des autres évêques du monde chrétien.*

Sur quoi repose cette fameuse légitimité ? Les brefs de Pie VI dont l'authenticité, d'après les constitutionnels, avait d'autant plus de chance d'être suspectée qu'ils ne parlaient guère « le langage évangélique ». Le même raisonnement s'applique à la liste des évêques condamnant la Constitution et qui ne fut publiée chez Leclère que sous l'autorité d'un prêtre flamand.

« D'ailleurs, précise Debertier, il manque dans cette liste les noms d'un très grand nombre d'Evêques catholiques et nous y voyons figurer les noms de quelques-uns qui, par des lettres qu'ils nous ont adressées, annoncent assez que leurs sentimens sont conformes aux nôtres. » Nous sommes loin, dans tout cela, d'un jugement de l'Eglise et comme les Juifs attendent le Messie, après Jésus-Christ, les constitutionnels appellent ce jugement de l'Eglise, sept ans après le Concordat...

Cette ultime passe d'armes illustre le caractère hétérogène du débat dans lequel les graves questions de dogme, de morale et de discipline ne parviennent que difficilement à émerger d'un fouillis de polémique pure et de pétitions de principe. Toute sèche qu'elle soit, la confrontation directe des ecclésiologies a le mérite de préciser les positions, de dépister les procédures douteuses et, en fin de compte, d'aboutir à un bilan plus intéressant qu'il n'y paraît.

— Il enregistre d'abord un accord de fond sur les points 10, 14, 15 et même 7 à condition, pour ce dernier, d'exclure le presbytérianisme des revendications du clergé du second rang.

— Une promesse d'entente est contenue, ensuite, dans les points 2, 5, 6 et dans la première partie de la thèse 16 qui énonce, à l'assentiment des deux parties, l'infaillibilité de l'Eglise dispersée. Il suffirait pour que cette promesse passe à l'accord explicite de les cantonner dans leur compétence disciplinaire. Quant aux points 3, 12, et surtout 8 et 17, ils devraient être abandonnés à la polémique, pour ne pas dire plus...

— Cinq propositions, enfin, requièrent un arbitrage tel qu'il ouvrirait une troisième voie à égale distance entre un tridentisme du pouvoir monarchique dans l'Eglise et une démocratisation radicale. Elles s'enracinent dans les points 1, 4, 13, 9 et 11.

Qu'avance, en effet, la thèse première sinon la primauté incontestée de l'argument d'autorité dans la philosophie sociale de l'Eglise-société visible ? Que nie-t-elle ou, plus exactement, que veut-elle ignorer ? Un monde évoluant selon les lois de l'expérience, ennemi de l'argument d'autorité qui entretient le fixisme et mutile la raison humaine. Le hiatus entre ces deux visions du monde a favorisé, sur le terrain social, un anticléricalisme au sein de l'Eglise du XVIIIe siècle dans l'opposition haut et bas-clergé.

Contre un épiscopat qui justifie ses principes aristocratiques par la tradition tridentine, certains prêtres, d'un autre niveau de culture, se détournent ou suspectent, au moins, la Hiérarchie, même lorsqu'elle dispense un enseignement irrécusable. Loin de « défroquer », ils considèrent que leur mission pastorale les force à chercher ailleurs. Ils rencontrent des laïcs, du type Camus ou Maultrot, dont les aspirations recoupent les leurs. Quel est le sens profond de cette « révolte des curés » dans les années 1780-1785 ?

Déclencher une sorte de lutte des classes à l'intérieur de l'Eglise comme le sous-entendent certains historiens, ou, à travers des revendications économiques et politiques, rendre à la société ecclésiale sa dimension propre de communauté de salut ? Sans doute, pour envisager ce dessein, l'histoire des mentalités devra-t-elle se préoccuper davantage du renouveau des études bibliques et patristiques dans l'Europe « gallicane » et janséniste. Sans doute lui faudra-t-il également ne pas faire la part trop belle aux cloaques idéologiques dans lesquels ils tombent encore fréquemment par suite d'aspirations incertaines dans leur méthode de recherche, maladroites dans leur expression.

L'hydre révolutionnaire, ce serpent de l'athéisme, aurait beau jeu de faire triompher les Cassandre de l'épiscopat. Ne l'avaient-ils pas prédit ces prélats, hier inquiets de « l'indiscipline » de leurs prêtres et de leurs fidèles, aujourd'hui fortifiés par l'éclatante restauration de la souveraineté temporelle de la Papauté et des autres monarques européens ? Au seuil du XIXe siècle, l'ordre social exigerait l'extermination des ferments de démocratie. A l'Eglise, rempart spirituel de cet ordre social, de donner l'exemple !

Ainsi se formulait le parti pris du juridisme vengeur affirmé par les thèses 4 et 13. Que signifiaient-elles ? Qu'il s'agirait de renforcer toutes les formes d'allégeance du clergé envers les évêques sans se soucier des « hérétiques » constitutionnels invitant à creuser la théologie du Sacerdoce. Chose curieuse, personne ne semble avoir médité l'exemple des grands restaurateurs de la vie catholique du XVIIe siècle, Bérulle, Olier, Condren, etc... dont l'œuvre reposait sur l'étonnante spiritualité sacerdotale de l'Ecole Française.

Plus inconfortable, néanmoins, serait le paradoxe créé : perpétuer des schémas de chrétienté dans la « grande Nation » en proie à la sécularisation, sinon à la déchristianisation.

Les évêques n'affectent pas l'ignorance des mutations de

leur temps. Mandements, lettres pastorales, documents divers rédigés en émigration attestent, au contraire, une remarquable clairvoyance à propos de la détérioration religieuse en France et dans les pays annexés. Pourquoi en briser la logique ?

L'affaire des promesses de fidélité aux régimes post-thermidoriens nous a montré à quel point était troublée une respectable fraction de cet épiscopat. Le drame des démissions collectives en 1801 a prouvé qu'une autre fraction désirait la révision de la tradition tridentine pour son propre compte à l'heure où elle la refusait catégoriquement à ses adversaires. De là, un parti-pris manifeste qui vicie leurs prétentions les plus légitimes dans les thèses 9 et 11.

Leur obstination à récuser la puissance civile, quand elle s'incarne dans un régime républicain, permet un triomphe facile à leurs contradicteurs : l'Eglise n'a-t-elle pas coutume de demander à ses fidèles respect et obéissance envers les autorités établies ? Certains évêques réfractaires ne se sont-ils pas engagés dans cette voie ? De quel droit des ecclésiastiques de haut rang, notoires serviteurs du pouvoir royal, réclameraient-ils aujourd'hui l'indépendance de l'Eglise ? Comme s'il s'irritait de ses propres inconséquences, l'épiscopat romain pratique, on l'aura probablement remarqué, une détestable méthode intellectuelle qui consiste à bloquer dans une même thèse des questions de dogme, de morale et de discipline; puis, lorsque la partie opposante le démasque et décompose ingénieusement la matière théologique, il se réfugie dans une condamnation globale et péremptoire de ceux qu'il veut traiter en ennemis.

Si ce débat en forme de monologues revêt finalement tant d'importance c'est parce qu'il soulève, d'une part, des questions qui vont désormais interroger en permanence la catholicité contemporaine et que, de l'autre, il dégage une leçon pour l'histoire de l'Eglise. Lorsque la Hiérarchie jette dans la balance le poids de son autorité, elle choisit délibérément la *thèse* — situation conçue au niveau des seuls principes, idéalement — contre l'*hypothèse* — les données concrètes d'une société dans laquelle s'incarne le message chrétien —. Suffit-il de vouloir se prémunir, à juste titre, contre un pernicieux « situationnisme » pour justifier un manque de réalisme ? 1830, 1848 et le *Syllabus* se chargeront de la réponse qu'en attendant, les fidèles de l'époque révolutionnaire cherchent dans leurs catéchismes.

V

LA BATAILLE DES CATÉCHISMES

Sur la lancée de la Constitution civile du clergé, les premiers catéchismes révolutionnaires témoignaient de préoccupations politiques plutôt que doctrinales. Sous couvert d'instruire les catholiques français de leur foi, il ne s'agissait rien de moins que de les faire basculer dans un camp à l'aide d'un raisonnement hérissé d'arguments canoniques hors de la compréhension des enfants et des fidèles « moyens ». De sorte que ces opuscules qui paraissent jusqu'à la Terreur n'ont du catéchisme — au sens courant — que le nom et la forme en demandes et réponses. Il n'empêche que certains jouissent d'un succès de librairie... de l'aveu, du moins, des auteurs !

L'un des plus anciens et des plus répandus de ce type sort de la plume de Jean-Guillaume Molinier, ancien Doctrinaire du collège de Tarbes, élu évêque des Hautes-Pyrénées le 20 mars 1791. A la différence de son collègue de Rodez, l'évêque Debertier, il est très marqué par le presbytérianisme. En dépit des directives de l'*Encyclique des Evêques Réunis,* à laquelle il déclare cependant adhérer, Molinier expliquera, en 1795, comment s'opère dans son diocèse le remplacement des abdicataires : « Dans toutes les communes, les officiers municipaux assemblent les paroissiens et proposent l'ancien curé; si on étoit content de lui, tout le monde vote en sa faveur et on le rappelle; si on n'étoit pas content, on en demande un autre, et, quand on s'est accordé, on m'envoye copie de la délibération; je n'approuve le choix que lorsqu'il tombe sur un sujet libre; je pense que chaque pasteur doit conserver son troupeau à moins que le troupeau ne le rejette » (78).

Dans cette perspective extrémiste, il divise son catéchisme (79) en *6 Points :* I, *Défense de la Constitution civile;* II, *Nomination des évêques;* III, *Suppression des évêques;* IV, *Conseil des Evêques,* chapitre dans lequel il expose la nécessité de ce Conseil, mais non son autorité vis-à-vis de l'évêque; V, *Rapport des évêques avec le Pape;* VI, *Choix des vicaires.* Le simple énoncé de ces *Points* indique assez la réduction d'une ecclésiologie à quelques dominantes politiques d'où sont exclus pratiquement les fidèles et les vérités essentielles du dogme. La formulation de certaines demandes donne l'orientation générale de l'opuscule : ainsi le Point V qui déclare traiter des rapports de l'épiscopat et de la Papauté commence par la question : « *Quels sont les rapports que les Evêques de France* auront *avec le Pape ?* ». Ce futur conteste évidemment la tradition malgré les protestations de l'auteur qui s'ingénie à prouver la conformité de la situation nouvelle avec l'ancienne. Cela lui permet d'ailleurs de définir avec beaucoup de netteté des notions comme celles de juridiction, de mission, etc... qui s'avèrent indispensables à la réflexion générale du clergé constitutionnel dans une seconde étape.

Celle-ci débute avec l'an III. Timidement d'abord, quelques libraires parisiens rééditent les catéchismes de la première période en même temps que des manuels de piété, puis l'activité s'amplifie à la veille du 18 fructidor an V et atteint son maximum en l'an VIII. Fait plus intéressant, elle a, dans l'intervalle, changé de signe. La polémique intra-catholique de 1790 à 1792, le déluge de décrets d'une politique religieuse mouvante, le spectacle des campagnes de déchristianisation ont étourdi, saturé et désorienté les fidèles. Il est grand temps de reprendre les bases de l'enseignement de la foi à la lumière des nouvelles réflexions ecclésiologiques. Au prix, encore, de nombreuses incursions dans la politique, constitutionnels et réfractaires s'en tiennent à cette préoccupation majeure.

---

(78) P. Pisani, *op. cit.*, p. 388-393.
(79) *Catéchisme sur la Constitution civile du Clergé...*, Paris, 2e édit., 1792, 60 p. in-12.

Une bataille s'engage, conduite avec une tactique différente, infiniment plus dangereuse parce qu'elle s'en prend, cette fois, directement à la foi des catholiques. C'est un de ses épisodes que nous voudrions retracer afin de juger respectivement de la puissance de diffusion, du retentissement chez les autorités républicaines comme chez les fidèles et du contenu exact de ces catéchismes de la seconde période. L'histoire se trouve, de surcroît, rehaussée par la qualité des personnages.

Dans sa collection d'imprimés, la Bibliothèque nationale possède un ouvrage qui avait attiré notre attention par la rigueur et la profondeur d'une réflexion ecclésiale déployée à travers les formes classiques d'un catéchisme (80). Aucune indication de lieu d'édition et, l'auteur s'identifiant à un *Alsacien catholique,* peu de chance de percer le voile de l'anonymat. De nombreux mois passèrent lorsque dans l'inventaire des papiers de famille du prêtre Marchand, massacré aux Carmes en septembre 1792, nous rencontrâmes de nouveau l'opuscule, en version manuscrite, portant avec précision : *Par un citoyen de Thann.* Comment un catéchisme publié vraisemblablement en Alsace, en 1800, figurait-il dans les papiers d'un prêtre Niortais mort en 1792 ? C'était là un mystère qu'il nous faudrait résoudre ultérieurement.

De longues investigations menées avec le concours d'historiens de l'Alsace révolutionnaire aboutirent à des résultats d'un exceptionnel intérêt. L'imprimé de 1800 n'était que la réédition du *Petit catéchisme pour les tems présens* paru à Colmar, en 1797, chez Louis-Philippe Chayrou et conforme à l'original imprimé en langue allemande (81), vers le mois d'avril (germinal-floréal an V). La version franco-allemande s'ornait d'une vignette en frontispice qui disparut des éditions postérieures. Elle représentait trois personnages frappant avec divers outils sur la tête d'un quatrième émergeant d'une presse à la base de laquelle était inscrit : *Liberté de la presse.*

---

(80) *Bibl. nat., Petit catéchisme pour les tems présens par Alsacien catholique,* 1800, 24 p. in-8, 8° Ld 4 4098.

(81) *Kleiner Katechismus gegenwartiger Zeiten, Verfasst und in druck gegeben von einem catholischen bürger von Thann im-Oberrhein. — Colmar bey Ludwig Philipp Chayrou, buch-drucker,* 1797, 31 p., in-8.

Voici l'explication qu'en donne le jacobin Resch, commissaire du directoire exécutif pour le Haut-Rhin, en transmettant au ministre de la Police, le 6 fructidor an V, le premier exemplaire saisi de la traduction française. « Le frontispice doit représenter un prêtre soumis aux loix, ci-devant dominicain, un ministre protestant et un imprimeur, les trois de cette commune frappent sur la tête du dernier Roy » (82). Les autorités départementales jugèrent l'affaire comme très sérieuse pour trois raisons s'appelant mutuellement : la notoriété de l'auteur, les complicités scandaleuses dont il disposait au sein même de l'administration colmarienne et le caractère violemment « incendiaire » de ce catéchisme.

Contre toute attente, ce furent les commissaires cantonaux de Neuf-Brisach, et non de Thann, qui engagèrent les poursuites contre l'opuscule allemand avec le maximum de célérité et d'efficacité, par dénonciation au ministre de la Police en date du 23 messidor. Naturellement le ministre tempéra ce zèle excessif en invoquant la nécessité de suivre la voie hiérarchique, en l'occurrence les administrateurs du Haut-Rhin, et de se concerter avec eux sur les mesures à prendre. Le commissaire Resch, farouche républicain, comprit la tactique administrative de ses subordonnés de Neuf-Brisach, lorsque, le 4 thermidor, les autorités de Colmar rendirent leur arrêté : « Après avoir pris lecture de cette brochure, nous n'avons point trouvé que son contenu soit contraire à l'art. 354 de la Constitution ni aux dispositions de la loi du 28 germinal an IV, qu'il ne traite que d'objets de culte et nullement politiques et que le résumé de cet ouvrage est l'éloge d'une religion et le blâme des autres ». Tant d'aveuglement répandu sur des phrases si nettement contre-révolutionnaires du catéchisme ressemblait fort à une complicité avouée.

Aussi Resch, à Colmar, sous l'impulsion des commissaires de Neuf-Brisach décidés à aller jusqu'au bout, n'hésita-t-il pas à porter l'affaire devant les Conseils des Cinq-Cents et des Anciens sous l'égide de son compatriote, le très influent

---

(82) *Arch. nat.*, F 1 b II, Haut-Rhin (I). Objets généraux (1790 — an VIII).

Reubell. Mais aucune personnalité du Premier Directoire ne brûlait du désir de se compromettre à quelques jours du 18 Fructidor ! Reubell se contente de renvoyer les pièces à la Police avec cette simple apostille : « Pour se faire une idée du civisme de l'administration centrale du Haut-Rhin ». Il avertissait, par ailleurs, Resch que les Conseils étudiaient le dossier... L'Alsacien têtu crut peut-être forcer la décision en signalant, le 5 fructidor, que les troubles causés par le catéchisme prenaient de l'extension depuis sa récente traduction en français. Les dispositions prises par le canton de Neuf-Brisach, ajoutait-il, lui paraissaient « inéxécutables » parce que propres à favoriser le commerce clandestin de la brochure. Et puis « en supposant qu'elles puissent produire quelques bons effets, il me faudroit les requérir auprès de l'administration centrale », qui s'emploierait probablement à les neutraliser, étant donné ses opinions.

Resch, au fil de son enquête, acquérait d'inquiétantes certitudes ! « Il est à observer que l'imprimeur, le citoyen Chayrou qui vient de le traduire lui-même et de le distribuer aux membres de l'administration est un employé de cette même administration... ». Mais qui était donc cet audacieux Chayrou ? :

Le 5 fructidor, Resch note brièvement : « C'est un ci-devant prêtre constitutionnel qui aujourd'hui donne à corps perdu dans le parti contraire et, sous ce rapport, il jouit auprès de l'administration de la protection la plus déclarée ». Le 6, il complétait l'information : « L'imprimeur, comme je vous l'ai déjà mandé, étoit ci-devant prêtre constitutionnel, de tout tems perdu dans l'opinion publique : il fut, en 1793, un des intrumens les plus serviles du gouvernement révolutionnaire puisqu'en sa qualité de prêtre, il ne rougit pas de renverser les autels et devint un des principaux apôtres de la *raison*. Aujourd'hui revêtu du masque religieux, il est le protégé des fanatiques ou ennemis de la chose publique; et voilà l'homme qui est professeur à l'Ecole Centrale et employé de l'administration : méprisé de tous les partis, mais flatté par celui qu'il sert; il sçait habilement jouer tous les rôles... ». Pour une fois, le dénonciateur ne disait pas tout, pas même le plus extraordinaire ! Né à Colmar, en 1756, d'un chirurgien major des hôpitaux de la ville et de la fille d'un procureur au Conseil souverain, Louis-Philippe Chayrou, après son séminaire à Porrentruy (Suisse), devint vicaire épiscopal de l'évêque du Haut-Rhin, Arbogast Martin. Le prélat constitutionnel avait cru bon de placer, dans son Conseil, ce principal du collège national de Strasbourg qui s'était déjà distingué par son enthousiasme révolutionnaire. Son activité pro-robespierriste, au cours de 1791 et de 1792, inquiéta les plus farouches patriotes strasbourgeois et le rendit indésirable. Il quitta donc Strasbourg au début de 1793 pour aller présider le club des Jacobins de Colmar (83).

Dans quelles circonstances l'ardent jacobin passa-t-il au camp des réfractaires ? On ne saurait le dire au juste, mais il est probable que jouèrent fortement des amitiés nouées à Porrentruy, notamment avec ceux qui devaient constituer l'état-major de Gobel à Paris : Voisard et Lothringer, originaire, comme Gobel, de Thann.

François-Joseph-Xavier Voisard, né à Porrentruy, le 18 juillet 1754, était religieux cordelier, aumônier du régiment suisse de Diesbach, lorsqu'il suivit Gobel à Paris. Après l'abdication générale du conseil épiscopal parisien, Voisard rentra à Thann en l'an II et prêta le serment en qualité de troisième vicaire de la ville, chargé de desservir Vieux-Thann. Bien que membre actif de la Société populaire, Voisard connut les rigueurs de la détention à Besançon jusqu'en vendémiaire an II. Le 12 brumaire an IV, en compagnie de l'ex-chanoine régulier Jean Ihler, Voisard faisait sa soumission aux lois devant la municipalité de Thann et devint rapidement le curé constitutionnel de cette commune transformée en champ clos pour les règlements de compte entre assermentés minoritaires et émigrés rentrés (84).

---

(83) P. Leuilliot, « L'abbé Chayrou, principal du Collège national de Strasbourg (1791-1792) », dans *Dernières Nouvelles d'Alsace*, du 8 avril 1928.

(84) J. Joachim, « La réaction politique et religieuse à Thann de 1794 à 1797 » et « L'agitation religieuse à Thann à la veille du Concordat », dans *Annales de la Soc. d'hist. des rég. de Thann-Guebwiller*, années 1953-1954 et 1956-1957.

Au premier rang des prêtres réfractaires qui forts de l'approbation de la population, persécutèrent le malheureux Voisard, abandonné à son sort par les autorités circonspectes, figurent Bernard Moeges et François-Joseph Lothinger. L'archiprêtre Deyber, curé d'Oderen, pourra encore écrire à Grégoire, le 16 frimaire an IX :

« Notre département n'est pas des moins troublés par le retour des bons prêtres; ils érigent, presque partout autel contre autel, assurés d'être soutenus par les premières autorités constituées. Ils ont la hardiesse de se montrer ouvertement en contestation avec le nouvel ordre des choses. Nous voyons des scènes qui révoltent au bon sens de la raison et aux principes de la religion. A Thann, un de ces bons patriotes nommé Moeges a été arrêté pour avoir prêché en homme hors du cercle de la polisse; on l'a conduit à Colmar et peu après il a été relâché; un autre nommé Lutringer pour avoir insulté à l'église le curé constitutionnel de Thann, vient encore d'être arrêté par la gendarmerie; je pense qu'on aura la même indulgence pour lui. » (85)

Pourtant, à la différence de Bernard Moeges, l'abbé Lothringer vivait, depuis la fin de l'épiscopat parisien de Gobel, dans un paradoxe permanent (86). Rallié avec éclat au clergé romain, il avait été incarcéré aux Ecossais sur ordre du Comité de Sûreté générale, du 5 prairial au 12 brumaire an II, pour ses activités d'aumônier à la Conciergerie. Malgré cela, il avait tenu à assister jusqu'au pied de l'échafaud son compatriote et évêque Gobel dont il tentera de réhabiliter la mémoire sous le Directoire, dans une lettre dont s'empareront les journaux républicains. En marche vers le pays natal, il fait halte, en l'an III, à Saint-Maurice, district de Remiremont. La persécution ouverte contre le clergé constitutionnel local l'oblige à se ranger à ses côtés quoiqu'ayant rétracté publiquement ses erreurs passées. Obligé de déguerpir, il rentre en Alsace sous l'œil soupçonneux de Fourcade, commissaire de Thann. Le 21 ventôse an V, le périodique du clergé réfractaire,

---

(85) *Bibl. Soc. de Port-Royal*, corresp. Grégoire, doss. Haut-Rhin.
(86) F. SCHAEDELIN, « L'abbé François-Joseph Lothringer (1740-1803) », dans *Revue d'Alsace*, 85e année, 1934, p. 205-223, p. 423-458; p. 559-582.

les *Annales Catholiques,* affiche en bonne place sa rétractation de Saint-Maurice. Fourcade saute sur le prétexte et appréhende, le 24 floréal, celui que se disputent maintenant des presses rivales (87).

A tous ceux que déroutent ses apparentes volte-faces, Lothringer opposerait son délicat projet : la sincérité de ses sentiments romains dans une loyauté totale envers la République, au risque de se voir rejeter comme renégat par les deux bords. Il lui serait facile de convaincre de sa bonne foi, s'il consentait à participer à la curée de ceux qui font déjà figure de vaincus. Mais cela révolte sa conscience. Au mépris de toute diplomatie, il avertit le provicaire Didner, en date du 18 octobre 1801, qu'il désapprouve nettement les prêtres « restés tranquillement à l'étranger qui veulent purifier leurs confrères qui ont souffert la persécution en restant à leur place au milieu du troupeau » (88).

Parce qu'il peut revendiquer cet honneur, a-t-il le droit de malmener à Thann son ancien compagnon Voisard ? Manœuvres vraiment trop subtiles au gré des autorités réfractaires qui voudraient des actes sans ambiguïté possible. Lothringer s'y décide : dans un premier temps, il consent à l'impression de sa rétractation, dans les *Annales Catholiques;* dans un second temps, il compose son *Kleiner Katechismus* qu'il achève quand Fourcade l'arrête. Le commissaire dispose d'assez de preuves pour cela; mais, peut-il, aux activités de son gibier, mettre un terme définitif ?... La réaction veille à Colmar jusqu'au 18 Fructidor qui renverse enfin le cours des événements. Lothringer, avec beaucoup d'autres, est passible de déportation selon la loi du 19 fructidor.

Dès lors, Fourcade prépare un long rapport sur les agissements du prêtre, au début de l'an VI et quand, le 25 frimaire, il est de nouveau arrêté, il subit devant Resch, au comble de son triomphe jacobin, un interrogatoire de plusieurs jours

(87) *Arch. Nat.* F 7 7395 A, n° B 5 3150.

(88) J. Suratteau, « L'Emigration du clergé et l'évangélisation des fidèles dans le Mont-Terrible », dans *Mém. de la soc. pour l'hist. du droit et des instit. des anc. pays bourguignons, comtois et romans,* 1963, p. 181-183.

portant sur les confidences qu'il aurait recueillies pendant la Terreur, en sa qualité d'aumônier à la Conciergerie. On insiste particulièrement sur les cas de Marie-Antoinette, de Custine et de Fauchet, puis, brusquement, on en vient à l'affaire du catéchisme, entre-temps largement répandu. Lothringer n'en fera aucune mention au cours de son long mémoire justificatif du 19 pluviôse (89). Sans doute juge-t-il sa situation suffisamment périlleuse pour ne pas jouer sur l'anonymat de l'opuscule. Mais Fourcade a été formel : « Il colportoit et faisoit vendre publiquement un catéchisme dont il se disoit l'auteur et avec lequel il a fait beaucoup de mal dans Thann et les environs ».

Cette fois, Resch peut désarmer les deux contempteurs du jacobinisme : l'auteur Lothringer et le traducteur-imprimeur Chayrou. Le 26 pluviôse, il avise Paris que Chayrou va être déporté, ainsi que « le nommé Lothringer, prêtre, qui a rétracté son serment. Ce caméléon politique, tout aussi dangereux que le premier, pourroit être l'auteur du fameux catéchismes qu'a imprimé Chayrou » (90). Ce dernier partit le premier pour Saint-Martin-de-Ré où il arriva le 19 messidor tandis que son compagnon d'infortune ne le rejoindra que trois mois après, le 8 brumaire an VII.

La lenteur exagérée des convois de déportés requérait des haltes nombreuses et des contacts fréquents entre les condamnés et les populations locales. Niort constituait un de ces relais traditionnels; la famille de Jean-Philippe Marchand, le vicaire de Notre-Dame de Niort, massacré aux Carmes en septembre 1792, avait probablement à cœur de soutenir et de secourir les prêtres réfractaires en route pour la déportation. L'abbé Manseau (91) raconte avoir vu, dans une famille chrétienne de Saintes, un livre laissé en témoignage de reconnaissance par un groupe de prêtres Mosellans, de retour de Rochefort, intitulé *Instruction générale en forme de catéchisme, première partie*. Il note aussi que les prêtres du Nord-

---

(89) Arch. nat. F 7 7395 A, n° B 5 3152.

(90) *Arch. nat.*, F 7 7340, n° B 4 8190 (état des prêtres).

(91) A. Manseau, *Les prêtres et religieux déportés sur les côtes et dans les îles de la Charente-Inférieure*, Lille, 1886, 2 vol. in-8; t. I, p. 433.

Est, déportés, recevaient un accueil très favorable parmi les familles du canton de Surgères, spécialement en frontière des Deux-Sèvres et de la Charente-Maritime (Mauzé, Saint-Saturnin-des-Bois, Marsais) où résidaient de nombreux membres de la famille Marchand. De sorte qu'il ne paraît pas impossible qu'ils aient reçu de cette manière le *Petit Catéchisme* en manuscrit, soit à l'aller vers l'île de Ré, soit au retour; soit par Chayrou qui s'évade le 3 juin 1801, soit par Lothringer qui est libéré le 20 janvier 1800 et qui avait pu connaître à Paris l'abbé Marchand avant septembre 1792 (92).

Quoi qu'il en soit de la carrière de l'ouvrage, dans l'Ouest, à l'époque de la Seconde déportation, le 18 Brumaire active singulièrement sa diffusion malgré une première réfutation entreprise, dès 1797, par Ignace Tessier, curé constitutionnel de Saint-Hippolite dans le Haut-Rhin, mystérieusement assassiné quelques semaines plus tard (93). Le 23 fructidor an IX (10 septembre 1801), Souvigny, ancien vicaire épiscopal de Bordeaux réfugié à Vézelay depuis messidor an III, avertit Grégoire des ravages du *Petit Catéchisme* dans l'Yonne (94). Aucune surprise pour le sénateur-évêque qui a pris connaissance du rapport de Servant, vice-président du Presbytère de la Marne. C'est à lui qu'il confie la charge de la réfutation promise, à son tour, à un grand retentissement (95). Grégoire oppose un adversaire de qualité en la personne de ce vicaire épiscopal de Reims, docteur en théologie, qui se verra confier un sermon *Sur la Foi en Jésus-Christ* au Concile de 1801 (96).

(92) *Ibidem,* t. II, p. 236 et p. 265.
(93) *Bibl. univ. de Strasbourg,* M k IV b 106.880. *Ein Wort über den kleinen Katechismus gegenwärtiger Zeiten, verfasst von einem Bürger im Thann und gedruckt bei Ludwig Philipp Chayrou zu Colmar — gesagt zur Belehrung des Christlichen Volks von Ignatius Tessier, Pfarrer zu St. Hyppolith Colmarer Bistums — Volgensburg in der bischöflichen Buchdrukerey des Oberrheins* (s. d.) — *Annales de la Religion,* t. VIII (1798), p. 56.
(94) *Bibl. Soc. Port-Royal,* Corresp. Grégoire, doss. *Yonne.*
(95) *Réponse à l'ouvrage intitulé* Petit Catéchisme pour les temps présens *par M. Servant, vicaire épiscopal de Reims.* A Reims, chez Piérard et Delaplace (s. d.), 46 p. in-8. Sur l'accueil par les populations de l'Est, cf. *Les Nouvelles Ecclésiastiques* du 13 février 1801, p. 13.
(96) *Bibl. Soc. de Port-Royal,* Corresp. Grégoire, doss. *Marne,* lettre du 29 floréal an IX.

***

Servant commençait par avertir ses lecteurs : « Notre catéchisme, en réponse à celui de nos Adversaires est beaucoup plus étendu que le leur, parce que nous avons cru nécessaire d'appuyer la plupart de nos réponses des autorités les plus respectables et des faits de l'Eglise les plus authentiques : ce qu'on ne trouve pas dans le *Petit Catéchisme* que nous réfutons, lequel est dépourvu de toute autorité sans doute parce que son Auteur qui est inconnu s'est imaginé qu'il n'en avoit pas besoin et qu'on devoit l'en croire sur sa parole ».

D'emblée, il épouse la querelle entre l'argument de l'autorité incarnée dans la tradition vivante de Rome et celui de l'évidence démonstrative par l'Ecriture, les Pères et les Conciles auquel s'en tiennent immuablement évêques et prêtres du clergé constitutionnel. Servant joue de cette méthode en étonnant virtuose : toute sa science théologique passe dans des références aussi fournies que variées en bas des pages, preuve d'un labeur acharné, preuve aussi de la nature, de la hiérarchie et des marques de l'Eglise.

L'inévitable polémique entourant les circonstances politiques et les conséquences canoniques de l'intrusion des assermentés ne s'exerce jamais au détriment de la pensée théologique. La thèse romaine et l'antithèse constitutionnelle se développent en quatre chapitres. Les compléments apportés par Servant aux titres de Lothringer indiquent, à eux seuls, les oppositions ecclésiologiques : au chapitre premier *De l'Eglise,* il est répondu par *De l'Eglise et de ses Droits;* le deuxième chapitre traitant *Des Pasteurs légitimes* se voit corrigé en *Des Pasteurs de l'Eglise* et subdivisé en deux articles fort longs à propos de leur nomination et de leur juridiction, points chauds de la querelle, nous le savons. En bon théologien, Servant ne se laisse pourtant pas distraire par ces questions dérivées, somme toute, du problème central : la notion d'Eglise. Il lui importe de discuter la première de toutes les réponses de Lothringer : « L'Eglise est la société des fidelles qui font profession d'une même foi, sous la conduite des Pasteurs légitimes » parce qu'elle sert de support à la démonstration de l'ensemble.

La chose n'avait pas échappé au commissaire Resch. En guise de commentaire à la brochure saisie, il remarquait dans sa lettre du 6 fructidor an V :

« Par une fausse supposition que l'auteur a malicieusement mise dans la définition de l'Eglise, il en a déduit des conséquences terribles non seulement pour le pauvre peuple de la République française, mais aussi pour tout le monde chrétien qui n'a pas assez de logique pour découvrir la fausseté de la première définition (...) C'est dans la 1re réponse qu'il a glissé le poison où il dit : « l'église est une société de croyants (97) qui, sous la direction des pasteurs légitimes professent la même croyance d'où il déduit dans la 2e réponse que, sans pasteur légitime, il n'y a point de salut, 2° que ceux qui, par malice, par ignorance, ou par faiblesse ont adhéré aux prêtres illégitimes ou intrus pendant la révolution sont éternellement damnés. »

Le texte parle d'excommunication et non pas d'éternelle damnation : la note est donc intentionnellement forcée dans le cas présent, mais l'essentiel est vu. Assez pour que le constitutionnel Servant corrige la définition :

« Qu'est-ce que l'Eglise ? C'est la société des fidèles, répandus par toute la terre, qui, sous la conduite des Pasteurs légitimes, ne font qu'un corps, dont Jésus-Christ est le chef invisible et le Pape, le chef visible ». Il s'ensuit que les droits de la souveraineté ou de la puissance de l'Eglise appartiennent en commun aux pasteurs et aux fidèles.

Selon que l'on admet ou que l'on refuse l'identification de l'Eglise à la société des fidèles, s'infléchit ou se durcit le ton des deux derniers chapitres.

Lothringer demande au début de celui *De la Foi :* « Pourquoi J.-C. a-t-il établi dans son Eglise différens ordres soumis les uns aux autres que l'on nomme la Hiérarchie ? ». Terrain

---

(97) Resch utilise visiblement, ici, le *Kleiner Katechismus* où « société des fidèles » est rendu par l'expression d'une autre densité théologique : « die gemeinschaft der Glaübigen ».

trop brûlant pour son adversaire qui s'esquive vers l'examen dogmatique : *De la Foi et de ses objets.* Quels sont les objets de la Foi ?

« Ce sont les vérités que Dieu a révélées à son Eglise et que son Eglise nous enseigne en son nom. Qu'entendez-vous par vérités révélées ? — Ce sont celles que Dieu nous a fait connoître par les saintes écritures ou par la tradition constante de l'Eglise. »

Imprudent, celui qui assimilerait tradition constante, au sens constitutionnel, et tradition vivante ou Hiérarchie, au sens romain ! La tradition constante forme la somme « *des vérités anciennes, universelles et enseignées d'un commun accord dans toutes les parties de l'Eglise* » (98).

Par corollaire, la Hiérarchie, dans la théorie constitutionnelle, loin d'être maîtresse, devient servante et régulatrice de la Tradition, sous certaines conditions expresses, dont la principale s'ajuste à la participation des fidèles. Si, par conséquent, en accord avec Lothringer, Servant convient que la foi est moyen de salut, il ne peut s'agir que de la foi de l'Eglise universelle, laquelle s'entend de « la foi de tous les Papes collectivement pris, ou la foi que tous les Papes, depuis Saint Pierre, ont enseignée à tous les Fidèles (...). Mais cette foi de l'Eglise romaine n'est pas la foi d'un Pape en particulier; car le Pape peut tomber dans l'erreur en matière de foi ».

Affirmation dernière dont la brutalité semble se référer à quelques situations controversées du Moyen Age, moins pour dénigrer la Papauté que pour exalter la responsabilité des baptisés de tous les ordres, co-dépositaires des promesses de Jésus-Christ. Sans être vraiment nouvelle, la position constitutionnelle crée ainsi un climat ecclésial qui correspond fondamentalement, nous allons y revenir, à celui du *Petit Catéchisme.* Pour l'heure, l'écart se creuse et l'on désespère que Lothringer le comble au dernier chapitre : *Des Marques de la vraie Eglise.*

En réalité, elles dépendent toutes de la première : l'unité. Servant le ressent si fort qu'il intitule son propre chapitre

(98) Passage souligné dans la *Réponse,* p. 21.

De l'unité de l'Eglise et des vices qui la troublent et qui la détruisent; trois articles traitant successivement du schisme, de l'intrusion, du serment et de ses suites doivent développer une argumentation qui occupe presque la moitié de l'ouvrage. Dès le deuxième chapitre, Lothringer avait démontré que les pasteurs illégitimes brisaient cette unité et qu'il résultait « Que le Pape n'est plus chef que de nom; que chaque Evêque est indépendant; que l'Eglise n'est plus que confusion et que les fidelles n'ont plus rien d'assuré », par la faute d'une Eglise particulière prônant son indépendance. Ne pouvant se permettre d'éluder une accusation aussi redoutable, Servant veut, au contraire, démontrer que les constitutionnels possèdent les marques de la véritable Eglise en se proposant de répondre à cette question primordiale : « Comment une Eglise particulière est-elle dans l'unité avec l'Eglise universelle ? — Elle est dans cette unité lorsqu'elle reconnoît le même Chef commun, qu'elle professe la même foi et qu'elle reçoit les mêmes sacremens : voilà les vrais caractères de l'unité de l'Eglise. C'est en vain qu'on les conteste aux Pasteurs constitutionnels ».

A ce stade, Servant semble adopter étroitement les thèses de l'évêque Debertier. Sa conception générale, marquée au coin d'un jansénisme politique très strict, apporte néanmoins une coloration originale à l'ecclésiologie constitutionnelle et des prolongements intéressants. Tandis que le gallican modéré, Debertier, s'évertuait à sauver la notion de hiérarchie. — tirée dans le sens romain ? — à la satisfaction de Grégoire, son collègue Molinier, champion d'un presbytérianisme outrancier, cherchait à institutionnaliser le pouvoir démocratique du clergé du second rang.

Réaction « aristocratique » du premier courant contrebalancée par le pseudo-jacobinisme du second ou simplement théologies politisées, contrefaçons de la Théologie politique ? Servant invite à clarifier le débat : l'Eglise n'est pas l'apanage des clercs, le prétexte de leurs rivalités sociales; l'Eglise « assemblée des fidèles » est le corps vivant de Jésus-Christ. Pour que ce Corps vive, de la vie même de la Tête, il est indispensable que les différentes parties se sentent majeures, chacune dans son ordre, pour exercer le sacerdoce universel.

Si la foi est le moyen de salut, les croyants doivent former une communauté de salut. Aussi curieux que cela paraisse, Servant et Lothringer s'emploient contradictoirement à décaper cette réalité enfouie sous le juridisme triomphant du XVIIIe siècle : l'un par son insistance sur la christologie, l'autre par son image amplement développée de l'arbre de l'Eglise.

Lorsque le *Petit Catéchisme* déclare :

« La feuille ne tient à la racine et n'en tire sa sève qui la nourrit, qu'en tenant à la petite branche; celle-ci à la grosse, la grosse au tronc et le tronc à la racine. De même le simple fidelle ne tient à Jésus-Christ, dans l'Eglise, qu'en demeurant soumis à son Curé, celui-ci à son Evêque, l'Evêque au Pape et le Pape à Jésus-Christ », quel est le chrétien qui ne reconnaîtrait pas l'exacte démarcation de Saint Paul expliquant le Corps Mystique (1 Cor. XII, 12-26) ? (99). Restait sans doute à préciser que la sève de l'arbre n'est ni la question de la mission, ni celle de la juridiction, mais essentiellement la grâce qui fonde, selon la remarque de Servant, le gouvernement spirituel de l'Eglise, en vertu des pouvoirs conférés par Jésus-Christ en vue uniquement « des biens spirituels, de la grâce, de la sanctification des âmes, de la vie éternelle. »

De sorte que ramenés au lieu commun de l'ecclésiologie, ils laissent la controverse et se surprennent à puiser quasi instinctivement au trésor de la tradition catholique les mêmes textes scripturaires, à pratiquer la parole évangélique : « Celui qui enseigne, s'il est versé dans la science du Royaume des cieux, est semblable au maître de maison qui sait tirer de ses réserves le nouveau et l'ancien » (Mat. 13/52).

---

(99) Ce qu'exprimait en termes identiques l'abbé Maury à ses collègues de la Constituante, le 27 novembre 1790 : « Le corps des pasteurs forme, en quelque sorte, un grand arbre dont le Saint-Siège est, pour ainsi dire, le tronc. Toutes les nouvelles branches qui, dans l'usage actuel, ne partiraient pas de ce tronc sacré, seraient stériles et frappées de mort » (*Arch. Parlem.* 1re série, t. XXI, p. 84). Outre que cette métaphore paraît encore risquée en 1790, de l'aveu de Maury, il n'est toujours pas question d'associer formellement à cette vie du Corps Mystique, « l'Eglise enseignée » et singulièrement les fidèles.

*
* *

Le côté technique du débat a pu rebuter plus d'un lecteur, en dépit de tous nos efforts pour le simplifier sans le dénaturer. Qui, pourtant, ayant saisi les pulsions de l'âme et de l'esprit au-delà de l'argumentation parfois rébarbative, boudera le plaisir d'une grande découverte ?

Celle, assurément, d'une conscience religieuse bouleversée par les secousses révolutionnaires, obligée de tirer d'elle-même des ressources insoupçonnées, astreinte à des combats réels ou imaginaires pour survivre. Un moment vient, et nous y sommes, où les soubresauts s'apaisent, s'espacent sous l'effet d'une volonté commune de paix, d'un besoin d' « harmonie », mot qui revient sur toutes les bouches. Il en est d'autres, « patrie en danger », « fraternité », « bonheur commun », abjects pour les contre-révolutionnaires, mais qu'un pays a fait descendre de la froide idéologie pour les avoir inscrits dans sa chair. Trop d'hommes, en des heures de violence, ont vécu la solitude personnelle, la haine des groupes, l'affrontement guerrier des peuples pour ne pas aspirer à autre chose...

L' « autre chose », pour un chrétien de culture populaire, à l'approche du Concordat, se concrétisait dans la réconciliation de Dieu, de l'homme et de la nature tandis que les savants libéraux œuvraient déjà à un œcuménisme laïc par la langue, par la morale, l'économie politique, etc...; que certains évêques vibraient à la pensée d'une grandiose communion chrétienne. Ainsi Clément, le célèbre évêque janséniste constitutionnel de Versailles. Lui aussi, comme beaucoup de ses confrères des deux épiscopats rivaux, veut un concile général, mais il prend ce terme de « général » dans sa plus grande extension. Se payant de toutes les audaces, il soumet à Grégoire son vœu d'accueillir aux futures assises de la chrétienté jusqu'aux représentants du judaïsme :

« Tant de bons principes étant une fois rétablis [les maximes gallicanes « désormais éclairées de celles de toutes les nations »] prépareroient pour beaucoup les esprits à la RÉUNION, dont on se flatte dès aujourd'hui, de *toutes les communions chrétiennes* en une seule; comme l'Eglise l'a vu dans son origine, et selon le propre caractère de son institution. Il n'y a pas, en fait de réunions, jusqu'à celle de ce PEUPLE errant sur le globe, fléau de tous les états qu'il habite (le peuple juif) qui devroit occuper. Ne pourroit-il pas être utile de l'appeller lui-même par représentans à une convocation générale ? Là on lui feroit adopter enfin les principes fondamentaux de toute société, ou on lui feroit reconnoître, enfin, la Religion du Messie dont il porte par-tout la démonstration, qui est reçue de presque tout l'Univers, et que tous les Peuples conviennent être celle qui est la plus propre à moraliser toute société raisonnable.

L'occupation de ce que je viens de vous proposer, Révérendissime Confrère, ne seroit-elle pas plus digne du clergé de France, demeurant convoqué, que ce dont on l'a occupé jusqu'ici ? Les cœurs droits, les esprits éclairés de tant de Prélats, dirigés vers les besoins de l'Eglise, ajouteroient infiniment à ce que j'ai pu vous en dire ici; et un tel objet rendroit leur situation aussi intéressante, pour eux, qu'honorable aux yeux du public et utile à la Religion, à l'Eglise et à la Patrie. » (100)

Par la suite, semblable générosité spirituelle et intellectuelle tournera à la pieuse illusion et à l'échec cuisant. Des recherches exploitant les données historiographiques existantes diraient comment et pourquoi. Se contentera-t-on d'épuiser simplement l'amertume d'une occasion perdue pour le progrès de l'âme collective ou bien d'imaginer ce qui se serait passé si... ? Il faudrait, dans ce cas, oublier, non sans quelque légèreté, que cette générosité, fruit d'une expérience douloureuse aux antipodes du sentimentalisme, a nourri une pensée théologique élargissant la vision de l'Eglise.

Au niveau presbytéral, l'effort de Lothringer et de Servant méritait, en ce sens, une considération particulière. Que celui-ci ne cède, ni au ressentiment politique, ni aux excès idéologiques de certains de ses amis; que celui-là, habitué des prisons et des trahisons, consente à bénéficier du labeur théologique de ses confrères pour épurer ses propres conceptions; qu'ensemble, quoique par des chemins différents, ils

(100) *Bibl. Soc. Port-Royal,* collect. Grégoire, vol. 108, pièce 39. *Lettre d'un Evêque à un Evêque, sur l'état actuel de l'Eglise et sur la nécessité de la convocation d'un Concile général,* s. l. n. d. (20 décembre 1801), 12 p. in-8; p. 10 et 11.

parviennent à une authentique mystique de l'Eglise, ces constatations militent bien en faveur d'une conscience religieuse souvent jugée, pour la période révolutionnaire, très sévèrement. En émigration, d'autres prêtres, à Ferrare par exemple, aboutissent à des conclusions parallèles sans commune mesure avec les classiques conférences ecclésiastiques d'Ancien Régime. Ce n'est pas en vain qu'à des problèmes nouveaux créés par la réalité révolutionnaire, ils cherchent des solutions au lieu d'attendre passivement les directives de leurs supérieurs. La dure loi de l'exil a produit également ses effets.

Effets ressentis au niveau épiscopal. Le corps des premiers pasteurs réagit par rapport à la Papauté d'une manière comparable à celle des prêtres à leur égard. Les responsables diocésains, en flèche au moment du Concordat, ne cherchent pas à contester le Saint-Siège à qui les unit une foi et un respect indéfectibles; ils éprouvent seulement le besoin de reprendre en main leur propre destin et celui des fidèles à leur charge. Des procédés quelquefois surprenants, des attitudes critiquables pour leur publicité frondeuse laisseraient soupçonner des distorsions graves dans les différentes parties de la chrétienté française. D'aucuns songeront encore plus à s'inquiéter du prurit du libre examen et flaireront des effluves de révolte. Il est vrai que l'argument d'autorité souffre d'une mise en cause et qu'il ne se rétablira plus à coups de censures, suspenses, interdits et excommunications. L'épiscopat devrait le comprendre lorsqu'il le conteste lui-même en forgeant plusieurs vérités envers le concept de puissance civile, en formulant des réserves sur la puissance romaine. Qu'on l'accepte ou non, une nouvelle conscience religieuse post-révolutionnaire tempérera désormais le sacro-saint schéma de la structure pyramidale établi à Trente de toutes les forces médiates que sont en passe de devenir les « ordres » : évêques, prêtres et fidèles de France.

Conséquence inéluctable d'une longue maturation psychologique qui, pour les évêques, se résume ainsi : un sursaut pastoral dans l'exercice de la collégialité « constitutionnelle » ou « romaine », au bénéfice d'un approfondissement théologique.

Sans vraie personnalité dans le débat autour de la Constitution civile du clergé, les chefs de l'Eglise de France sont forcés de prendre position et décision dans la discussion de la licéité du serment de 1792 puisque Rome se réserve et que leurs fidèles réclament des instructions. Le décalage entre la subtile diplomatie du Saint-Siège et l'urgence pastorale dans les diocèses éclate tout à fait avec la reprise du culte en France, en 1795-1796.

Très significative apparaît la volonté quasi générale d'expérimenter le plan de rechristianisation forgé dans l'étude théologique et l'analyse des nombreuses informations reçues par leurs « contacts » français, au moyen de missionnaires.

Cette question des « missionnaires » catholiques demeure encore fort obscure. Elle est essentielle à la connaissance de la vie chrétienne dans la France post-thermidorienne — étant donné les pouvoirs et l'influence dont dispose cette élite de prêtres rentrés d'émigration par ordre de leurs évêques.

On pouvait croire, après l'étude des missions de Linsolas, dès 1794, dans le Lyonnais, sur lesquelles Ch. Ledré apporta une contribution décisive, qu'il s'agissait là de tentatives isolées, d'initiatives privées de quelques prélats. Or, les documents que nous avons produits montrent que le meilleur de l'effort doctrinal et pastoral des conférences épiscopales vise, après Thermidor, à instruire des missionnaires et à répartir leur champ d'apostolat en « quartier de mission » sous la conduite d'un chef.

Les constitutionnels s'en ouvrent à Grégoire en 1795 et multiplient leurs plaintes à partir de 1797, reconnaissant l'efficacité de ces « bons prêtres ». Mais en quoi consiste au juste leur action (moyens, techniques employées, selon les diocèses, spiritualité, sens pastoral en face de chrétiens déchristianisés) ? Voilà un groupe de questions capables d'intéresser nombre de chercheurs. Un autre, beaucoup plus complexe, se pose à propos des conflits administratifs du clergé réfractaire et de la nature même de l'institution des missionnaires.

Retenons trois cas des combinaisons possibles. D'abord le plus simple et donc le plus rare : le diocèse a perdu définitivement son pasteur légitime mort, par exemple, en émigration et aucune autorité légalement reconnue par le Saint-Siège ne lui a succédé. L'administration revient alors à un conseil de prêtres éminents, sans pouvoir réglementaire, et qui gouverne surtout par l'ascendant qu'exercent quelques membres du conseil. En face de ce pouvoir de fait, les chefs de mission conservent les mains libres et jouissent d'une autorité supérieure, peut-être bien contrecarrée dans la réalité, dans la mesure où ils manifestent un esprit réactionnaire envers les réfractaires non émigrés. Les diocèses de Rouen, de Besançon et de Paris (malgré Mgr de Juigné toujours en vie) ont connu ce genre de situation en 1796-1797.

Un second cas, que nous avons récemment étudié (101), naît de la coexistence d'un administrateur apostolique et de missionnaires. Ainsi, dans le diocèse de Tours, à la mort de Mgr de Conzié à Amsterdam en 1795, sont successivement nommés deux administrateurs apostoliques, anciens vicaires généraux. De 1796 à 1801, ils possèdent, de par l'autorité du Saint-Siège, la capacité de gouverner le diocèse sans avoir le caractère, ni le pouvoir épiscopal. Théoriquement les missionnaires tombent sous leur juridiction. Pourtant un conflit est possible avec des « super-missionnaires » qui ont reçu des instructions pour une province ecclésiastique ou une partie de celle-ci et non pour un seul diocèse.

Enfin, troisième éventualité : en cours d'activités, les missionnaires sont dessaisis de leurs pouvoirs au profit d'une autre autorité accréditée par l'évêque. C'est très exactement ce que décide d'Altona, le 8 avril 1797, Mgr de Clermont-Tonnerre pour son diocèse de Châlons-sur-Marne. Il en informe ses anciens vicaires généraux, MM. de Crancé et de La Romagère qui répercuteront la volonté épiscopale auprès de plusieurs curés (102).

L'évêque commence pas marquer son mécontentement devant le trouble que suscite dans tout le diocèse la promesse de soumission. Il n'est pas loin d'en rendre responsable, en

(101) B. Plongeron, « Autopsie d'une Eglise constitutionnelle : Tours de 1793 à 1802 », *Actes du Cong. des Soc. sav.* Tours, 1968 (*à paraître*).
(102) *Bibl. Soc. de Port-Royal*, correspondance Grégoire, carton. *Etranger* — Lettre transmise à M. Bugrette, curé de Sainte-Menehoulde.

partie, le métropolitain de Reims dont il récuse la position libérale en la matière. Or, les missionnaires de Châlons avaient reçu leurs instructions et leurs pouvoirs du concile provincial de Reims dont nous avons souligné le souci pastoral. Le suffragant, absent de la réunion, en conteste la légitimité.

« 1° (...) L'instruction de M. l'Archevêque de Rheims qui a été répandue dans votre voisinage n'a point été adoptée ni authorisée par le pape quoique rédigée par un homme aussi respectable par ses lumières que par ses vertus et M. l'archevêque tout en n'approuvant pas la soumission déclaroit cependant très coupables ceux qui se permettoient de juger et de condamner ses partisans. Il recommandoit de réprimer le faux zèle dont il s'afflige et il pensoit qu'il produisoit un plus grand mal que la démarche des soumissionnés. Vous voudrez donc bien ainsi que M. de la Romagère étendre ces authorités et ma décision assez notoires pour qu'il n'y ait plus à l'égard de la soumission exigée deux opinions.

2° Je consens à étendre les pouvoirs indéfinis et illimités que je vous ai donnés par ma lettre du premier novembre dernier par les lettres de chef de mission antérieure jusqu'à la faculté d'absoudre les intrus et les jureurs simples qui auroient remis leurs lettres de prêtrise à condition qu'ils feront la démarche d'écrire au département ou à leur municipalité pour les leur redemander. La même faculté ne s'étend pas jusqu'aux prêtres mariés, ceux qui auroient fait des déclarations vrayment apostates ou qui auroient provoqué ou concouru à quelque massacre.

3° Je vous authorise à employer dans le Ministère suivant votre prudence et d'après l'indult de 1792 du Souverain Pontife les prêtres qui se seroient rendus coupables d'intrusion mais je ne puis quand (*sic*) à présent accorder la même faculté pour les prêtres ordonnés par les intrus.

4° Je reforme entièrement le projet et le plan des Missionnaires qui m'avoit (*sic*) paru convenable dans les circonstances où je l'avois arrêté... Je révoque également la nomination faite ou à faire de quatre chefs de Missions. Je rétablis les choses comme elles étoient anciennement sous le titre de vicaires généraux lesquels seront seulement vous et M. de la Romagère jusqu'à ce que j'ay crû nécessaire d'en ajouter d'autres. Tous les pouvoirs limités à deux ans dans les lettres des chefs de Missions sont prorogés indéfiniment et vous pourrez accorder et proroger de même aux prêtres ou curés que vous jugerez le mériter l'étendue de pouvoirs que j'avois marqué pour les Missionnaires.

5° Je vous authorise ainsi que M. de la Romagère à former un conseil de quatre Ecclésiastiques que vous croirez propres à vous aider de leurs lumières et de leur conseil dans les cas difficiles. Vous deux seront (*sic*) confirmés par moy et en cas de mort de l'un de vous deux (ce dont le Seigneur vous préserve) l'ancien du Conseil remplacera le grand vicaire et aura les mêmes pouvoirs jusqu'à nouvel ordre.

6° Vous pourrez envoyer à l'ordination d'un légitime Evêque, les diacres dont vous me parlez : ce sera un secours prétieux dans les circonstances (...) »

Quoi qu'il en soit de la réorganisation des diocèses dans la période directoriale, il est clair, et c'est le point capital, qu'elle se fait sous le signe d'une grande exigence doctrinale autant que d'un profond souci pastoral. De cela nous avons montré plus que des indices. Ils semblent suffisants pour détruire une légende colportée par l'historiographie : le vide ou, pire, la carence d'une pensée et d'une action de l'Eglise de France que viendrait providentiellement combler le Concordat. Ou l'on devra réfuter sérieusement l'activité ecclésiologique, le propos de Théologie politique que tiennent les cercles chrétiens à partir de 1793, ou il faudra cesser de considérer le Concordat comme la nécessaire *création* jaillie du tohu-bohu révolutionnaire. Il n'est qu'une *option* parmi d'autres possibilités dont celle retenue ne constituait pas forcément une heureuse panacée pour l'ecclésiologie du XIXe siècle.

CONCLUSION

Le caractère de ce livre voudrait qu'il restât « ouvert » à la discussion, à la réflexion, à la recherche, ce qui nous interdit de conclure, au sens académique du terme. Il est utile, en revanche, de marquer quelques repères et de donner les dernières précisions.

Commençons par celles-ci, puisqu'elles valent pour l'ensemble du travail et singulièrement pour les ecclésiologies. Plus qu'ailleurs, on retirera de ce chapitre l'impression d'une histoire religieuse réduite à son sens traditionnel par l'intervention prééminente des dirigeants et des chefs spirituels. Aurions-nous trahi notre volonté d'embrasser la totalité du peuple chrétien en tombant par mégarde dans l'ornière de l'histoire « ecclésiastique » ? Deux raisons devraient expliquer cet apparent gauchissement.

La première tient à la documentation mise en œuvre. Elle émane assurément en grande partie de milieux ecclésiastiques, mais nous avons dit que sa complète exploitation — dépassant le cadre de cet ouvrage — ferait ressortir des témoignages, des réactions de laïcs qui entrent dans les facteurs de jugement des responsables. Il appartiendra aux chercheurs de les recueillir et de les prolonger à l'aide d'autres sources d'archives publiques et privées.

Mais nous avons adopté ce parti, également, pour une raison méthodologique. Ethnologues et sociologues savent bien que l'étude d'une société nécessite, comme condition première, le respect de ses structures et de ses lois. Il doit en être de même pour l'Eglise catholique articulée, nous l'avons vu, en Eglise enseignante et Eglise enseignée. Sans attacher à cette articulation une valeur de supériorité sociale, encore éloignée d'une « lutte des classes », il n'en reste pas moins que l'une informe l'autre, lui dicte des comportements qui ne suscitent pas, certes, une obéissance passive, mais une adhésion dans le mystère du Corps ecclésial révélé en Jésus-Christ. Cela ne va pas sans un certain paradoxe : nous avons observé, principalement dans le monde des constitutionnels, mais aussi parmi les fidèles, une véritable contestation sociale, politique et même religieuse en face de la Hiérarchie romaine sans entraver — bien au contraire, parfois — la croyance sincère au mystère ecclésial, en tant que vérité surnaturelle.

Cette remarque échappera facilement à l'observation qui n'appréhende que les controverses ecclésiastiques. Est-elle pour autant cantonnée dans le « milieu ecclésiastique », c'est-à-dire dans un univers clos sur lui-même ? Nous avons tenté, plusieurs fois, de montrer combien le clergé se diversifiait en tendances sociales, éducatives et théologiques. A ce titre, il enregistre les vibrations d'un monde mouvant, il en épouse les passions et les goûts et finit par polir les facettes d'une conscience religieuse collective.

Par conséquent l'historien se gardera, en abordant le monde catholique en révolution, de brouiller ses éléments constitutifs : le *sens* de ses structures hiérarchiques que personne ne remet en cause, pas même l'épiscopat constitutionnel qui condamne solennellement les tentatives de presbytérianisme dès son premier Concile national; la *valeur* ou plus exactement le rapport entre les degrés hiérarchiques qui, lui, fait difficulté à la conscience religieuse révolutionnaire, soit entre le Pape et l'épiscopat légitime, dans le monde tridentin, soit entre l'Eglise enseignante et les fidèles désireux de capacité juridique, selon les insistances jansénistes. C'est en distinguant le sens et la valeur qu'on se mettra à portée de démêler l'aspect socio-politique de l'aspect spécifiquement religieux de l'Eglise. Aspect socio-politique dans la recherche d'une « théologie de la Révolution » impliquant des jugements de valeur sur la situation révolutionnaire; aspect spécifiquement religieux, perçu, à travers le remous des événements, dans une sensibilité à la foi et aux sacrements.

Autant de jalons qui, loin de compliquer l'enquête, la précisent et élargissent le champ historiographique, resserré dans l'idéologie et la politique, jusqu'à l'étude des mentalités collectives.

***

Est-elle autre chose, cette « Conscience religieuse en Révolution », lorsqu'elle requiert liberté de décision, volonté de fidélité, amour d'une croyance de la part des élites et de la masse ? N'appelle-t-elle pas le concours des sociologues, psychologues et historiens pour analyser le bariolage de ses engagements, de ses hésitations, de ses contradictions ? Doit-elle mépriser l'apport des théologiens plus aptes à discerner le contenu religieux tiré de la gangue révolutionnaire ?

Le concours de toutes ces compétences scientifiques permettrait de retoucher efficacement un thème majeur de l'historiographie : celui qui associe Révolution à déchristianisation et Contre-Révolution à rechristianisation. Bien sûr que le « christianisme des catacombes » instauré en l'an II, sous la pression révolutionnaire, jouera un rôle purificateur et stimulant pour les actes religieux. Rien ne prouve encore qu'il fut un élément suffisamment durable pour infléchir la conscience religieuse. Le culte réfractaire, de l'aveu de ses partisans, supporte trop d'équivoques politiques pour le faire. Quant à cette Révolution, est-elle bien l'entreprise contre la religion dénoncée par Barruel et par Burke ? De nombreux et respectables catholiques vivent une expérience différente à condition de préciser ce qu'ils entendent sous ce terme générique de « Révolution » : ni les folies de l'an II, ni les agressions commises par les proconsuls jacobins, ni les mascarades anti-cléricales des sociétés populaires, mais une symbiose entre les principes de 89 et le message chrétien. La législation anti-religieuse ne forme pas un corpus si cohérent qu'il puisse anéantir totalement ce projet : l'affaire des serments en offre une éloquente démonstration. Et lorsque ces catholiques « révolutionnaires » deviennent les premières victimes de décrets draconiens, il semble qu'une force supérieure les aiguillonne et leur procure un réel esprit de croisade pour que triomphe ce projet, en dépit de circonstances contraires. Il faudrait des esprits vraiment prévenus pour retenir contre le clergé constitutionnel d'après Thermidor, l'attrait des pensions et des places officielles, quand l'Etat les abandonne et les persécute pareillement à leurs confrères réfractaires !

C'est à ceux-ci qu'il est de bon ton de réserver le maintien de la foi chrétienne, surtout quand ils ont émigré. Qui ne s'inclinerait, en effet, devant les pathétiques sacrifices consentis par beaucoup de ces prêtres et même des quelques laïcs qui connurent l'exil au nom de la foi ? Nous avons suffisamment dégagé les grands traits du travail doctrinal et pastoral auquel se livre le clergé « romain », à partir de 1793, pour noter librement bien des éléments suspects qu'on verse au compte de la foi. Les plans et l'attitude des « missionnaires » à l'œuvre dans la France Directoriale et Consulaire se ressentent d'une méconnaissance affectée des conditions d'existence des fidèles, d'un ultramontanisme dont la Papauté se devra de tempérer l'intransigeance au moment du Concordat, d'une rigueur qui provoque la conscience collective à de nouveaux déchirements.

Pourtant, certains d'entr'eux sont animés d'un réel esprit de charité et d'un dévouement sacerdotal que ne peut oblitérer leur prosélytisme politique. D'où vient cette contradiction assumée par l'historiographie ? Ne serait-ce pas du refus conscient de reconnaître que la Révolution — dans le sens de 1789 — au lieu de maquiller la conscience chrétienne, comme ils l'affirment, a activé le ferment révolutionnaire du christianisme, comme le soutiennent leurs adversaires ?

Des recherches systématiques menées par les historiens de la Révolution française fourniraient, en ce sens, des éclairages précis aux interrogations actuelles qui montent de divers horizons du monde chrétien (1). Elles doteraient la réflexion

---

(1) Il y aurait lieu de méditer les pages éclairantes ouvrant le cours de M. Reinhard, *Religion, Révolution et Contre-Révolution,* Paris, 1960, 3 fasc., Centre de Documentation Universitaire, 5, place de la Sorbonne, Paris Ve.

théologique d'une assise historique qui lui fait encore défaut et lui éviteraient les avatars idéologiques dont étaient friands les historiographes du XIXe siècle. La grande erreur de Joseph de Maistre ne consistait-elle pas à vouloir placer le domaine religieux au-dessus de tout, comme s'il devait commander le politique, le social et l'économique ? A l'inverse, Buchez, épris de « catholicisme social », plaçait l'essence révolutionnaire du christianisme dans sa force à renverser les structures en place : comme le Christ balayant les tables des marchands du Temple ! Ce qui, à y regarder de près, procède de la naïveté maistrienne : dans les deux cas, l'Eglise est considérée comme maîtresse du destin du monde, que ce soit un monde établi ou un univers à transformer.

La tentation demeure éternellement, pour une conscience religieuse, d'extraire d'une civilisation les éléments qui lui conviennent plutôt que d' « informer » par l'Evangile tous les éléments de cette civilisation. C'est, pour une bonne part, la tragique méprise de la conscience religieuse du XVIIIe siècle confrontée aux pluralismes. Absorbés par la lutte anti-philosophique, rares sont ceux qui leur conféreront une valeur positive. Philosophes chrétiens, théologiens, apologistes s'accordent à les trouver ruineux : mais ruineux pour la foi ou pour un modèle de chrétienté, en l'occurrence, celle qui est issue du Concile de Trente ? Inconsciemment ou non s'opère, dans le raisonnement, l'équation entre un type social de communauté ecclésiale et le mystère ecclésial lui-même, tel que la foi le définit. Inconsciemment ou non, les élites continuent de fabriquer des modèles religieux dans une langue d'Eglise qui n'en facilite pas l'assimilation pour la masse : sans déserter les églises, celle-ci s'accommode mieux d'une religion à formes populaires soutenue par des mystiques aberrantes, non dénuées de pratiques magiques, au dire des almanachs !

La Révolution sanctionnera ce clivage social et culturel, déjà précisé dans les revendications religieuses des cahiers de doléances. Les événements vont dramatiser les évolutions politiques et économiques des élites et de la masse — si tant est que la loi « révolutionnaire » veut que les riches s'enrichissent et que les pauvres s'appauvrissent — des villes et des campagnes abîmées dans leurs problèmes locaux. Sous cette pression des événements, éclatent les pluralismes excommuniés sous l'Ancien Régime. Ils invitent la conscience religieuse à exprimer sa foi en fonction des niveaux socioculturels plutôt qu'à remettre la foi en question. En de multiples occasions, nous avons observé que même des contestations spécifiquement religieuses, des contradictions individuelles, tenaient à des conceptualisations différentes et non à la réalité chrétienne en elle-même.

Ayant renvoyé dos à dos le jugement des réactionnaires déclarant la Révolution anti-religieuse et celui des libéraux qui, à la manière de Tocqueville, cherchent à baptiser la Révolution, on peut se demander, en dernier ressort, si la force révolutionnaire du christianisme a conduit la conscience religieuse, de 1789 à 1800, à se renouveler véritablement.

Le pouvait-elle, lorsqu'elle doit lutter à chaque heure pour son existence, c'est-à-dire lorsque son action précède continuellement sa réflexion ? Le tournant de 1797-1798 est révélateur à cet égard : dans l'instant où une longue maturation semble devoir diriger la conduite, une nouvelle conjoncture, distendue entre les promesses d'une restauration monarchique et l'extension de la « grande nation » républicaine, impose de reconsidérer la situation religieuse. Il faut encore aller plus loin : la fragilité de cette conscience en Révolution prend son origine autant dans le décalage entre réflexion et action, que dans une sorte de maladie de l'action.

Jamais, semble-t-il, elle ne se départit d'une confusion entre le réformisme et l'action proprement révolutionnaire. Nous en trouverions la preuve dans l'idéal de l'Eglise primitive, cher aux constitutionnels. Signifie-t-il antidote à une chrétienté de style tridentin, d'où les propos « protestants » qu'on leur reproche fréquemment, ou bien la nécessité pour tous les chrétiens de se conformer à la communauté primitive en opérant leur propre révolution intérieure en matière de catéchèse, de pratique des vertus — spécialement la pauvreté —, de morale générale ? N'est-on pas axé sur une « réforme » de l'Eglise romaine ou cherche-t-on à lui insuffler une nouvelle vie évangélique ? Grégoire et ses collaborateurs deviennent conscients de l'équivoque, mais tardivement. Pour la lever, ils ne procèdent guère autrement que leurs adversaires : les appels à la conversion et à la pénitence qui dominent la pastorale à partir de 1795 sont surtout conçus comme une expiation des excès révolutionnaires. Cet aspect essentiellement négatif véhicule la même erreur commise, à la même époque, par les élites anti-chrétiennes : s'appuyer sur la morale lors même qu'elle s'effondre. Le XIXe siècle endossera cette lourde hérédité.

A leur décharge, il faut noter qu'il n'était guère aisé, pour ces promoteurs religieux, d'adopter un parti franc devant les suspicions dont l'Eglise les entourait. Deux textes indiquent l'évolution de la Hiérarchie, en la matière : Au lendemain de la promulgation de la Bulle *Unigenitus,* l'assemblée des cardinaux, archevêques et évêques de France n'hésitait pas à voter cette proposition audacieuse : « La crainte même d'une excommunication injuste, ne nous doit jamais empêcher de faire notre devoir (...). On ne sort jamais de l'Eglise lors même qu'il semble qu'on en soit banni par la méchanceté des hommes, quand on est attaché à Dieu, à Jésus-Christ et à l'Eglise même par la charité » (2). Au terme des processus révolutionnaires du XIXe siècle, le plus hardi des ecclésiologues, le cardinal Newman, livre cette réflexion qui révise sérieusement le statut du « révolutionnaire » dans l'Eglise catholique :

« Il y a un temps pour chaque chose; plus d'un homme désire la réforme d'un abus, l'approfondissement d'une doctrine ou l'adoption d'une discipline spéciale, mais cet homme oublie de se demander si l'époque est venue pour cela. Sachant que personne d'autre que lui ne s'occupera d'accomplir cette réforme sa vie durant, cet homme, sans écouter l'avis des voix autorisées, n'hésite pas à le faire. Il gâche ainsi en son siècle, une œuvre utile qui aurait pu être entreprise et menée heureusement à bien, au siècle suivant, par quelqu'un

(2) *Procès-verbal de l'assemblée des cardinaux, archevêques et évêques tenue à Paris dans l'archevêché en l'année 1713-1714.* Paris, 1714; proposition XCI, du 22 janvier 1714.

d'autre qui peut-être n'est pas encore né. Alors qu'aux yeux du monde, cet homme semble être un champion audacieux de la vérité et un martyr de la conviction indépendante, il n'est en réalité qu'un de ces personnages que l'autorité compétente se doit de réduire au silence » (3).

L'argument d'autorité, ainsi récupéré, tuait le dynamisme d'une conscience en Révolution qu'appelait, en fait, l'épiscopat français au début du XVIIIe siècle. Il rassurait sur un conformisme, générateur peut-être d'une conscience religieuse. Mais en quoi celle-ci pouvait-elle être encore qualifiée de chrétienne ?... Question qui continue de nous interroger à travers la générosité de jeunes catholiques d'aujourd'hui s'écriant : « La Révolution est compatible avec l'Evangile, mais pas avec les chrétiens... ».

---

(3) NEWMAN, *Apologia pro vita sua*. (Desclée de Brouwer), édit. de 1967, p. 438.

ANNEXE I

Chanson patriotique sur les prêtres réfractaires (1).

(Air : des Solitaires de Normandie).

Prêtres, Nobles sont Mécontens
Des loix de nos représentans
Voilà la ressemblance :
Ceux-ci recourent au canon
Ceux-là nous livrent au démon
Voilà la différence.

Amis que deviendrions-nous
Si nous redoutions de ces fous
La noire extravagance :
Leurs projets dans l'ombre enfantés
Par les vents sont tous emportés
Pour le bien de la France.

On nous prône certains écrits
Dont les argumens érudits
Ne sont qu'un pur sophisme :
De la solide piété
Vous ne pouvez être goûtés
Sans le patriotisme.

Jointes d'un nœuf fédératif
Entre elles n'ont rien d'exclusif
Les vertus qu'on nous vante.
Amis, vivons chrétiennement
« Le plus petit est le plus grand »
C'est la loi régnante.

---

(1) *Bibl. Hist. Ville de Paris,* ms. 767, f° 101 — Chanson de 1792.

On retranche vos revenus
Vous n'aurez plus de superflus
C'est ce qui vous désole.
L'abus partout anéanti
Le pouvoir bien mieux réparti
C'est ce qui nous console.

Titres, honneurs vous sont ôtés
Préséances et dignités
C'est ce qui vous désole.
Mais nous aimons l'égalité
Compagne de la liberté
C'est ce qui nous console.

ANNEXE II

Sentiments « romains » à propos du *Plan de conciliation* du Concile national de 1797 (1).

1° (...) Cette lettre commence par faire envisager l'assemblée d'un Concile national dans les circonstances présentes comme *un effet admirable de la divine providence, l'œuvre du Seigneur, l'opération merveilleuse de sa toute puissance.* Il n'y a cependant rien en cela de merveilleux et dont on n'ait vu des exemples dans plusieurs conciliabules tenus autrefois par les ariens. A la vérité, ceux-ci étoient protégés par les empereurs, mais les constitutionnels disent aussi dans la seconde page de leur lettre « tous les obstacles ont été applanis et nous nous trouvons réunis en

(1) Le 24 septembre 1797, le clergé constitutionnel réuni en Concile national rédigeait un *Plan de Conciliation* transmis aux évêques légitimes et au clergé « incommuniquant » sous la forme d'une *lettre synodique* suivie d'un *décret de pacification* en dix-neuf articles dont on trouvera, pour l'essentiel, l'analyse, dans J. BOUSSOULADE, *L'Eglise de Paris du 9 Thermidor au Concordat*, Paris (1950), p. 107 à 111. — De Rome, M. Descourvières se fait l'écho de l'accueil fait par le clergé émigré à cette proposition, *Arch. M.E.P.*, vol. 1055, f° 353-363. Les constitutionnels ne se décourageront pas et, le 26 juillet 1801, à l'ouverture de leur deuxième Concile national, ils rédigeront en termes quasi identiques une nouvelle *Lettre synodique au clergé incommuniquant*, Paris, an IX, 27 p. in-8.

Concile, assurés de la protection des loix. » Il n'est point surprenant que l'ennemi du genre humain qui fit naître toutes sortes d'obstacles pour empêcher les bonnes œuvres n'ait rien opposé à cette assemblée dont le principal but étoit de consolider le schisme et d'y faire rentrer, s'il étoit possible, les catholiques eux-mêmes sous prétexte de réunion et de pacification.

[D'ailleurs, il faut remarquer que, quand cette assemblée s'est formée, beaucoup de départemens favorisoient ouvertement le culte catholique et les Conseils s'occupoient du rappel des déportés, ce qui faisoit tomber les schismatiques dans le grand mépris. Ils ont regardé ce prétendu Concile comme le seul moyen de se relever et de se soutenir — *Barré dans le texte.*]

2° A la fin de la 2e page et dans toute leur lettre, ils supposent que l'ancien clergé de France n'est divisé d'avec eux que *par des opinions différentes suscitées et entretenues par des intérêts divers.* Ils ne veulent pas voir dans les brefs du Souverain pontife une décision dogmatique qui doit néanmoins, même suivant la règle de l'Eglise gallicane, faire règle de foi puisqu'elle a été acceptée par tous les vrais Evêques (du monde chrétien) de France [dont les intrus sont forcés de reconnoître la légitimité puisqu'ils leur cèdent la place en cas qu'ils puissent et veuillent rentrer, *barré dans le texte*] et qu'elle a été envoyée à tous les Evêques du monde chrétien dont aucun n'a réclamé. Comment donc osent-ils faire entendre, p. 15, qu'ils sont disposés à embrasser la vérité lorsqu'elle leur sera connue et qu'ils se soumettent d'avance au jugement de l'Eglise tandis qu'ils refusent de se soumettre à une décision si solennelle ?

3° Ils insistent beaucoup, p. 11 et suivantes, sur l'obligation de se soumettre à la puissance qui gouverne et ils prétendent que ces dissentions politiques sont la principale cause des divisions religieuses. Il seroit essentiel qu'en réfutant cet écrit, on réfuta positivement que les Evêques, les prêtres et les fidelles catholiques ne se refusent pas à cette soumission : ils n'en exceptent que les loix et les ordres contraires à la loi de Dieu et à l'autorité spirituelle de l'Eglise.

4° Ils prétendent, p. 12, que *le gouvernement républicain est celui qui se rapproche le plus des principes de l'Evangile.* Ce qui est très faux, car quoique le gouvernement républicain ne soit pas défendu et que les catholiques s'y soumettent volontiers partout où il se trouve établi, il est néanmoins bien plus aisé de pratiquer l'évangile dans toute sa perfection au commun des fidelles en ne prenant aucune part au gouvernement et en se contentant d'obéir aux puissances (...)

5° Ils conviennent, p. 15, avec S. Augustin, qu'il ne peut y avoir *de justes raisons de rompre l'unité* et ils osent opposer ce texte aux catholiques. Comment ne voient-ils pas que cette sentence ne condamne qu'eux seuls? (...)

6° P. 14. En citant cette sentence des évêques catholiques d'Afrique : *nous sommes évêques pour vous et nous devons cesser de l'être si votre avantage l'exige,* ils témoignent être disposés à imiter leur exemple. Les évêques catholiques de France ont véritablement imité ceux d'Afrique en offrant au Souverain pontife, dès 1791, la démission de leurs évêchés s'il la jugeoit utile ou nécessaire pour le bien de l'Eglise (...)

7° P. 16 et suivantes. Ils comparent l'état présent de l'Eglise au schisme qui a précédé le Concile de Constance et s'authorisent du fameux Gerson pour dire qu'en pareil cas ce seroit une témérité et même un scandale d'oser regarder ses frères engagés dans un autre parti comme hors la voye du salut. Mais quelle différence entre cet ancien schisme et le schisme actuel ?

Sur le décret de pacification.

Le 1er article est démenti évidemment par la conduite des évêques schismatiques de France puisqu'en protestant de leur attachement inviolable à l'Eglise catholique, apostolique et romaine et en reconnoissant dans le pape la primauté de juridiction, ils refusent néanmoins opiniâtrement de se soumettre.

Le 2e article est également faux puisqu'ils refusent de condamner les erreurs de la constitution civile du clergé (...)

Le 3e article est insidieux. Quant à la 1re partie, ils semblent reconnoître dans l'Eglise le pouvoir de se gouverner elle-même, mais ils ajoutent que son autorité est purement spirituelle : cela est vrai si on considère la fin qui est le salut des âmes et la sanction de ses loix qui consiste dans des peines purement spirituelles : mais le but des schismatiques qu'ils ont manifesté dans tous leurs écrits est de restreindre cette authorité de l'Eglise aux objets purement intérieurs par où on lui enlève le droit de régler la discipline extérieure concernant l'administration et la réception des sacremens (...) Quant à la 2e partie, il y a encore de l'ambiguïté. Ils conviennent que les Evêques sont de droit supérieurs aux prêtres même en juridiction, mais cette juridiction est limitée et comme anéantie par le moyen des vicaires cathédraux dont la voix n'est pas seulement consultative, mais décisive (...)

Dans le 4e article, ils croiraient condamner ouvertement leur propre intrusion, s'ils avouaient purement et simplement qu'*il faut avoir reçu de l'église une mission canonique pour l'exercice légitime du ministère pastoral.* C'est pourquoi ils ajoutent la restriction : *hors le cas de nécessité.* Cette restriction ne peut aucunement les excuser (...)

Le 6e article contient l'une des principales erreurs de la constitution civile du clergé. Il est conçu en ces termes : « Elle (la prétendue église gallicane) reconnoît pour base fondamentale de la discipline l'élection des Evêques par le clergé et par le peuple et leur confirmation et leur institution par le métropolitain » (...)

Le 8e article. Ils excluent du rang des pasteurs ceux qui n'auront pas donné la garantie prescrite par la loi de leur fidélité à la république, c'est-à-dire qui refuseront le serment de haine au royalisme et de se soumettre à la constitution de 1795. S'il ne s'agissoit que de promettre fidélité à la république ou (ce qui est la même chose) de ne point favoriser le retour de la monarchie, les évêques et les prêtres ne feroient pas de difficultés de le faire, mais comment pourroient-ils en conscience jurer une haine positive au royalisme qui est une chose bonne en elle-même et approuvée par Dieu ? Comment pourroient-ils jurer de se conformer sans restriction à une constitution qui contient plusieurs choses contraires à la loi du Seigneur ? (...)

Les articles 12-13 et 14 obligent anciens évêques et curés qui voudront rentrer dans leurs sièges ou leurs paroisses à faire dans les trois mois la déclaration de leur adhésion formelle au décret de pacification, c'est-à-dire que pour les laisser jouir de leurs droits légitimes, on veut les forcer à adhérer au schisme (...)

L'article 17 dit que ce décret sera adressé à N. S.-P. le pape. Est-ce pour être approuvé ou confirmé par lui, pour le soumettre à son jugement ? Non, c'est pour le prier d'emploïer tous ses soins paternels pour pacifier la France, mais aux conditions et de la manière que les évêques schismatiques ont eux-mêmes fixées sans donner la moindre marque de repentir ni la moindre espérance (...)

Pour l'article 18, il est dit que ce décret sera également addressé aux évêques des églises étrangères. On ne voit pas à quelle fin ? Ils se trompent s'ils croient trouver parmi ces Evêques des fauteurs de schisme.

Enfin, par le dernier article, ils ordonnent qu'il sera publié en France au prône des messes paroissiales dans toutes les églises. C'est ce qu'il y a de plus dangereux vu la facilité de séduire le peuple par des apparences de douceur et de charité.

On ne remarque aucune date ni de ce décret ni de la lettre synodique. Si cela concerne le temps présent, il est clair que ces offres et ces prétendus sacrifices ne peuvent servir qu'à jetter de la poussière aux yeux du peuple par une fausse ostentation de modération puisque les loix excluent de la république les pasteurs légitimes et il est bien à craindre que ces *évêques et prêtres réunis en Concile assurés de la protection des loix* n'ayent eux-mêmes contribué à faire marquer les décrets portés en faveur des prêtres bannis.

ANNEXE III

Un essai de pastorale constitutionnelle :
Lettre de Ponsignon, vicaire épiscopal de Versailles, sur sa traduction du Sacramentaire français aux Evêques Réunis

(1er thermidor an VII-19 juillet 1799) (1).

Révérendissimes évêques, j'ai terminé le *Sacramentaire français* dont vous m'avez confié la rédaction en exécution de l'article 3 du deuxième décret du Concile national sur la liturgie et j'ai l'honneur de vous l'adresser pour le soumettre à votre examen. Je ne réponds pas du mérite de l'exécution. Vous en serez juges, mais je puis vous répondre du succès qu'en obtiendra la pratique, si j'en augure par celui qu'ont obtenu, ici, les essais multipliés qui en ont été faits (...) Je m'empressai de rédiger l'administration du *baptême,* ensuite celle du *mariage,* celle des *malades.* Je les soumis successivement à l'examen et à l'approbation de notre vénérable évêque et je les administrai sous cette nouvelle forme, non seulement sans contradiction, mais avec applaudissement, et souvent même attendrissement de la part des assistans.

Je dois vous avouer que depuis quelque temps (depuis surtout que la licence ne paroît plus permise que contre les objets religieux), je me présentais à l'administration des sacremens, et surtout du baptême, qu'avec la crainte d'être le témoin des irrévé-

(1) A l'instigation de Clément, évêque constitutionnel de Versailles, Ponsignon, mis en vedette au Concile de 1797 par ses compétences théologiques et liturgiques, avait été nommé au siège de Sens. Il renvoya prudemment la date de son sacre à l'époque où son élection serait ratifiée par le Pape. Ce qui ne l'empêcha pas de démissionner en 1801, en qualité d'évêque nommé de l'Yonne. Sa *lettre* fut imprimée à la suite de l'*Appel au peuple chrétien de la réclamation de M. Royer* par BRUGIÈRE, Paris, 1800, 148 p. in-8. Cette traduction rencontra la désapprobation de plusieurs *Evêques Réunis,* en particulier de Royer (Paris), Desbois (Amiens), Saurine (Dax), Le Coz (Rennes). Et un correspondant demandait à l'auteur, le 18 mars 1800 : « Pourquoi votre Sacramentaire français, attendu depuis si longtemps, n'a point encore paru ? ».

rences et des sarcasmes de l'impiété : le plus souvent je n'étois entouré que d'une jeunesse tumultueuse et dissipée; souvent aussi ceux qui présentoient des enfans au baptême, n'apportoient que des dispositions d'une froide indifférence ou d'un dédain mal déguisé pour des cérémonies qui leur sembloient vaines parce qu'ils ne les comprenoient pas : quelques-uns même m'avoient reproché ouvertement de leur parler un langage inconnu. Mais depuis que l'administration des sacremens se fait en français, tout a changé au profit de la religion.

Sur près de quatre cents baptêmes qui ont été administrés en cette forme il n'en est pas un qui n'ait inspiré un vif intérêt : à la dissipation a succédé le recueillement : des chrétiens attentifs réclament la piété par leur silence : les cérémonies expliquées et comprises impriment le respect même à ceux qui apportent des dispositions contraires; et des hommes d'une religion très — équivoque, témoins de ces cérémonies, n'ont pu se défendre d'en être touchés jusqu'aux larmes et en ont fait l'aveu.

Les belles formules du mariage produisent le même effet. Dans l'administration des derniers sacremens, les malades ne sont plus purement passifs; ils se joignent aux prières qui les touchent et les consolent et les assistans y répondent avec piété. Il n'est pas jusqu'à la cérémonie des relevailles qui jusqu'alors n'intéressoit personne qui ne trouve à présent des auditeurs attentifs et édifiés. Je dis plus, c'est que ces dispositions des assistans influent jusques sur le ministre des sacremens et le porte à administrer avec plus de respect et de dignité. Quand il parle dans une langue inconnue, la certitude de ne pas être entendu, la crainte de devenir ennuyeux le forcent presque malgré lui à la précipitation. Mais ici l'attention qu'il aperçoit au dehors excite la sienne : l'onction qu'il répand se communique à lui-même et lui rend ses fonctions plus vénérables (...)

Je dois à présent, révérendissimes évêques, vous soumettre quelques observations sur différentes parties de ma rédaction.

1° J'ai cru devoir faire précéder l'administration du baptême par une *admonition aux parrains et marraines,* non comme une exhortation de cérémonie, *ad arbitrium sacerdotis,* mais comme instruction préparatoire d'après cette parole de Jésus-Christ : *docete ... baptizantes;* je la place immédiatement après la demande faite au nom du néophyte, de recevoir le baptême, tant parce qu'elle correspond à cette demande que pour préparer les esprits à l'attention et au recueillement.

2° J'ai réduit à une seule les trois oraisons qui commencent la cérémonie du baptême parce qu'elles n'offrent presque que le même sens et souvent les mêmes expressions. Un changement plus important, mais qui m'a paru indispensable, c'est celui de ces paroles : *ut dignus efficiatur accedere ad gratiam baptismi tui* que l'antiquité avoit sans doute consacrées pour le baptême des adultes, mais qui ne peuvent convenir à celui des enfans.

3° J'ai changé en une bénédiction l'exorcisme sur le sel et j'ai réuni les deux exorcismes en un, pour éviter les répétitions, pour adoucir quelques expressions, parce que quelques rituels les réunissent.

4° J'ai joint à chaque cérémonie marquante une courte explication pour les rendre respectables en en déterminant le sens.

5° Dans tous les rituels, on trouve une manière uniforme d'administration du saint-viatique et de l'extrême-onction aux malades : j'ai cru que les différens états des malades exigeoient quelques différences et que celle de l'extrême-onction administrée à un malade jouissant de sa connoissance ne convenoit pas à un malade agonisant.

6° Toute l'Ordination, depuis la tonsure jusqu'à l'épiscopat inclusivement, n'est qu'une traduction du pontifical. Je croyois d'abord qu'il ne m'en coûteroit que la peine de l'écrire; mais j'ai éprouvé que le latin du pontifical peut avoir quelquefois ses difficultés. Quelques personnes me détournoient de faire cette traduction sous prétexte que l'ordination devoit être toujours faite en latin. Mais j'ai pensé que les raisons de la faire en français n'étoient pas moindres pour cette administration que pour les autres. Il est même dans l'Ordination des formules qui ne peuvent être raisonnablement prononcées qu'en français : telles que le discours que l'évêque adresse pour lui demander son témoignage sur les candidats et les prières auxquelles il invite le peuple à se joindre. Il se trouve d'ailleurs dans l'Ordination des endroits dont le style n'est point assez simple pour être saisi sur-le-champ par les ordinands eux-mêmes auxquels le latin ne seroit pas extrêmement familier. Quoi qu'il en soit, cette traduction ne sera pas inutile tant pour l'instruction des fidèles que pour satisfaire la piété de ceux qui voudront assister avec un esprit de religion à ces belles et édifiantes cérémonies.

7° La partie religieuse de l'administration du mariage est très maigre dans les rituels : elle consiste dans une courte prière pour la bénédiction de l'anneau et dans une autre plus courte encore qui termine la cérémonie. Obligé de retrancher ou de modifier tout ce qui a rapport à l'acte civil, je crois l'avoir remplacé par des formes plus instructives et plus propres à exciter la piété.

Quant à la formule sacramentelle du mariage, il ne paroît pas convenable de conserver l'ancien *conjugo vos* d'après l'état actuel des choses et les principes même établis par le Concile : il n'est pas à propos non plus d'innover une formule inusitée. Mais il en existe une, adoptée depuis longtemps par d'anciennes et vénérables Eglises, telles que celles de Cologne et de Strasbourg, c'est cette formule que j'ai employée dans ma rédaction. Elle distingue clairement le sacrement du contrat; elle semble faite pour les circonstances présentes; elle écarte en même temps toute inculpation de nouveauté : il n'y a donc aucun inconvénient à l'adopter (...)

10° J'ai mis en français les formules sacramentelles et je le devois sous tous les rapports puisque cet ouvrage est destiné à l'édification des laïques aussi bien qu'à l'usage des prêtres. J'avoue même que tout se prononce en français dans notre Eglise [de Versailles] parce que ne travaillant d'abord que d'après l'esprit et non sur la lettre du concile national, il ne me seroit point venu à l'esprit qu'il eût fait une disposition contraire (...)

[Enfin] pourquoi priver le moribond de la consolation d'entendre ces paroles touchantes : *Que Dieu par sa tendre miséricorde et par la vertu de cette sainte onction vous pardonne les péchés que vous avez commis par tel ou tel sens* ? Pourquoi laisser croire aux gens instruits ou mal disposés que les formules sacramentelles sont composées de *paroles secrètes* qui n'ont de vertu que dans une langue inconnue ? (...)

Dira-t-on que les formules sacramentelles doivent être conservées en latin par respect pour la langue d'Eglise ? En ce cas, il ne falloit rien changer, rien traduire. Le respect pour la langue d'Eglise s'opposoit également à toute traduction. Qu'entend-on d'ailleurs par la langue d'Eglise ? A-t-elle, de droit divin, une langue qui lui soit propre ? (...) Et l'apôtre Saint Paul ne condamne-t-il pas énergiquement et sans équivoque ceux qui, dans l'assemblée des frères, parlent un langage qui n'est entendu de personne et auquel personne ne peut répondre par l'acclamation commune ? (...) Dira-t-on encore que si l'on traduisoit dans toutes les langues les formules sacramentelles on s'exposeroit au danger de les changer ou de les défigurer ? Mais il y avoit plus de danger encore de défigurer toute l'Ecriture sainte en la traduisant : donc il ne falloit pas la traduire ! Il est cependant bien évident que les formules simples et absolues des sacremens sont celles qui courent le moins de danger à passer dans une autre langue et que ces paroles *Ego te baptizo; Ego te absolvo* ne peuvent jamais rien signifier que *Je te baptise; Je t'absous.*

Je termine ici mes observations...

ANNEXE IV

Satire constitutionnelle contre les ultramontains opposés à la convocation d'un concile général (1801) (1).

L'auteur dépeint complaisamment le « complot » des réfractaires pour le rétablissement de la monarchie. D'où l'auto-satisfaction d'un ecclésiastique aristocrate en s'adressant à l'un de ses confrères du bas-clergé.

« Vous vous rappelez, cher abbé, cette époque fatale où le clergé français se vit tout-à-coup dépouillé de ses biens et déchu de sa gloire; le chef de l'église universelle ne fut pas plus épargné; on poussa l'esprit d'insulte, vous le savez, jusqu'à vouloir nous faire souscrire l'arrêt qui consommait notre ruine : un refus dédaigneux fut notre seule réponse; nous en avions calculé d'avance toutes les suites. Bientôt nous sentîmes la nécessité de rallier à notre parti le bas-clergé; son dévouement à notre cause fut d'autant plus généreux, qu'il n'avait pas un intérêt aussi pressant que nous à s'armer de résistance contre nos oppresseurs. Grâces soient rendues à la majorité des curés ! Sans eux, nos efforts devenaient impuissans, et le schisme, avec le saint-siège, au lieu d'être partiel, aurait exercé ses ravages sur l'universalité de l'empire français.

Il faut l'avouer, mon cher abbé, si, après votre adhésion à

---

(1) D'après *La Vérité sur les divisions qui existent entre les deux clergés de France et Projet de réunion (...) mise au jour par* C. VILINAS, *docteur en droit canon,* Paris, imprimerie de Vatar — Jouannet, rue Cassette, an IX-1801, 32 p. in-8.

Il s'agit d'un dialogue supposé entre deux réfractaires appartenant à un prétendu *Comité central catholique* dont l'auteur recompose les débats de la séance du 27 juillet 1801, en l'église Saint-Sulpice, au cours desquels les membres discutent de l'opportunité d'un concile général.

Ce genre littéraire et l'argumentation sont caractéristiques de la campagne d'opinion déclenchée par les constitutionnels avant le Concordat.

nos principes, nous avions pensé être assez forts par nous-mêmes pour rentrer dans nos droits et dans toutes nos prérogatives, peu nous eût importé la forme du gouvernement; il eût été bien plus glorieux de ne devoir qu'à nous-mêmes notre entier rétablissement : mais, dans l'état des choses, nous étions encore trop faibles, et nous pensâmes qu'il était plus prudent de faire cause commune avec les grands et avec les mécontens de toutes les classes : il fallut déterminer un but vers lequel nous dirigerions tous nos efforts réunis. Le mot d'ordre fut : *le rétablissement de l'autel et le maintien du trône dans toute leur ancienne splendeur* (p. 4).

Grâce à quoi « que de fois, sous la Convention, n'avons-nous pas mis les comités de gouvernement sur le bord du précipice ! » (...) Un des établissemens, cher abbé, qui a le plus contribué à la propagation des bons principes, est celui du Comité central catholique de qui vous tenez aujourd'hui vos pouvoirs. Son institution remonte à peu près à l'époque où la majorité des évêques abandonna la France. Dans les premiers temps de son existence, il eut beaucoup de mal à lutter contre les constitutionnels; ces derniers composèrent alors plusieurs ouvrages pleins de solidité, d'érudition et de modération. Le style en était clair, facile et correct.

Les maximes y contenues, étaient d'autant plus dangereuses qu'elles étaient puisées dans les sources les plus sacrées et que les citations ne portaient jamais à faux. Craignant avec raison que ce venin subtil ne se glissât insensiblement dans les veines du corps catholique, nous résolûmes de couper le mal dans sa racine, et pour y parvenir, nous nous avisâmes du plus admirable expédient qui eut jamais été imaginé.

Depuis dix-huit siècles, vous le savez, cher curé, l'église universelle a sa constitution dont les bases fondamentales sont les saintes écritures, les conciles généraux et la tradition apostolique.

Fatigués de l'opiniâtreté de nos antagonistes et de leur persévérance à nous rappeler toujours à ces trois bases, nous pensâmes qu'il y avait un moyen tranchant et décisif pour en finir avec eux; c'était de leur enlever jusqu'à la faculté d'employer les armes avec lesquelles ils triomphèrent toujours; en conséquence, nous nous assemblâmes, et il fut arrêté à une très grande majorité, que la France serait mise hors de la constitution de l'église universelle, et, qu'abstraction faite de toutes les autorités qu'on pourrait alléguer dans la suite, le Comité central réunirait tous les pouvoirs pour décider les points de doctrine et pour créer au besoin des articles de foi » (p. 8).

Dans la séance fictive tenue par le pseudo-comité le 27 juillet 1801, plusieurs orateurs sont censés défendre les thèses constitutionnelles au scandale des autres membres. La première consis-

tait à savoir — point essentiel — si les ultramontains s'inclineraient au cas où le Saint-Siège ordonnerait la réunion des deux clergés.

« L'abbé P... obtient la parole.

Il faut nécessairement, dans tous les Etats où la religion catholique est établie, reconnaître deux tribunaux souverains qui jugent en dernier ressort, l'un pour le temporel, l'autre pour le spirituel. L'église, comme les gouvernemens, a son régime spécial, son chef particulier et ce chef est le pape.

Il faut encore convenir d'une autre vérité : c'est qu'en matière d'usages et de discipline, c'est l'église existante actuelle qui doit décider. Quelques respectables que soient les anciens règlemens, c'est toujours aux nouveaux que l'on doit s'attacher; (...) or, suivant ces règlemens, les nouveaux évêques devaient recevoir l'institution canonique du pape. L'ont-ils reçue ? D'un côté, l'on prétend qu'il y a eu impossibilité; de l'autre, on répond que cette impossibilité n'est pas prouvée. Il y a donc contrariété d'opinions.

Y a-t-il eu vraiment impossibilité de recourir au pape ? Voilà, si l'on voulait bien s'entendre, la seule question à juger; elle est du ressort du Saint-Siège. S'il vient à décider que le recours n'a pas été possible, alors, comme il n'y aura jamais eu de schisme et d'intrusion, la réunion s'opérera de plein droit; dans le cas contraire, le souverain pontife trouvera dans sa sagesse les moyens de lever les obstacles qui pourraient encore s'y opposer. Mais lorsque sa décision nous sera parvenue, je suis d'avis que nous nous y soumettions avec respect et que la réunion s'effectue sans aucun délai » (p. 23).

Mais des avis opposés s'élèvent, propres à présenter, par le truchement d'un autre membre, la deuxième thèse constitutionnelle : le concile général.

« Vous me pressentez, vénérables collègues; un concile général peut seul ramener parmi nous la paix religieuse. A l'appui de ma proposition, je ne présenterai qu'une seule observation, c'est que, quelque déférence que l'on doive avoir pour tout ce qui émane du Saint-Siège, un simple bref, ou même si vous voulez, un concordat dans les circonstances actuelles pourrait bien ne pas avoir tous les caractères propres à se concilier la créance et les suffrages des vrais pasteurs et des bons catholiques : ce serait peu compter sur votre sagacité, que de chercher à développer cette idée; vous m'entendez.

Je persiste à voter pour la réunion; mais seulement après qu'un concile général aura prononcé (applaudissements du côté gauche) » (pp. 25-26).

Le débat se termine par le triomphe du côté « droit » : un concile général ne servirait qu'à envenimer les choses alors que s'offre la solution d'un Concordat apte à préserver les intérêts ultramontains.

« Demander aujourd'hui un Concile général, c'est après avoir voté pour la réunion, dire en d'autres termes qu'on n'en veut point du tout; ils savent bien, ceux qui font des motions de cette espèce, qu'un grand nombre d'années pourrait s'écouler encore, avant que les décrets définitifs fussent rendus, et dans cet intervalle de temps, quel vaste champ leur serait ouvert pour assouvir leur haine et pour porter le dernier coup à ceux dont ils ont juré la ruine ! Que sais-je, si même après la tenue du Concile général, on ne ferait pas de difficultés de le reconnaître, si l'on ne produirait pas des objections à perte de vue sur la légitimité de la convocation, sur les pouvoirs des députés, sur la non-liberté du Concile, sur l'influence nuisible qu'aurait pu y avoir telle ou telle cour, etc...

(...) N'allons pas, chers collègues, tomber dans le piège qui nous est tendu; saisissons, au contraire, avec empressement, l'occasion qui nous est offerte, pour hâter l'heureux instant de la réunion. Adorons les décrets de la providence ! Ce n'est pas en vain que, du sein de l'Egypte, elle a rappelé dans nos contrées, cet homme étonnant, qui a déjà opéré de si grandes choses. Non, il n'est pas possible qu'un simple mortel embrasse et exécute des plans aussi vastes, sans être assisté par une intelligence supérieure » (pp. 28-29).

Péroraison qui aura le don de déchaîner la colère des « mères de l'Eglise », véritables inspiratrices du clergé réfractaire et éléments de choix pour la satire de l'opuscule.

ORIENTATION BIBLIOGRAPHIQUE

GUIDE DE RECHERCHE ET ÉTAT DES QUESTIONS

Plutôt que de faire supporter à l'ouvrage l'index des quelque trois cents titres de livres et de revues cités au long des chapitres, nous avons cru répondre mieux à son esprit en le dotant d'une sorte de chronique englobant les rubriques « orientation bibliographique », « guide de recherche » et « état des questions ». Elle se situe au niveau des sources comme à celui des publications. En ce qui concerne cette dernière partie, nous avons choisi parmi les productions françaises et étrangères de ces quinze dernières années celles qui nous paraissaient les plus propres à préciser ou à prolonger tel aspect méthodologique évoqué au cours de notre étude. Toute visée exhaustive est donc écartée, en particulier pour de très nombreuses monographies dont la connaissance demeurerait essentielle, mais qui ne correspond pas directement à notre propos.

I. — SOURCES

A. — ARCHIVES PUBLIQUES.

1) Questions générales.

L. LEGRAND, *Les sources de l'histoire religieuse aux Archives nationales.* Paris, 1914, demeure le répertoire indispensable pour l'époque révolutionnaire. Il doit être complété pour la sous-série F^{19} *Cultes* (période concordataire) par G. BOURGIN, *Les sources manuscrites de l'histoire religieuse de la France moderne.* Paris, 1929, pp. 97-115, et les inventaires dressés durant les dernières années. En particulier, celui de la sous-série BB^{18} affectée à la correspondance de la division criminelle du Ministère de la

Justice : de nombreux dossiers intéressent les émigrés, les affaires des cultes et les prêtres réfractaires pour la période an IV-an VI (spécialement la Franche-Comté et les départements de Belgique), selon une première description par PH. DU VERDIER, conservateur aux Archives nationales, dans *Bull. hist., écon. et soc. de la R. F.* (1967), 1968, pp. 63-76.

On retiendra également le « répertoire des départements, districts et municipalités ayant fourni des listes de prêtres abdicataires (sous-série F^{19}) conservées aux Archives nationales », dans *Les Prêtres abdicataires pendant la Révolution Française.* Paris, 1965 (pièce annexe, pp. 207-208).

2) **Les colonies.**

L'attention se porte d'abord sur les séries F^1, F^2 et F^3 (collection Moreau de Saint-Méry) : J. MORLET, *Les noirs aux XVIIe et XVIIIe siècles. Archives nationales,* cit. par G. DEBIEN, « Les Antilles françaises, chronique de l'histoire d'Outre-Mer (1963-1967) II. Inventaires de sources — Documents publiés », dans *Rev. franç. d'Hist. d'Outre-Mer,* 1968, pp. 252-254, après la publication des « Papiers de l'abbé Rennard et l'histoire religieuse des Antilles françaises », dans *Carribean Studies,* vol. 4, janvier 1964, pp. 3-14. Le R. P. RAOUL DE SCEAUX a publié un inventaire précieux pour « Les missions Franciscaines aux Archives nationales », dans *Etudes Francisc.,* nouv. sér., n° 6, t. II, août 1951, pp. 345-356 : il a dépouillé les archives des Ministères de la Guerre, des Affaires Etrangères, de la Marine et des Colonies à travers les séries E (personnel ancien), EE (personnel moderne), F^3 et F^{5A}.

L'activité exemplaire des archivistes dans le classement des papiers versés par le Ministère des Colonies permet d'élargir le champ des recherches : ainsi avons-nous pu suppléer au R. P. CABON « Le clergé de la Guyane sous la Révolution », dans *Rev. d'Hist. des Colonies,* 1950, par l'examen de la Correspondance générale de la Guyane Française C^{14}, en particulier :

Reg. 54 (1782), f°s 104-115 : pièces relatives au Séminaire du Saint-Esprit.

Reg. 62 (1788-1789), f° 104 : rôle des Spiritains en Guyane (mémoire, s. d.).

Reg. 63 (1789-1790) : activités et rapport au Ministère de la Marine du préfet apostolique Jacquemin (f° 155; f° 327).

Reg. 66 à 70 (1790 à 1793) : Correspondance du Gouverneur Bourgon et du Commissaire civil Guillot.

C^{14} Supplément — Carton 4 (1674-1822) n° 8 : affaires religieuses (dossiers Jacquemin, Legrand, Hochard).

3) **Les membres des assemblées révolutionnaires devant les questions religieuses.**

Le problème évoqué au détour d'une monographie consacrée à quelques-uns mériterait d'être repris dans toute son ampleur non seulement à travers les interventions relatées par les *Archives parlementaires de 1787-1860...* Première série (1787-1799), Paris, 1867-1968, 87 vol. (directeur M. REINHARD) et les *Procès-Verbaux des Séances de la Convention Nationale. Table analytique préparée par l'Institut d'Histoire de la Révolution française de la Sorbonne,* Paris, 1959-1963, 3 vol., mais aussi par le dépouillement des papiers des divers députés recensés dans le guide de base, P. CARON, *Manuel pratique pour l'étude de la Révolution française,* Paris, 2e éd., 1947.

On peut encore aller plus loin, comme le prouve l'analyse du doyen GODECHOT pour les papiers Romme conservés à la Bibliotheca del Risorgimento de Milan (inventaire détaillé dans *Ann. Hist. de la R. F.,* n° 134, janvier-mars 1954, pp. 61-73). On relève notamment :

Doss. 22. Lettre à Dubreul du 8 nov. 1791. (Emigrés, diverses catégories, prêtres réfractaires, nécessité d'un réveil des sociétés patriotiques).

Doss. 43. Catéchisme abrégé pour l'instruction de ceux qui sont dans l'état ecclésiastique ou qui s'y destinent.

De son côté, la publication par D. LIGOU, des papiers Poncet-Delpech, député du Tiers du Quercy aux Etats Généraux, tirés des archives départementales de Tarn-et-Garonne apporte des renseignements utiles sur l'attitude du clergé aux Etats Généraux et à la Constituante; première publication en 1961, puis dans *Ann. Hist. de la R. F.,* 1966, n° 185, pp. 426-446; n° 186, pp. 561-576.

4) **Divers.**

A titre de supplément documentaire pour notre étude ajoutons :

— Aux Archives nationales :

AB XIX, 601-602. Deux volumes, imprimés à Rome à l'imprimerie du Vatican (1915, in-4), contenant les éléments d'information historique pour la procédure de béatification des victimes des massacres de septembre 1792 à Paris.

AB XIX, 3510, doss. 5. Papiers J. Gazin (entrés en 1960 et 1961; inventaire dactylo.) : sur le culte catholique et le clergé en Côte-d'Or sous la Révolution et l'Empire (documents sur l'évêque constitutionnel Volfius, 1734-1832; biographies de curés constitutionnels et concordataires).

— A la Bibliothèque nationale :

Nouv. acq. fr., mss. 2779-2780. Registres originaux des délibérations des conciles nationaux de France, tenus à Paris en 1797 et 1801, 2 vol., 112 et 82 ff.

B. — ARCHIVES VATICANES.

On se reportera, pour un premier aperçu, à l'inventaire d'*Appendice Epoca Napoleonica* (*1798-1815*) *Francia* publié par J. Leflon et A. Latreille : « Répertoire des fonds napoléoniens aux Archives vaticanes », dans *Revue Historique,* janvier-mars 1950, pp. 59-63. L'abbé R. Picheloup a produit pour sa thèse : *Les ecclésiastiques français dans l'Etat pontifical, 1792-1800* (Université de Toulouse, 1968, pp. 307-314), l'inventaire du fonds *Emigrati Rivoluzioni francese,* tiré de l'Inventario della Nunziature 3; il est loin de recenser les quarante-cinq volumes du fonds. C'est pourquoi il faut toujours recourir à l'étude du meilleur connaisseur de ce fonds, E. Audard, « Histoire religieuse de la Révolution française aux Archives vaticanes », dans *Rev. d'Hist. Egl. de France,* 1913, pp. 516-545, de même qu'à celle de M. François, « L'histoire religieuse de la France au Vatican », dans V. Carrière, *Introduction aux études d'histoire ecclésiastique locale. T. I. Les sources manuscrites,* Paris, 1940, pp. 421-434, parce que l'enquête englobe certaines collections romaines particulières. Il serait souhaitable d'obtenir un inventaire analytique des différents fonds révolutionnaires de Rome en tenant compte des classifications archivistiques récentes.

C. — ARCHIVES DIOCÉSAINES.

Les dépouillements en cours, au Centre de Recherches d'Histoire religieuse, 28, rue d'Assas, après le lancement de l'enquête sur les archives diocésaines (cf. J. Gadille, art. cit. dans *Rev. d'Hist. Egl. de France,* t. LIII, n° 150, janvier-juin 1967, pp. 55-70) permettent de mesurer l'importance des documents propres à sonder la vitalité religieuse des diocèses pour le XVIIIe siècle et le début de la période concordataire.

Spécialement les séries contenues dans les registres d'ordinations (Amiens, 1766-1790; Annecy, 1711 à 1730-1736 et 1768-1769 à 1792; Bayonne, 1728 à 1789; Coutances, 1699 à 1782; Limoges, 1706 à 1761-1780 et suiv.; Paris, 1748 à 1777-1792; Corse, 1727-1787).

— Les registres d'insinuations ecclésiastiques semblent plus rares (Annecy pour le XVIe et pour le XVIIe siècle) : de nouvelles prospections seraient nécessaires pour progresser, par cette voie documentaire, dans la connaissance du milieu socio-économique du clergé français. De même, les registres paroissiaux peuvent encore fournir de précieuses indications sur ce sujet, comme en témoignent les arch. munic. de Suresnes (GG 20 et 21) : sur les registres, Louis-Marie Lebeau, curé, consignent, de 1759 à 1763, des remarques pastorales de première importance (choix d'un vicaire, à la sortie du séminaire; baptême des petits enfants; catéchèse, etc...), formant trente pages in-folio réparties sur les quatre années. MM. MICHEL GUILLOT et J. STAES se proposent de les publier prochainement.

Que dire de la période spécifiquement révolutionnaire... pour laquelle nous manquent surtout les registres de rétractions de serment dont s'enorgueillissent les archives du Mans ? Des reconstitutions ne sont pas impossibles lorsqu'existent certaines grandes enquêtes comme celle décrite par G. KNITTEL, « L'enquête ecclésiastique de l'an XII », dans *Rev. d'Alsace* (1962), 1964, pp. 142-145 : trois volumes de grand format conservés aux archives de l'évêché de Strasbourg.

D. — ARCHIVES PRIVÉES.

1. Bibliothèque de la Société de Port-Royal, 169, rue Saint-Jacques, Paris (Ve).

Sur l'histoire de cette Bibliothèque et la constitution des différents fonds, CÉCILE GAZIER, *Histoire de la société et de la bibliothèque de Port-Royal,* avant-propos de LOUIS COGNET, Paris, 1966. Parmi les cinquante mille volumes, quarante cartons de pièces manuscrites (XVIIe, XVIIIe et XIXe siècles) et environ trente mille fiches, se trouvent, dans la « Salle Grégoire », les matériaux premiers pour l'histoire de l'Eglise constitutionnelle de France de 1794 à 1802. Ils comprennent :

a) Trois mille volumes, reliquat de la bibliothèque de l'abbé Grégoire lui-même. Ces recueils factices, dont beaucoup sont munis d'index, contiennent des documents manuscrits et imprimés sur les matières religieuses et profanes les plus diverses (pièces sur le serment, la déchristianisation; objets littéraires, politiques, questions sur les noirs, les juifs, les communions chrétiennes, etc...). Il n'existe aucun inventaire, sauf un fichier par matières et par personnages qui n'a jamais été achevé. Il faut donc souvent consulter les index des volumes in-8 et in-12 en se méfiant de quelques titres trompeurs.

b) La correspondance passive de Grégoire pour les départements français et quelques départements annexés. Dans ces quatre vingt-dix dossiers ou cartons classés par ordre géographique et d'un maniement commode, figurent les lettres d'un ou de plusieurs correspondants départementaux du clergé constitutionnel sur la situation politico-religieuse de la région intéressée entre 1795 et 1804. Jamais exploitée systématiquement, cette correspondance est parfois citée allusivement par les chercheurs. Elle peut susciter autant d'espoirs que de déceptions particulièrement pour les dossiers *Etranger* et *Colonies*. A propos d'un article de X. PALAMAS « L'abbé Grégoire et Haïti », dans *Europe*, 1956, n° 36, pp. 128-129; n° 37, pp. 90-95 et surtout d'un prochain travail de M. SIMON LANDAU, ancien directeur de l'Institut français d'Haïti, sur « Mauviel, évêque constitutionnel de Saint-Domingue de 1799 à 1804 », G. DEBIEN rappelle fort justement que le Concile national de 1797 érigea onze diocèses dans les colonies; puis il ajoute : « On peut penser que la correspondance de Grégoire, encore inédite, offrirait de quoi préciser les tractations et arrangements qui ont précédé l'érection de ces diocèses coloniaux et le choix de leurs titulaires », dans *Ann. Hist. de la R. F.*, n° 165, juillet-sept. 1961, p. 442. On doit répondre par la négative, malgré quelques éléments très fragmentaires dans les cartons I et II du Presbytère de Paris (1795-1802).

D'autres lacunes beaucoup plus importantes accroissent les difficultés pour entreprendre la biographie de l'abbé Grégoire qui fait cruellement défaut, même en tenant compte des autres papiers de Grégoire conservés à la bibliothèque de l'Arsenal et dans certains fonds des archives départementales du Loir-et-Cher.

2. Archives des Missions Etrangères de Paris,

128, rue du Bac, Paris (VIe).

Puisque nous les avons utilisées abondamment au cours de nos différents chapitres, nous nous contenterons d'en faire le récolement tout en signalant qu'il existe dans la salle des archives un bon inventaire manuscrit par matières et par personnages qui peut aiguiller des premières recherches :

Vol. 34. Séminaire (1786-1788), 652 ff.
Vol. 35. » (1788-1792), 601 ff.
Vol. 36. » (1793-1795), 504 ff.
Vol. 37. » (1796-1799), 594 ff.
Vol. 38. » (1800-1802), 612 ff.

Vol. 39. » (1803-1805), 748 ff.

Vol. 92. Coutumier du Séminaire (XVIIIe siècle) : renseignements utiles sur l'évolution des missions en Asie.

Vol. 219. Procure. Rome (1774-1792), 617 ff.

Vol. 220. » (1793-1797), 605 ff.

Vol. 221. » (1798-1801), 571 ff.

Vol. 222. » (1802-1803), 467 ff.

Vol. 1055. Clergé de France. Révolution (1783-1827), 540 ff.

Vol. 1056. » » : recueil de documents épiscopaux, cahiers des conférences théologiques du clergé émigré, notamment Ferrare (s. d.), 382 ff.

3. **Documents Emery. — Séminaire de Saint-Sulpice,** 6, rue du Regard, Paris (VIe).

Les douze volumes composant les « Documents Emery » forment une des séries les plus riches pour l'histoire religieuse de la Révolution. Les papiers du Supérieur Général de la Compagnie ayant été reliés au XIXe siècle en recueils factices, contiennent les documents les plus divers (lettres, notes, memorandums, brouillons, pièces officielles, etc...) et sont rassemblés sans aucun souci chronologique. Depuis leur utilisation partielle par MGR LEFLON pour son ouvrage, *Monsieur Emery,* Paris, 1945, fut dressé, entre 1960 et 1964, un inventaire sur fiches, par lettres alphabétiques, sujets, évêques et lieux, encore à l'état de manuscrit.

Parmi les nombreux sujets de la période révolutionnaire, nous avons cherché à regrouper ceux dont il est particulièrement question dans notre ouvrage.

a) SERMENTS ET PROMESSES DE FIDÉLITÉ A LA RÉPUBLIQUE (1792-1801).

— *Serment de Liberté-Egalité.*

Vol. X. Correspondance de M. Emery et de Courtade : explications de la position de M. Emery; distinction de ses motifs; les douze ou quinze évêques restés en France ont prêté le serment, fos 6-7 (oct. 1792-25 janv. 1793); fos 9 à 11 (9 avril 1795); fos 14-15 (19 juin 1795).

Vol. XII. A propos du serment (f°s 52-54; f° 68; f° 90). — Observations sur la légitimité de prêter ou non le serment (f° 211).

Vol. VI. Serments, divers et promesses de fidélité. — Réactions du clergé réfractaire et d'évêques émigrés en 1796-1797 (f°s 1 à 17). — Ecrits contre les serments par l'évêque du Puy, f° 24 (4 juin 1797); f° 53 (9 juin 1800).

— *Serment de Haine à la Royauté* (*1797-1800*).

Vol. II. Plusieurs documents émanant d'évêques émigrés (24 fév. 1798-16 fév. 1799); f° 275, lettre de Mgr de Juigné à M. Emery au sujet du serment (s. d.); f° 287, troisième lettre de M. Emery à Mgr Spina au sujet des prêtres français ayant prêté le serment de haine (s. d.).

Vol. V. Correspondance de l'évêque de Luçon avec divers personnages dont M. Emery au sujet du serment, f°s 546-549 (6 mars 1798-28 juin 1799).

Vol. X. Prestation du serment par le clergé réfractaire de la paroisse Saint-Sulpice (M. de Pancemont), f° 35; lettre de M. Emery à M. Courtade, sulpicien, sur les modalités du serment; f°s 37-40 (1er déc. 1797); divers documents à propos du serment, f°s 587 à 590 (1799-1800).

— *Promesse de fidélité à la Constitution* (*an III-an VIII*).

Vol. II. Dissertation de l'évêque de Langres sur la promesse, f°s 321-369 (mars 1800); réponses de M. Emery aux évêques de Langres et de Luçon, f°s 372-374 (n. signées); lettre de M. Emery au pape Pie VII au nom de tous les évêques actuellement en France : ils se conformeront à la promesse en prenant pour argument un écrit de l'archevêque de Malines (24 janv. 1796), f°s 411-413.

Vol. VIII. Correspondance de M. Emery et de M. Vernet (juillet 1797-juillet 1801), f°s 602 à 638; M. Emery confirme qu'il n'y aura pas de décision romaine sur la promesse (28 janv. 1801), f°s 617-618; M. Emery donne des recommandations sur la promesse avec ou sans explications (juillet 1801), f° 636.

b) LE CLERGÉ CONSTITUTIONNEL ET LA RÉHABILITATION DES PRÊTRES JUREURS (1796-1806).

— *Le clergé constitutionnel.*

Vol. VI. F^os 182-322 : attitude de l'épiscopat constitutionnel (1796-1801); problème des formules de rétractation (21 déc. 1801-29 mai 1806).

Vol. VIII. F^os 648-662 : correspondance de M. Emery et de M. Vernet sur les constitutionnels (20 juin-14 oct. 1802).

— *La réhabilitation des prêtres jureurs.*

Vol. II. Règles à suivre; listes de prêtres rétractés et réhabilités et de prêtres non réhabilités; f°s 21-26 (26 juillet 1794); cas des jureurs, f° 29 (1er octobre 1794). — Notes de M. Emery sur la clémence nécessaire à l'égard des constitutionnels : ne pas aggraver le schisme en apportant la confusion dans l'esprit des fidèles qui les considèrent comme leurs pasteurs (14 janvier 1797), f° 31; f° 35 (s. d.); f° 53 (s. d.). — Extraits des délibérations du Conseil des administrateurs réfractaires de Paris, f°s 259-262 (1796).

c) LES ÉVÊQUES ÉMIGRÉS : QUESTIONS POLITIQUES ET QUESTIONS RELIGIEUSES (1796-1803).

— *Attitude devant les promesses de fidélité.*

Vol. VI. Prises de position des évêques émigrés en Angleterre et en Italie devant la soumission aux lois, f°s 20-76 (1797-12 déc. 1800); évêques de Vienne, La Rochelle, Boulogne, f°s 38-39 (9 mars 1800); archevêques d'Auch et de Toulouse, f°s 40-43 (21 mars 1800); remous dans les clergés réfractaires des diocèses de Bordeaux et de Marseille, f°s 111-114 (31 janv. 1801); l'opposition des évêques émigrés en Allemagne, f°s 117-118 (25 février 1801); divisions parmi les évêques de Carcassonne, Nîmes, Albi, Toulouse, f°s 119-129 (février-juin 1800). M. Emery constate que les évêques non-démissionnaires sont les mêmes qui s'opposaient à la promesse de fidélité, f° 167 (2 nov. 1801).

Allemagne-Autriche.

Leur opposition à la soumission aux lois, f° 10 (2 déc. 1796), f°s 50 à 60 (6 avril 1800-8 juillet 1800). — Attitude des grands vicaires de Cologne et de Trêves, f° 68 (juillet 1797). — Projet d'une tournée en Allemagne de Mgr Caprara pour influencer les évêques les plus combattifs, f°s 162 à 166 (septembre-nov. 1801). — Dénonciations de la mauvaise influence de Mittau, f°s 168 à 174 (31 oct.-13 nov. 1801).

Vol. II. Jugements d'évêques résidant à Munich sur les différentes soumissions républicaines, f°s 275 à 282 (s. d.).

Angleterre.

Manifeste des évêques à l'intention des diocèses de Bretagne, f°s 7 à 10 (27 nov. 1796); premier refus devant la promesse et les motifs d'évolution de leur position, f°s 10 à 13 (déc. 1796-déc. 1797); échos de la presse anglaise aux décisions du Comité des évêques de Londres, f°s 144 à 158 (sept.-oct. 1801).

Espagne.

Opinions des évêques favorables à la soumission aux lois, f°s 11 à 23 (déc. 1796-20 mai 1797); mouvement de démissions épiscopales, f°s 171 à 174 (novembre 1801).

Pays-Bas.

Les grands vicaires d'évêques émigrés cherchent une unité d'action avec le Conseil des administrateurs réfractaires de Paris, f° 77 (17 déc. 1800); f° 139 (17 septembre 1801).

— *Démissions des évêques.*

Vol. II. Bref de Pie VII demandant la démission des évêques, f° 499 (13 août 1801). — Réponses ou réactions d'évêques : de Blois, f° 503 (21 oct. 1801); de Langres, f° 519 (s. d.); de La Rochelle, f° 521 (8 oct. 1801). — Liste des évêques qui ont signé les réclamations adressées à Pie VII contre le Concordat avec d'importants renseignements sur les réactions dans les diocèses français, f°s 525 à 530 (6 avril 1803).

Vol. V. Nouvelle répartition des sièges épiscopaux et réactions de certains prélats émigrés, f°s 249-250 (26 déc. 1801).

Vol. VI. Formes données aux démissions des évêques de Senlis et de Saint-Papoul, f° 141 (21 septembre 1801); anxiétés de la Cour de Rome devant l'attitude de l'épiscopat français, f° 143 (23 sept. 1801); fausses nouvelles répandues à propos des démissions, f° 144 (26 sept. 1801); diverses nouvelles d'évêques en émigration, f° 164 (14 oct. 1801); l'archevêque d'Auch et les Espagnols, f° 165 (18 oct. 1801); réponses diverses, f° 170 (évêque de Nancy) à 177 (novembre 1801); négation des fondements théologiques donnés aux démissions des évêques d'Angleterre, f°s 178 à 180 (25 nov. 1801).

d) QUESTIONS CONCERNANT LES MARIAGES RÉVOLUTIONNAIRES (1794-1803).

Vol. II. Cas de ceux qui refusent de se confesser avant le mariage; mariages entre catholiques et protestants, f°s 25 à 28 (1er octobre 1794).

Vol. VI. Mariages contractés irrégulièrement. — Dispenses. — Absolutions. — L'archevêque de Vienne et les mariages décadaires, f°s 62 à 68 (7 août-5 nov. 1800). — Ecrit de Mgr Duvoisin sur le divorce, f°s 276 à 279 (s. d.).

Vol. X. Lettre de l'évêque de Castres sur les mariages décadaires, f°s 533 à 540 (12 avril 1799); directives du grand vicaire Desmadières sur les mariés civils et sur les divorcés, f°s 649 à 651 (19 octobre 1803).

e) TÉMOIGNAGES DU XIXe SIÈCLE SUR LE MASSACRE DES CARMES.

Vol. III. Lettres de M. Lureau de la Mulonnière au sujet de son frère massacré aux Carmes, f°s 743 à 756.
— Divers témoignages et relations écrites en 1842 sur les massacres de prêtres aux Carmes, f°s 765 à 789.

4. Fichiers des clergés séculier et régulier.

Les rares publications sur ce sujet, A. PREVOST, *Répertoire biographique du diocèse de Troyes pendant la Révolution* (Troyes, 1914) et l'excellente étude de J. EICH : *Les prêtres mosellans pendant la Révolution. Répertoire biographique* (Metz, 1959, A à L; 1964, M à Z) indiquent déjà le profit à retirer de nombreux fichiers constitués patiemment, au cours de longues années, par des érudits locaux. Il serait désirable de les recenser dans une série archivistique spéciale. Tout historien de la période religieuse révolutionnaire doit s'informer de l'existence de pareils fichiers demeurés manuscrits, dans le cadre régional dont il s'occupe.

Nous ne signalons ici que les plus connus tout en sachant que d'autres restent à découvrir, dans la région de Bordeaux, par exemple.

1) Clergé séculier.

a) *Région parisienne :* à l'Institut Catholique de Paris, le fichier Pisani (5.000 fiches) que l'on doit compléter par les deux importants manuscrits dactylographiés de l'abbé J.-B. Carré déposés aux Arch. de la Seine (D^{36} Z); ils concernent les paroisses de la banlieue parisienne pendant la Révolution, mais sont de médiocre valeur.

Pour la Seine-et-Marne, le fichier Bridoux, déposé aux Arch. départem. et dont certains fragments ont été publiés dans la *Croix de Seine-et-Marne* et « Paroisses et curés de Provins pendant la Révolution » (*Bull. Soc. Hist. et Arch. de l'arrond. de Provins,* année 1966, p. 116 à 123). A compléter, pour la période concordataire, par Chanoine Bonno, « Le diocèse de Meaux. Sa réorganisation de 1803 à 1823 » (*idem,* année 1912, pp. 57-128) qui contient d'utiles notices.

— Georges Staes avait rassemblé plus de 8.000 fiches des mieux documentées sur tous les ecclésiastiques ayant séjourné, même provisoirement, en Seine-et-Oise pendant la Révolution. Son répertoire fut classé, après sa mort, aux Arch. départem. de Versailles sous la cote F^1, mais ne peut être désormais consulté qu'avec l'autorisation de M. Jacques Staes, archiviste-paléographe (Petit Champlan par Longjumeau - 91).

b) *Région du Nord :* M. l'abbé Destombes à Sains-en-Amienois-80 détient 2.000 fiches sur le clergé picard de 1790 à 1805. — Il peut être solidement étayé par le travail de R. Vaillant, documentaliste-archiviste : *Etat du clergé concordataire dans le département de la Somme an X-1905. Premier fascicule : organisation diocésaine et arrondissement d'Abbeville* (Amiens, 1967, 108 pp. ronéot.). Les fascicules suivants traiteront des arrondissements d'Amiens, de Doullens, de Montdidier et de Péronne; le dernier fascicule traitera des protestants et du Concordat.

c) *Région de l'Ouest et de la Loire.* En ce qui concerne la Vendée, de nombreuses notices dans la *Revue du Souvenir Vendéen.* Sœur Fracard, auteur d'une thèse remarquée sur *Niort à la fin de l'Ancien Régime,* possède un important fichier sur le clergé poitevin pendant la Révolution (s'adresser à la Bibl. munic. de Niort - 79).

Le meilleur historien de la période religieuse révolutionnaire demeure, pour l'Indre-et-Loire, le chanoine Audard qui laissa, parmi ses publications, d'importantes notices pour le clergé réfugié dans les Etats pontificaux dans *Actes des Martyrs et des confesseurs de la foi pendant la Révolution* (Tours, 1914). Ses huit principaux volumes manuscrits sur le clergé réfractaire on été confiés à l'archiviste diocésain, M. le chanoine PRETESEILLE (13, quai Portillon, Tours - 37).

d) *Région lyonnaise et du Sud-Ouest.* Les Lyonnais utilisent le fichier COURBON justifié par J. CAMELIN, *Les prêtres de la Révolution. Répertoire officiel du clergé schismatique de Rhône-et-Loire* (*avril 1791-octobre 1793*) (Lyon, 1944). Pour le Gers, existe le fichier GARDÈRE.

2) CLERGÉ RÉGULIER.

— Religieux de la famille franciscaine : fichier du P. ARMEL D'ETEL, 6.000 fiches en 13 boîtes cotées 2642 à 2654 de la Bibl. Provinc. des Capucins de Paris, 26, rue Boissonade, Paris (XIVe).

— Religieux dominicains : fichier du P. X. FAUCHER (4.000 fiches), couvent de l'Arbresle - 69.

— Religieux prémontrés : fichier du P. DEGROULT (couvent de Nantes - 44).

— Religieux bénédictins : fichier de D. CHARVIN dont la publication commence : « Les religieux de la congrégation de Saint-Maur pendant la Révolution ». (*Revue Mabillon*, années 1965, t. LV et 1966, t. LVI).

II. — TRAVAUX

Pour les répertoires de sources, dictionnaires et monographies d'histoire religieuse révolutionnaire rappelons en guise de références générales : A. LATREILLE, *L'Eglise catholique et la Révolution française*, Paris, 1946-1950, 2 vol. et ses importantes introductions bibliographiques remises à jour dans *Histoire du catholicisme en France*, Paris, 1957-1962, 3 vol. — Mgr J. LEFLON, après un premier bilan « L'histoire religieuse du Premier Empire. Etat actuel des travaux ». (*Rev. d'Hist. Egl. de France*, t. XXXIV, n° 124, 1948, pp. 103-117) où il lançait des pistes de recherche, présente une nouvelle édition (sous presse) de *La crise révolutionnaire 1789-1846* (*Histoire de l'Eglise* par FLICHE ET MARTIN, t. XX).

Spécialement pour les monographies concernant les serments, B. PLONGERON, *Les Réguliers de Paris devant le serment constitutionnel...* (bibliographie III. Travaux, pp. 28 à 38).

Bibliographie notoirement désuète et lacunaire pour « L'Eglise et la Révolution » de la *Nouvelle Histoire de l'Eglise. 4. Siècle des*

Lumières. — Révolutions. — Restaurations (Paris, Seuil, 1966, pp. 519-521). — Dans « Nouvelle Clio », J. GODECHOT, *Les Révolutions (1770-1799)*, (Paris, P. U. F., 1965) parvient à une synthèse des travaux et des lignes de recherche qui nous dispensera de redites, encore que les questions religieuses ne tiennent qu'une place discrète, déjà corrigée dans la réédition de son indispensable manuel des *Institutions de la France sous la Révolution et l'Empire* (Paris, 2e édit., 1968).

*
* *

Une première prise de la « conscience religieuse en Révolution » peut déjà être prise pour l'Ancien Régime à travers l'énergique synthèse de P. GOUBERT, *L'Ancien Régime, t. I La Société* [1600-1750] (Collection « U », Paris, 1969), particulièrement le chap. XI « Mentalités et cultures : les niveaux et les barrières ». On méditera cette proposition : « Dans un pays resté catholique on a rarement le courage d'insister sur ce fait que l'Eglise romaine de France demeura le champion inébranlable d'une conception globale du monde — la nature, les hommes, la science, l'éducation — où tout était imperturbablement fixé d'avance au moins depuis saint Thomas » (p. 254).

Du point de vue de la méthodologie, G. LE BRAS, *Introduction à l'histoire de la pratique religieuse en France* (Paris, 1942-1945) qu'il faut confronter avec l'article fondamental de P. CHAUNU, « Une histoire religieuse sérielle. A propos du diocèse de La Rochelle (1648-1724) et sur quelques exemples normands » (*Rev. Hist. mod. et cont.*, t. XII, 1965, pp. 5 à 34).

Pour la période révolutionnaire et concordataire, HANS MAIER, *Revolution und Kirche. Studien zur Frühgeschichte der christlichen Demokratie, 1789-1850* (Friburg en Brisgau, Rombach, 1959, 250 pp. in-8). En rappelant que Lamourette se servit de l'expression « démocratie chrétienne », l'auteur divise son étude en trois parties : « La fusion révolutionnaire de la Démocratie et de l'Eglise (1789-1794) » ; « L'opposition des tenants de la tradition (1794-1829) » ; « Catholicisme libéral et démocratie chrétienne (1830-1850) », à partir de quoi le catholicisme, renouant avec la symbiose révolutionnaire cherchée par Grégoire, est animé d'un nouveau courant. De larges applications de cette problématique dans l'intelligent petit livre de P. PIERRARD, *Le prêtre français* (Paris, Bloud et Gay, 1969) après les convergences établies par E. E. Y. HALES, *The catholic church in the modern world. A survey from the French Revolution to the present* (Londres, 1958, 332 pp. in-8) et G. V. TAYLOR, « Prospectus for a Christian consideration of the French Revolution » (*Hist. Mag. Prot. Episc. Church*, déc. 1956).

1. Le facteur religieux dans l'actuelle historiographie révolutionnaire.

L'intérêt suscité par l'historiographie conduit M. GÉRARD VINCENT à y consacrer sa thèse de doctorat d'Etat : *L'historiographie de la Révolution française de 1789 à 1889* (Paris — Sorbonne). En attendant cette importante contribution : R. SCHNERB, « Deux façons de présenter et d'interpréter l'histoire de la Révolution française (*Inf. Hist.*, 1962, n° 4, pp. 158-160); (les écoles de « droite » avec P. Gaxotte et les écoles de « gauche » avec A. Soboul). **Une véritable mise au point de la problématique** qui n'est pas sans intérêt pour la conscience religieuse à travers les positions de R. R. Palmer, A. Cobban, M. Reinhard, R. Cobb, H. Calkin, E. Wangermann, F. D. Tolles, L. Gottschalk, E. Boutmy, G. Lefebvre, J. Godechot et M. Göhring par PETER AMANN, *The Eighteenth-Century Revolution, French or Western ?* (Boston, D. C. Heath and Co, 1963, 114 pp. in-8).

Dans « Le mythe de la Révolution française » (*Ann. Hist. de la R. F.*, n° 145, oct.-déc. 1956, pp. 337-345), G. LEFEBVRE, en reprenant le titre de la leçon inaugurale du Prof. Cobban à l'Univ. de Londres, le 6 mai 1954, discutait et concluait : « Finalement, on est surpris que le conflit de la Révolution et de l'Eglise catholique soit passé sous silence (...). La laïcisation de la vie publique que couronna la séparation de l'Eglise et de l'Etat compte parmi les réformes essentielles de la Révolution; certains la regardent comme la plus importante et tel est précisément l'avis de l'Eglise catholique. A ce titre, on ne peut pas non plus soutenir que la Révolution est un mythe » (pp. 343-344). A. COBBAN devait réviser sa position en s'attaquant à la Révolution comme complot contre la Religion selon les thèses de Burke, *Historians and the causes of the French Revolution* (Londres, 1958, 40 pp. in-8). Analyse très fine de F. GAETA, *Interpretazioni della rivoluzione francese : Burke, Mme de Staël, Tocqueville — Appunti del corso di storia moderna* (Roma, 1957, 119 pp. in-8).

Développement des interprétations libérales et conservatrices en fonction de desseins socio-politiques : S. MELLON, *The political uses of history : a study of historians of the French Restauration* (Standford Univ. Press, 1958, 227 pp. in-8). Cette **genèse des « complots » historiographiques à caractère religieux** s'éclaire avec M. DEFOURNEAUX, « Complot maçonnique et complot jésuitique » (*Ann. Hist. de la R. F.*, n° 180, avril-juin 1965, pp. 170-185) : utiles précisions sur l'influence des ouvrages de M. Lefranc, Eudiste massacré aux Carmes en 1792, dans la diffusion de la thèse du « complot maçonnique » chère à Barruel, mais aussi à d'autres publicistes qui décelaient un complot fomenté par les Jésuites contre les trônes... dès 1729 ! — ABBÉ J. GRITTI, « La Révolution française et la pensée religieuse » (*Rev. du Rouergue,* 1959, n° 51, pp. 290-301) : la pensée religieuse des « hommes d'action » Rouergats : La Romiguière, Raynal, de Bonald, etc...

L'historiographie russe poursuit deux lignes qui nous intéressent : le problème de la sécularisation des biens ecclésiastiques et la pensée matérialiste du XVIIIe siècle.

M. I. DOMNITCH dans l'*Annuaire d'études françaises 1958* (Moscou, 1959, 616 pp., gr. in-8) étudie, à travers les riches collections russes sur la Révolution française (spécialement collect. Voronzov), l'Eglise dans son caractère social et de groupe de pression « féodal » (p. 153), l'un des plus puissants de l'Ancien Régime — Perspectives plus « libérales », dans la ligne de Tocqueville : A. ALPATOV, « P. G. Vinogradov, 1854-1925, historien de la Révolution française de la fin du XVIIIe siècle » (p. 560). Vinogradov a laissé un cours sur la Révolution française pendant son professorat à l'Univ. de Moscou.

V. P. VOLGUINE († 1962), avait groupé dans son cinquième chapitre « les théories communistes et projets coopératifs » de son grand livre, *L'évolution de la pensée sociale en France au XVIIIe siècle* (Ed. Acad. des Lettres de l'U.R.S.S., Moscou, 1958, 413 pp., gr. in-8) les idéologies de Meslier, Morelly, Mably et Deschamps. C'est principalement au système métaphysique, également rejeté par l'Eglise catholique et par les philosophes, de ce dernier Bénédictin mauriste (1716-1774), que V. P. VOLGUINE est revenu dans « L'idéologie révolutionnaire en France au XVIIIe siècle. Ses contradictions et son évolution » (*La Pensée*, 1959, n. sér., n° 86, pp. 83-98). En tant que préfigurateur de la pensée hégelienne, JEAN WAHL a publié des documents, émanant principalement de la famille d'Argenson, de Dom Deschamps : « Lettres et fragments inédits de Dom Deschamps et de quelques correspondants » (*Rev. de Métaph. et de Morale,* juillet-septembre 1964, n° 3, pp. 237 à 257) : « Cours sur l'athéisme éclairé de Dom Deschamps » (*Studies on Voltaire and the 18th century,* vol. LII, Genève, 1967).

2. **Religion et Société à la fin de l'Ancien Régime.**

a) *Généralités.*

R. R. PALMER, *Catholics and unbelievers in XVIII th century France* (Princeton, U.S.A., 1940) doit être désormais confronté avec la nouvelle analyse très suggestive de L. TRENARD et Y.-M. HILAIRE, « Idées, croyances et sensibilité religieuses du XVIIIe au XIXe siècle » (*Bull. Sect. Hist. Mod., Comité Travaux Hist.,* fasc. V, 1964, pp. 7-27).

W. Gurian, « L'influence de l'Ancien Régime sur la politique religieuse de la Révolution » (*Rev. int. Hist. pol. constitutionnelle,* 1956, n. sér., pp. 259-277), demeure assez traditionnel par rapport à A. Cobban, *The Role of the Enlightenment in Modern History* (Londres, 1960) qui, sans dédaigner l'apport désormais classique de E. Cassirer, *La philosophie des Lumières* (trad. française, Paris, 1966), pousse la question encore plus loin, dans la quatrième partie de son étude : la Révolution apparaît comme la frustration des Lumières dans la mentalité collective révolutionnaire, génératrice de nouveaux **messianismes;** pour retourner la formule de Péguy, tout commence en politique et finit en mystique. Cette question sera au centre des débats du 3e Congrès international sur le siècle des Lumières (Nancy-Paris, 1971).

b) *Interactions socio-religieuses en milieu urbain.*

Double importance de la question, en raison de notre ignorance quasi totale des conflits urbains au XVIIIe siècle, et, d'après certains indices, **l'apparition, dans la seconde moitié du siècle, de mondes clos,** de « groupes de pressions » économiques, politiques, culturels et religieux. Dans quelle mesure se construisent des cloisonnements et s'opèrent des osmoses ? Importante étude dans le cadre du colloque de l'Ecole Normale de Saint-Cloud de 1967 sur « Ordres et classes » par J.-C. Perrot, « Rapports sociaux et villes au XVIIIe siècle » (*Annales E.S.C.*, mars-avril 1968, pp. 241-268). « Plus les niveaux sont voisins, plus les barrières sont épaisses » remarque-t-il et de citer une comparaison instructive entre deux liturgies normandes : la procession de la Pentecôte sous l'Ancien Régime et la fête de l'Etre Suprême, impliquant deux systèmes de classification sociale. En préface à ses actuels travaux, M. Agulhon, « Les associations (confréries religieuses et loges maçonniques) en Provence orientale à la fin de l'Ancien Régime » (*Actes du 87e Cong. Soc. Sav.* (1962), 1963, pp. 73-86) montrait le glissement possible de l'une à l'autre forme religieuse sans entraîner de changement dans le statut social.

Sous cet angle seront à considérer les travaux sur la **Franc-Maçonnerie** avec, dans certaines loges, un vocabulaire qui demeure spécifiquement chrétien. Avant la parution prochaine des actes du colloque « La Franc-Maçonnerie au siècle des Lumières » tenu à Paris les 2 et 3 décembre 1967, A. Le Bihan, « Aux origines de la Franc-Maçonnerie française » (*Annales E.S.C.,* mars-avril 1967, pp. 396-411) qui fait la mise au point sur bien des controverses à propos notamment des ecclésiastiques maçons, reprise et élargie spécialement dans l'introduction de son tome II, *Loges et chapitres* *de la grande Loge et du Grand Orient de France au XVIII*e *siècle* (Paris, 1966-1967, 2 vol. in-8).

Spiritualités « orthodoxes » ou « hétérodoxes » bénéficieront d'une étude modèle : JOHN MC. MANNERS, *French ecclesiastical society under the Ancien Regime. A study of Angers in the eighteenth century* (Manchester, 1960, 416 pp. in-8). Exemples intéressants de cloisonnements pour une ville qui, d'après la carte de 1776, comptait un habitant sur soixante dans le clergé séculier ou régulier; conflits à la fois entre ecclésiastiques et laïcs et surtout entre chanoines et curés d'où il ressort que « le clergé d'Angers ne fit aucun geste d'opposition ouverte à la vente des biens d'Eglise ». Il est dommage qu'aucune comparaison ne soit faite avec le cas voisin, M. L. FRACARD, *La fin de l'Ancien Régime à Niort* (Paris, 1956) **pour conclure que le social l'emportait sur le religieux.** On devrait pouvoir continuer la comparaison, pour la période révolutionnaire, grâce à P. GUILLAUME, *Essai sur la vie religieuse dans l'Orléanais de 1600 à 1789* (fasc. de 118 pp.) *et de 1789 à 1801* (fasc. de 260 pp., Orléans, 1957) puis, surtout Mlle V. SANTINI, *Le clergé et la vie religieuse à Marseille pendant la Révolution de 1789 à 1795* (D.E.S., 1965, Univ. d'Aix-Marseille) et Mlle C. BRELOT, *Besançon révolutionnaire* (*Cahiers d'Et. Comtoises, n° 9*, Besançon, 1966, pp. 33 à 212, avec, en tête, une très importante bibliographie révolutionnaire pour les pays de l'Est).

c) *Elites et masses dans la société ecclésiastique.*

Du problème des « mondes clos », en milieu urbain, dépend en grande partie les strates sociales à l'intérieur d'une société ecclésiastique qui sécrète les modèles religieux en fonction d'impératifs économiques, culturels et politiques.

Le haut-clergé représente une élite indiscutée : épiscopat et chapitres. En dépit d'une littérature fragmentaire, nous sommes encore loin d'une vue globale sur l'épiscopat français à la fin de l'Ancien Régime. Ce sera la contribution de M. PERONNET avec sa thèse de doctorat d'Etat : *L'épiscopat français sous le règne de Louis XVI* (*1774-1792*) (Paris-Sorbonne). Des « Assemblées du clergé de France sous le règne de Louis XVI (1775-1788) » (*Ann. Hist. de la R. F.*, n° 167, janvier-mars 1962, pp. 8-35), il dégageait **l'existence d'un groupe de pression** découlant d'une mentalité et d'intérêts « d'élite »; à l'appui de cette vue : L.-S. GRENNBAUM, « Talleyrand and the temporal problems of the French Church from 1780 to 1785 » (*French Studies* (Oxford), 1963, vol. 3, n° 1, pp. 41 à 71) et « Talleyrand as agent-general of the clergy of France : a study in comparative influence » (*Cathol. Historic. Review*, 1963, vol. 48, n° 4, pp. 473 à 486). A consulter aussi : F. DUMONT, « Les

« prélats administrateurs » au XVIIIe siècle en France » dans *Etudes dédiées à G. Le Bras*, 1965, t. I, pp. 513 à 521, opinion traditionnellement reçue et qui doit être sérieusement tempérée par les soucis pastoraux de certains prélats : M. BÉZY, *L'épiscopat clermontois de la fin de l'Ancien Régime à 1791* (D.E.S., 1965, Univ. de Clermont-Ferrand).

L'étude des chapitres (cathédraux et collégiaux) reste à faire et **autrement que sous l'angle unique du temporel**, d'où la nécessaire consultation de M. VOVELLE, « Un des plus grands chapitres de France à la fin de l'Ancien Régime. Le chapitre cathédral de Chartres » (*Actes du 85e Cong. Soc. Sav.*, 1961, pp. 235 à 277). On saisit par cette étude d'histoire sociale l'importance et le rôle des états-majors de l'épiscopat et la naissance d'une hiérarchie « parallèle » parmi les élites subissant la double attaque des robins et du clergé paroissial.

Dans quelle mesure celui-ci fait-il figure de « basse élite » ou de conducteur des « masses » ? C'est, d'une certaine façon, évoquer le débat qui est loin d'être clarifié sur « la portion congrue », après une première mise au point de P. LEUILLIOT, « Curés campagnards et pratique religieuse aux XVIIe et XVIIIe siècles » (*Annales E.S.C.*, 1956, n° 4, pp. 503-504). Courte et suggestive synthèse de publications montrant au-delà de l'opposition artificielle ville-campagne, le rôle du curé en tant que « notable » surtout devant la question de la dîme. L'affaire se complique encore dans certaines régions, comme l'Alsace, où existent des « cures royales » dont l'institution et le fonctionnement sont expliqués par A. MULLER, *Les cures royales en Alsace sous l'Ancien Régime (1648-1789)*, (Thèse Fac. Théol. Cathol., Strasbourg, 1962 364 ff. dactylog.). A. SCHAER, *Le clergé paroissial catholique en Haute-Alsace, sous l'Ancien Régime, 1648-1789* (Paris, 1966) montre l'importance sociologique (pp. 182-186) des douze cures royales, créées en Haute-Alsace, en milieu « pluraliste » (mosaïque catholique et protestante).

Les niveaux de « portion congrue » entraînent sans doute des options politiques selon un processus bien connu et contradictoire : M. TRIBOUT DE MOREMBERT, « Un adversaire de la Constitution civile du clergé, Martin-François Thiebault, curé de Sainte-Croix de Metz et député aux Etats Généraux » (*Actes du 80e Cong. Soc. Sav.*, 1955, pp. 137 à 151). En 1789, la portion congrue de ce futur réfractaire, est passée à 700 livres et ses revenus à 1.000 livres (traitement d'un évêque selon la Constitution civile du clergé) alors que son vicaire possédait pour vivre, en 1781, déduction faite de son loyer, 258 livres. Plus significative sans doute encore : Dr A. SARRAMON, *Les paroisses du diocèse de Comminges en 1786* (Paris, 1968) résultat d'enquête lancée par Mgr d'Osmond. De nombreux renseignements sur « la fermentation à propos des dîmes « allumée depuis 1760 et de rancœurs d'un clergé pauvre, à travers 310 réponses : pour l'ensemble, la dîme annuelle est de 600 livres et de 250 pour un vicaire. Résultat (?) : 158 réfractaires et 228 assermentés.

Est-ce dans la « marmite » qu'ils trouvèrent leur raison de jurer ? Un autre clergé montagnard, qui paraît sans doute plus à l'aise matériellement, ne se sent nullement « prolétarisé » : M. HADRY, « Le niveau intellectuel du clergé tarin dans la deuxième moitié du XVIIIe siècle » et H. GÉNIN, « Niveau de vie du clergé rural tarin... » (*Cong. Soc. Sav. Province Savoie,* nouv. série I (1964), pp. 135 à 141; pp. 142 à 152). — M. BERNARD, « Revendications et aspirations du bas-clergé dauphinois à la veille de la Révolution » (*Cahiers d'Hist.* (Lyon), 1956, n° 4, pp. 327 à 347) met en valeur une action syndicale pour indexer la portion congrue sur le prix moyen du blé.

D'où l'importance des contributions de M. G. HUTT, « The role of the curés in the Estates general of 1789 » (*The Journal of Eccles. history,* 1956, vol. 6, pp. 190 à 220) et « The curés and the Third Estate : the ideas of reform in the pamphlets of the french lower clergy in the period 1787-1789 » (*ibid.,* 1957, vol. 8, pp. 74 à 92). Sans doute, ce dernier article, portant sur de nombreux dépouillements aux Archives nationales et au British Museum, montre-t-il la liaison entre les plaintes économiques et les idées richéristes, mais la première étude insiste sur **l'insuffisance de l'antinomie Eglise-Révolution.** La « séparation ne se ferait pas sur les décrets de 1790 », mais bien sur un état d'esprit distinguant des « patriotes » et des conservateurs.

Remarque qui invite à reprendre la question à partir des **origines socio-culturelles du clergé de second rang**, selon un cas exemplaire : D. JULIA, « Le clergé paroissial dans le diocèse de Reims à la fin du XVIIIe siècle » (*Rev. Hist. Mod.,* juillet-septembre 1966, pp. 195 à 216) étude complétée, sous le même titre, par un essai d'analyse du vocabulaire des curés dans *Etudes Ardennaises,* n° 49, avril-juin 1967, pp. 19 à 35 et n° 55 (1968), pp. 41 à 66. Ses fines analyses conduisant « de la sociologie aux mentalités » font désirer davantage sa future thèse de doctorat d'Etat sur les curés français à la fin de l'Ancien Régime et posent le problème :

d) *Vocations sacerdotales et rayonnement religieux.*

L. PÉROUAS, « Le nombre des vocations sacerdotales est-il un critère valable en sociologie religieuse historique aux XVIIe et

XVIIIe siècles ? » (*Actes du 87e Cong. Soc. Sav.* (1962), 1963, pp. 35 à 40) — La nette réponse positive exige des nuances selon J. ROUSSEAU (*ibid.*, pp. 41 à 48) à cause de **la complexité du recrutement sacerdotal** : il exigerait de véritables études sérielles selon des exemples empruntés aux diocèse de Luçon, de Poitiers, de La Rochelle. G. CHOLVY, « Les vocations sacerdotales et religieuses du diocèse de Montpellier (1801-1956) » (*Annales du Midi*, t. LXXI, 1959, pp. 222-229) indiquait les éléments d'enquête largement développés dans sa thèse *Géographie religieuse de l'Hérault*, Paris, 1968. Dans P. HUOT-PLEUROUX, *Le recrutement sacerdotal dans le diocèse de Besançon de 1801 à 1860*, (Besançon, 1965), voir le chapitre préliminaire consacré à l'Ancien Régime et à la Révolution d'où se dégagent deux traits essentiels : La Haute-Saône, pourtant plus peuplée que le Doubs, d'après le recensement de 1762, fournit deux fois moins de prêtres que celui-ci; les cantons urbains ou semi-urbains donnent plus de prêtres que les cantons ruraux : est-ce à cause du titre de rente de 100 livres indispensable pour accéder aux ordres majeurs ? Ainsi, **par l'étude du recrutement sacerdotal, apparaîtrait la notion de « bourgeoisie » du clergé** d'Ancien Régime et sa volonté d'être maintenu socialement dans une position « d'élite » : B. GROETHUYSEN, *Les origines de l'esprit bourgeois en France. I. L'Eglise et la bourgeoisie* (4e édition, Paris, 1956).

En a-t-il conscience dans le contenu et les modèles du message chrétien qu'il est chargé de diffuser ? Pour la « rechristianisation » de l'Ouest : l'importante thèse complémentaire du P. PÉROUAS, « Hacquet P. F., Mémoires des missions des Montfortains dans l'Ouest, 1740-1779 » (*Cahiers de la Rev. du Bas-Poitou*, 1964, 180 pp.). Sur la vie intellectuelle en Gascogne au XVIIIe siècle et l'influence du clergé, M. BORDES, *Contribution à l'étude de l'enseignement et de la vie intellectuelle dans les pays de l'intendance d'Auch au XVIIIe siècle* (Auch, 1958, 83 pp. in-8).

Le Congrès des Sociétés Savantes qui se tiendra à Reims en 1970 doit envisager la diffusion et le rayonnement religieux à travers l'enseignement (académies de collège, écoles paroissiales et dominicales...). Comme exemple méthodologique : J. DUPAQUIER, *Les écoles de paroisse dans le Vexin français au XVIIIe siècle* (Persan, 1967, 12 pp. in-8) : **problème du taux de scolarisation** dans les vingt-deux paroisses du Vexin, signalées sans écoles en 1710 : importance du taux masculin et d'une laïcisation : « En 1789, pas un clerc-maître et trois écoles seulement tenues par des religieuses ». M. MOLINIER, « La Révolution française et la question scolaire » (*Cahiers laïques*, n°s 97-98, janvier-avril 1967) rend responsables du demi-échec de l'œuvre scolaire sous la Révolution, pour une part, les ex-ecclésiastiques, membres des assemblées révolutionnaires, spécialement Daunou, dont la loi en prévoyant que l'Etat ne paierait plus les instituteurs portait un coup fatal à l'école publique, laïque et gratuite.

Autant que l'enseignement profane, **la catéchèse et la pastorale** du XVIIIe siècle manquent d'études de valeur, indispensables pour apprécier la nature du sentiment religieux des fidèles : A.-M. BURG, « L'Eglise de Strasbourg au XVIIIe siècle : notes sur la pastorale, ses cadres, ses méthodes » dans *Etudes présentées* à MGR WEBER (Strasbourg, 1962, pp. 275 à 288) — F. GRAILLES, *Le sentiment religieux d'après les Affiches de Flandre (1787-1791)* (D.E.S., 1965, Univ. de Lille).

Pistes intéressantes : J. STAES, *La vie religieuse dans l'archidiaconé de Josas à la fin de l'Ancien Régime, 1750-1789* (thèse, Ecole des Chartes, 1969) et M. JOIN-LAMBERT, « La pratique religieuse dans le diocèse de Rouen de 1660 à 1789 » (*Annales de Normandie,* 1953, n° 304, pp. 247 à 274; 1955, pp. 35 à 49) : recrutement sacerdotal; étude du haut-clergé; influences théologiques; situation des confréries et quelques hypothèses au sujet des fidèles. J.-C. PERROT, « La vie religieuse en Normandie sous l'Ancien Régime et l'époque révolutionnaire » (*Annales de Normandie,* 1960, pp. 403 à 414) : outre une chronique bibliographique, étude de la paroisse rurale au XVIIIe siècle, l'Eglise et la Révolution, la restauration catholique.

e) *Cultures et spiritualités.*

A la suite de ses travaux sur l'*Histoire sociale des idées, Lyon de l'Encyclopédie au Préromantisme* (Paris, 1958, 2 vol.), « Sociologie du livre en France (1750-1789) » (*Actes 5e Cong. Litt. comparée,* Lyon (1962), 1965, pp. 145 à 178), « Le rayonnement de l'Encyclopédie, 1751-1789 » (*Cahiers d'Hist. mondiale,* vol. IX, n° 3, 1966, pp. 713 à 747), L. TRENARD fait une mise au point essentielle dans « L'histoire des mentalités collectives » (*Rev. Hist. Mod.,* t. XV, octobre-décembre 1968, pp. 691 à 703) : convergences méthodologiques dans plusieurs centres universitaires, spécialement autour de A. DUPRONT, sur le mental collectif où le religieux tient une large place. On resserrera le propos à travers les suggestions de M. DE CERTEAU, « Cultures et spiritualités » (*Concilium,* n° 19 (1966), pp. 7 à 25) : l'auteur pose le **problème d'une lecture socio-culturelle des spiritualités** (thématique et vocabulaire) et d'une **lecture spirituelle de la culture** dans la conjoncture historique des XVIIe et XVIIIe siècles.

Un inventaire sérieux du contenu mental religieux s'impose, avant cette lecture, surtout par l'inventaire des bibliothèques des « élites » de spiritualités différentes; par exemple **dans les milieux**

jansénistes : M. VAUSSARD, « La bibliothèque janséniste française de Scipione di Ricci » (*Rev. Hist. Egl. de France,* n° 151, juillet-décembre 1967, pp. 291 à 298) : important inventaire tiré des listes de livres commandés en France, en 1784, par le célèbre évêque de Pistoie; à comparer avec le catalogue des cinq cents volumes saisis, en l'an III, chez le curé janséniste, constitutionnel rétracté, P.-L. Hermier : G. STAES, « Un prêtre du Hurepoix pendant la Révolution française, l'abbé P.-L. Hermier (1731-1807) » (*Bull. Soc. Hist. archéol. de Corbeil,* 65e année, 1959, pp. 63 à 83) — P. BAYAUD, « Bibliothèques du XVIIIe et du XIXe siècles dans les Basses-Pyrénées » (*Actes du 87e Cong. Soc. Sav.* (1962), 1963, pp. 87 à 125) : sur treize bibliothèques connues par des inventaires après décès, six appartenaient à des ecclésiastiques d'écoles théologiques et spirituelles différentes : la plus riche contenait 493 volumes dont la liste est donnée. E. SOREAU, « Quelques remarques sur les papeteries, imprimeries, librairies au XVIIIe siècle » (*Ann. Hist. de la R. F.,* n° 169, juillet-septembre 1962, pp. 306 à 329) donne d'utiles renseignements sur l'existence d'imprimeries clandestines appartenant aux Jésuites et aux Jansénistes.

Trois niveaux de lecture socio-culturelle des spiritualités apparaissent d'ores et déjà :

Les milieux académiques diffusent l'Aufklärung catholique : L. BERTHE, *Dubois de Fosseux, secrétaire de l'Académie d'Arras (1785-1792) et son bureau de correspondance :* (Arras, 1969, 460 pp. in-8, 8 cartes). Cette thèse soutenue en Sorbonne, en 1967, est désormais complétée par un *Dictionnaire des correspondants de l'Académie d'Arras au temps de Robespierre* (Arras, 1969, 210 pp. in-8), comportant 1.103 notices bio-bibliographiques de notables provinciaux, correspondants ordinaires de Dubois de Fosseux. Par ce gentilhomme, philosophe chrétien, qui crée en 1786 un gigantesque réseau de correspondance avec les principales Compagnies savantes de France, apparaît un éclairage sur une mentalité d'élite, mis en valeur par un précédent article « La correspondance de Dubois de Fosseux (1742-1817) et l'histoire ecclésiastique » (*Mélanges de Science Religieuse,* 1953, pp. 87 à 98). — L'évolution n'est pas moins symptomatique dans le monde monastique : témoin le règlement du 3 novembre 1766 de la **Congrégation de Saint-Maur** qui tente de concilier les devoirs monastiques et le perfectionnement scientifique surtout par la création d'un bureau de littérature à Saint-Germain-des-Prés : une véritable élite serait créée, pour cet office, parmi les novices bénédictins : M. LAURAIN, « Les travaux d'érudition des Mauristes » (*Rev. Hist. Egl. de France,* 1957, pp. 231 à 271).

Contre cet Aufklärung catholique, mais à partir d'un semblable aristocratisme socio-culturel : Y. POUTET et J. ROUBERT, « Les assemblées secrètes des XVIIe et XVIIIe siècles en relation avec l'Aa de Lyon » (*Divus Thomas,* t. LXX, 1967, pp. 131 à 201; pp. 312 à 355; t. LXXI, 1968, pp. 73 à 119). Très importante étude sur les Aas (émanation des académies des collèges jésuites), leurs origines et leurs vicissitudes, leurs buts spirituels : *Aa* de Lyon, de Bordeaux, d'Aire-sur-Adour, etc... Sur l'*Aa* de Toulouse, son « secret » et sa spiritualité, P. DROULERS, *Action pastorale et problèmes sociaux sous la Monarchie de Juillet chez Mgr d'Astros* (pp. 190-196; pp. 340-341).

Enfin, **le niveau populaire** : R. MANDROU, *De la culture populaire aux* XVIIe *et* XVIIIe *siècles. La Bibliothèque bleue de Troyes* (Paris, 1965). Sur l'importance des « bibliothèques bleues » qui recèlent toute une thématique des religions populaires, G. BOLLÈME, « Littérature populaire et littérature de colportage au XVIIIe siècle », dans *Livre et Société dans la France du XVIIIe siècle* (Paris, 1965, pp. 61 à 92), très riche pour la thématique religieuse.

3. Religion, Révolution et Contre-Révolution (1789-1801).

a) *Constitutionnels et réfractaires en France et dans les pays annexés.*

Renseignements précieux dans J. GIRARDOT, « Clergé réfractaire et clergé constitutionnel en Haute-Saône pendant la Révolution » (*Mém. Soc. Droit. Pays Bourguignons,* 1963, pp. 123 à 132) et pour le serment constitutionnel dans les diocèses de Valence, de Vienne et de Viviers (*Semaine Religieuse de Viviers* de 1964, n°s 22 à 34). MISS WINIFRED EDINGTON, « La Révolution et la tolérance religieuse; effets des journées révolutionnaires sur les rapports entre les corps administratifs et les prêtres insermentés en Normandie, 1790-1792 » (*Bull. Soc. Antiq. Normandie* (1957-1958), 1959, t. LIV, pp. 492 à 501) souligne la souplesse entre la législation sur les serments et son application en Normandie, au bénéfice des réfractaires. A. BURAT, « Constitution civile du clergé en 1789 (?) et Concordat de 1801 dans les Quatre Vallées » (*Rev. de Comminges,* 1961, t. LXXIV, pp. 51 à 56, pp. 105 à 115, pp. 160 à 165) : attitude prise par les prêtres et les populations du diocèse de Comminges (cf. Dr A. SARRAMON, *op. cit.,* supra p. 323) spécialement des archiprêtrés d'Azet, de Montoussé, de Troubat, de Marignac. Liste des prêtres installés au Concordat.

L'épiscopat et l'organisation de l'Eglise constitutionnelle avant et après Thermidor n'ont encore fait l'objet d'aucun travail d'ensemble et les rares monographies de prélats constitutionnels sont généralement médiocres. D'un intérêt certain sont : ABBÉ CH. GRELIER, « François-Ambroise Rodrigue (1730-1813), évêque constitutionnel de la Vendée (1791-1793) » (*Bull. Soc. archéol. hist. Nantes* (1960), 1961, t. XCIX, pp. 177-188) : un des orateurs les plus remarqués des fêtes patriotiques dont il fait une véritable pastorale; A. SABARTHÈS, « L'organisation de l'Eglise constitutionnelle de l'Aude » (*Bull. Litt. ecclés.,* 1961, t. LXII, pp. 245 à 274) : retrace l'élection de Guillaume Besaucèle et le mode d'élection des curés.

J. LEFLON, « La reconstitution de l'épiscopat constitutionnel après Thermidor » (*Actes du 81e Cong. Soc. Sav.,* 1956, pp. 475 à 481) prolongeait utilement le dictionnaire biographique de P. PISANI, qui demeure d'une consultation indispensable, malgré des erreurs de détail. Avec son étude sur *Nicolas Philbert, évêque constitutionnel de Sedan* (Mézières, 1954), MGR LEFLON frayait la voie aux historiens de l'Est attachés aux courants fébroniens (plus ou moins déviés) qui circulèrent parmi les anciens religieux gravitant autour de Philbert : R. TAVENEAUX, « Les anciens constitutionnels de l'Eglise d'Utrecht. A propos de quelques inédits d'Henri Grégoire et de Joseph Monin » (*Ann. de l'Est,* 1960, pp. 226 à 246) : Monin, curé d'Hargnies, ancien profès de l'abbaye, prémontré de Laval-Dieu, successeur de Philbert, en juillet 1797, au siège des Ardennes; J. MARCHAL, « Remacle Lissoir (1730-1806), prémontré fébronien, dernier abbé de Laval-Dieu » (*Ann. de l'Est,* 1967, pp. 29 à 50) : religieux constitutionnel qui refuse la sécularisation, candidat de Grégoire à la succession de Philbert et « incontestablement la première personnalité ecclésiastique des Ardennes » selon MGR LEFLON — P. MESPLE, « Autour du R. P. Sermet, évêque constitutionnel du Sud » (*Mém. Acad. Sci. Inscript. et Belles-Lettres de Toulouse,* vol. 128, XIVe s., t. VII, 1966, pp. 73 à 83) : l'une des figures les plus « révolutionnaires » de cet épiscopat. M. CHARTIER, « A travers les papiers Caprara-Ecclésiastiques ordonnés par TIER, « A travers les papiers Caprara. Ecclésiastiques ordonnés par Primat » (*Rev. du Nord,* 1963, pp. 307 à 316) : onze ecclésiastiques apportent, par leur *curriculum vitæ,* une contribution de premier ordre à la vie intérieure de cette Eglise constitutionnelle sur un des points les plus controversés et obscurs : **le nombre et la valeur des prêtres ordonnés par l'épiscopat conformiste.** — Dans le même sens : M. VAUSSARD, *Lettres à l'abbé Grégoire de l'ex-jésuite Dufraisse, évêque constitutionnel du Cher* (Paris, 1962), donne un véritable tableau de mentalité religieuse révolutionnaire chez les prêtres et les fidèles et montre la dignité et le souci pastoral d'un évêque en difficultés. L'action de Grégoire rayonnant sur les constitutionnels étrangers apparaît encore dans M. VAUSSARD, *Correspondance Scipione de Ricci-Henri Grégoire (1796-1807)* (Florence; Paris, 1963).

Autres recherches à mener : ABBÉ J.-B. LECHAT « Exécution par les chouans du curé constitutionnel de Saint-Germain-sur-Sève » (*Rev. Départ. de la Manche,* t. I, 1959, pp. 217 à 221) : de **multiplee assassinats de prêtres constitutionnels**, en l'an IV, s'inscrivent dans la réaction « réfractaire » du premier Directoire : dans quels départements, combien, avant et après le 18 Fructidor ? Dans quelle mesure constituent-ils l'**envers des massacres de Septembre** sur lesquels quelques glanes paraissent encore devoir être rassemblées ? R. COBB, « Quelques documents sur les massacres de Septembre » (*Ann. Hist. de la R. F.*, janvier-mars 1955, pp. 61 à 66) : témoignages d'archives sur les massacres à la Conciergerie et à la Force; H. LEGIER-DESGRANGES, « Charles-Alexis Alexandre et les massacres de Septembre » (*Ann. Hist. de la R. F.*, n° 132, juillet-septembre 1953, pp. 260 à 264) : à propos des fragments de ses Mémoires concernant les massacres à Saint-Firmin, Bicêtre et la Salpétrière, avec réponse de J. GODECHOT.

L'insuffisance des études sur l'**organisation du culte réfractaire**, sujet à tant d'anecdotes, et de l'**administration clandestine des diocèses** donne son prix à : J.-B. LECHAT, « Le gouvernement des églises réfractaires de Coutances et d'Avranches (1791-1802) » (*Ann. de Normandie,* 1957, pp. 263 à 279) : cette administration avait été mise en place au moment de l'émigration des évêques; à la mort de Mgr de Talaru, en 1798, une scission s'opère dans le clergé coutançais entre « chapitristes » tenant pour le chapitre local comme seule autorité légitime et « métropolitains » voulant se placer sous l'autorité de l'archevêque de Rouen. Dr G. BUISSON, « Le culte clandestin à Rancoudray et à Saint-Clément pendant la Révolution » (*Rev. de l'Avranchin,* t. XLI, 1964, pp. 205 à 210). J. JOACHIM, « La *mission* du Haut-Rhin pendant la Révolution » (*Rev. d'Alsace,* 1953, t. XCII, pp. 79 à 88).

— Sur les problèmes de la « **Petite Eglise** » : la thèse du chanoine A. BILLAUD, *La Petite Eglise dans la Vendée et les Deux-Sèvres (1800-1830)* (Paris, 1962) s'éclaire encore par l'article fort suggestif de Melle M. REBOUILLAT, *Etude comparée des schismes anticoncordataires en France* (Fontenay-le-Comte, 1962, 51 pp. in-8) : les dissidents du Poitou (avec carte), la petite Eglise du Lyonnais, Bleus et Béguins du Forez (avec les déviations du jansénisme convulsionnaire en l'an III), Blancs ou Illuminés du Charolais; persistance de ces sectes au cours du XIXe siècle. Chan. L. BLOUET, « La Petite Eglise dans le sud de la Manche (1801-1904) » (*Rev. de l'Avranchin,* t. XLI, 1964, pp. 183 à 204) : « en plusieurs paroisses, on attribue volontiers à l'austérité des dissidents à leur dignité dans la prière, le maintien d'un niveau religieux très élevé ».

Bien des questions encore négligées pour la France avancent plus rapidement **pour les pays annexés** : J. NICOLAS, « Annecy sous la Révolution, 1792-1799 » (*Annesci* (Soc. Amis Vieil Annecy), n° 13, 1966, pp. 11 à 148) : étude importante montrant les divisions de la bourgeoisie sur les problèmes religieux, la propagande du clergé réfractaire et les émeutes contre-révolutionnaires du printemps et de l'été de 1793, la déchristianisation menée par Albitte, la reprise de l'activité religieuse après 1795. H. MÉNABRÉA, « Fouché et le département du Mont-Blanc de l'an VII à l'an X, d'après les archives de la Savoie » (*Actes du 85e Cong. Soc. Sav.*, 1961, pp. 67 à 76) : recherche des prêtres insermentés; soixante-cinq sont déportés à l'île de Ré; action anti-romaine parmi une population favorable au Concordat. J. CHÉTAIL, « Le serment concordataire des ecclésiastiques du département du Mont-Blanc » (*Amis du Vieux Conflans*, 1959, n° 41, pp. 6 à 10 et *B. Acad. Delphinale* (1958-1961), sér. 7, t. III-VI, pp. 153 à 158).

En attendant son étude sur l'**émigration dans les régions frontalières**, J. R. SURATTEAU, « L'émigration du clergé et l'évangélisation des fidèles dans le département du Mont-Terrible » (*M. Soc. Droit Pays Bourguignons*, 1963, fasc. 24, pp. 167 à 188), intéressant pour les techniques, le contenu et la diffusion d'une **pastorale des réfractaires**.

Parmi les publications concernant le **clergé belge** : J. PLUMET, *L'évêché de Tournai pendant la Révolution* (Louvain, 1963) : important pour la position du clergé diocésain devant les serments et la division des diocèses belges face au serment de haine et à la promesse de fidélité à la Constitution de l'an VIII qui détruit la légende de l'unanimité du clergé belge contre la Révolution, à la suite d'autres monographies : F. DUMONT « Le canton de Beaumont sous le Directoire » (*Mém. et Publ. Sci. Arts et Lettres du Hainaut*, 1958, t. LXXI, 3e fasc., 58 pp.) : dans le département de Jemmapes, 20 % du clergé avait prêté le serment du 19 Fructidor; mais sur 22 prêtres domiciliés dans le canton de Beaumont, deux seulement y consentirent; on retrouve l'influence du prince-évêque de Liège représenté par le vicaire général de Rougnac, implicitement favorable au serment. CARLO DE CLERCQ, « Prêtres assermentés et prêtres insermentés dans les cantons d'Eupen, de Walhom et d'Aubel » (*B. Soc. eupenoise Hist.*, 1954, t. IV, pp. 1 à 7, pp. 27 à 33) : « Prêtres soumis et insoumis dans l'arrondissement de Malmédy en 1801 » (*Tablettes des Ardennes*, 1962, t. I, fasc. 1).

Conséquences de la résistance du clergé réfractaire **sur la guerre des paysans**, en 1798, dans le département de Meuse-Inférieure, TH. VANDEBEECK ET J. GRAMVELS, *De Bœrenkrijg in het departement van de Nedermaas* (Louvain, 1961, 402 pp. in-8) et ses répercussions concordataires : C. DE CLERCQ « De pastoors benœmingen in het department van de Nedermaas na het Concordaat (1801-1803) » (*Oude Land van Loon,* 1959, t. XIV, pp. 149 à 192).

Sur la politique et la pastorale de l'épiscopat belge : J. SCHŒNJANS, « La vie religieuse à Bruxelles sous la domination française » (*Collectan. Mechliniensa,* 1957, n. sér. t. XXVII, n° 4, pp. 341 à 355; n° 5, pp. 453 à 469) et surtout C. DE CLERCQ, « L'évêque d'Anvers Corneille-François Nelis et les prêtres émigrés français » (*M. Soc. Agric. Comm. Sci. Arts de la Marne,* 1957, t. LXXII, sér. 2; t. LXXIII, pp. 61 à 72).

b) *Déchristianisation, mystiques et cultes révolutionnaires.*

Comme types de la **déchristianisation « descriptive »**, demeurent les ouvrages classiques de M. DOMMANGET, *La déchristianisation à Beauvais et dans l'Oise* (Paris, 1918, 2 vol. in-8) et *Le symbolisme et le prosélytisme révolutionnaires à Beauvais et dans l'Oise* (Beauvais, 1932), récemment complétés par « La débaptisation des enseignes à Beauvais en l'an II » (*Ann. Hist. de la R. F.,* n° 167, janvier-mars 1962, pp. 89 à 91). — J. GALLERAND, *Les cultes sous la Terreur en Loir-et-Cher,* 1792-1795 (Blois, 1929).

Un prolongement nécessaire qui montre la méthode des « Dixneuvièmistes », dans la question de la déchristianisation, viendrait de la monographie nourrie de sociologie religieuse et d'importants dépouillements de périodiques locaux : L. TRENARD « Aux origines de la déchristianisation, le diocèse de Cambrai de 1830 à 1848 » (*Rev. du Nord,* n° 186, juillet-septembre 1965, pp. 399 à 459) : il semblerait que, dans le Nord, la « déchristianisation », dans son héritage révolutionnaire, soit différée jusqu'à 1830; elle est ressentie par les masses (surtout ouvrières) comme « une revanche de l'irreligion sur le clergé et sur le catholicisme », en rupture avec les permanences catholiques en milieu rural : une nouvelle esquisse des facteurs socio-culturels de l'ecclésiologie est en train de naître...

On doit aussi s'attacher aux conséquences nées du **caractère aveugle** qui s'attache à la déchristianisation : R. COBB « Les débuts de la déchristianisation à Dieppe » (*Ann. Hist. de la R. F.,* n° 143, avril-juin 1956, pp. 191 à 209) : en posant le problème d'une déchristianisation « spontanée » ou « commandée » par quelques individus, il montrait que le mouvement s'attaquait aussi bien au catholicisme, au protestantisme qu'au judaïsme. C'est bien ce que constatait BURDETTE C. POLAND, *French Protestantism and the french Revolution. A study in church and state, Thought and Religion, 1685-1815* (Princeton Univ. Press, 1957, 315 pp. in-8) : au chapitre IV, l'A. marque l'abstention des Protestants en face de la Constitution civile du clergé, ce qui ne les empêche pas d'être frappés autant que les catholiques, sans pour autant susciter de culte « réfractaire ». La confusion s'accroît avec l'intéressante glane de E. APPOLIS : « Une curieuse tentative de catholiques de Bédarieux » (*Ann. Hist. de la R. F.*, n° 132, juillet-septembre 1953, pp. 269 à 270) : des catholiques « réfractaires » pour éviter les services du clergé constitutionnel ont l'idée, en 1791, de se faire passer pour protestants : ils donneraient à leur déclaration de mariage les effets civils octroyés aux protestants par l'édit de 1787.

A propos du **vandalisme** : une bonne démonstration dans G. SANGNIER, *Les édifices religieux du Pas-de-Calais et la Révolution* (Blangermont, 1966, 224 pp. in-8). A compléter par G. GAILLARD, « Quelques exemples du vandalisme révolutionnaire dans le Nord de la France » (*Rev. du Nord*, 1954, t. XXXVI, n° 142, pp. 291 à 295). Pour STANLEY IDZERDA, « Iconoclasm during the French Revolution » (*The Americ. historic. Review*, 1954, vol. 60, n° 1, pp. 13 à 26), il n'y a pas eu de vandalisme proprement dit, mais destruction d'une partie des restes matériels de l'Ancien Régime à l'instar des révolutions religieuses.

Les **cultes révolutionnaires** recevraient probablement un nouvel éclairage en recourant aux méthodes des folkloristes, R. LECOTTÉ. « Méthode d'enquêtes pour les cultes populaires » (*Rev. de Synthèse*, 1957, t. LXXVIII, sér. 3, n° 7, pp. 367 à 389) : étude des légendes, des cultes populaires, des affinités des saints avec la nature, des cérémonies religieuses autour des cultes sanctoraux, pratiques populaires qui sont associées ou dissociées à ces cérémonies. — R. DE FELICE, *Note e Ricerche sugli « Illuminati » e il misticismo rivoluzionario, 1789-1800* (Rome, 1960) : les trois mystiques révolutionnaires, l'évêque constitutionnel Pontard et surtout Suzanne Labrousse (enfermée au château Saint-Ange de 1792 à 1798 plutôt comme folle que comme hérétique) et Ottavio Capelli, pendant leur séjour à Rome. — Un exemple de « Cœur Sacré de Marat » (on en trouverait d'autres, spécialement en Alsace) : R. COBB, « Marat comparé à Jésus » (*Ann. Hist. de la R. F.*, n° 161, juillet-septembre 1960, pp. 312 à 314) : long document extrait des papiers du curé constitutionnel Oudaille, de Luzarches (district de Gonesse) sur la séance des Cordeliers du 29 juillet 1793 où l'on discutait des cérémonies pour la translation du cœur de Marat. — Il serait singulièrement intéressant de détecter les **survivances** des « saints » révolutionnaires (Marat — Viala — Marceau, etc...) à **travers les prénoms de l'état civil du XIXe siècle...**

Mysticisme et culte populaire n'oublient pas de recourir à la littérature de colportage pour la propagande révolutionnaire et contre-révolutionnaire : Lt-Colonel Serrant, « Un calendrier révolutionnaire angevin pour l'an II de la République » (*M. Acad. Sci. Belles-Lettres, Arts,* Angers, 1959, sér. 8, t. III, pp. 42 à 51); J. Choux, « Calendriers ecclésiastiques imprimés à Nancy pendant la Révolution » (*Ann. de l'Est,* 1960, pp. 99 à 102).

Depuis le grand travail d'A. Mathiez sur *La théophilanthropie et le culte décadaire* (Paris, 1904), on ne voit guère de monographies sérieuses sur les cultes révolutionnaires, à part Chan. Russon, « Les religions de remplacement au cours de la Révolution française » (*Bull. Soc. archéol. hist. Nantes,* 1955, t. XCIV, pp. 108 à 159) qui envisage la question au plan général et dans le cadre de la Loire-Atlantique; J. Joachim, « Les signes extérieurs d'un culte, 1793-1794 » (*Ann. Soc. Hist. sundgovienne,* 1954, pp. 48 à 54) et surtout les enquêtes en Auxerrois de H. Forestier. Après « Les campagnes de l'Auxerrois et la déchristianisation » (*Ann. de Bourgogne,* 1947, n° 1) où il voulait lier les persistances jansénistes à l'action déchristianisatrice, il fut l'un des premiers à s'attaquer au **problème des « messes blanches »** : « Le culte laïcal, un aspect spécifiquement auxerrois de la résistance des paroisses rurales à la déchristianisation » (*Ann. de Bourgogne,* avril 1952), « Le culte laïcal et la crise des effectifs dans le clergé diocésain (1801-1821) » (*L'Echo d'Auxerre,* n° 36 (nov.-déc. 1961), n° 37 (janv.-fév. 1962) pour aboutir à la personnalité de « Nicolas Chamon, fileur de laine et ministre du culte à Butteaux en l'an VII » (*Ibidem,* n° 40, juillet-août 1962, n° 47, sept.-oct. 1963). De telles enquêtes, aussi nécessaires à la conscience révolutionnaire, mériteraient d'être entreprises pour d'autres régions.

Sur l'**anticléricalisme** comme antenne, au XIXe siècle, de la déchristianisation : Mme Marcilhacy, « L'anticléricalisme dans l'Orléanais pendant la première moitié du XIXe siècle » (*Arch. Soc. Religions,* 1958, n° 6, pp. 91 à 103) : facteur qui prend toute sa densité dans le tableau général des mentalités religieuses que l'A. devait nous donner dans sa grande thèse, *Le diocèse d'Orléans sous l'épiscopat de Mgr Dupanloup, 1849-1878* (Paris, 1962); G. de Bertier de Sauvigny, « French anticlericalism since the Great Revolution : a tentative interpretation » (*Historic. Records Studies,* vol. 62, 1954) lançait les thèmes d'une enquête que poursuivent les chercheurs américains notamment de l'Université Notre-Dame (U. S. A.).

Quel rôle a-t-il joué, cet anticléricalisme, dans la conscience religieuse de « la grande nation » ? G. Quadri, « La riposta del cattolicismo francese alla Rivoluzione » (*Studi senesi nel circolo juridico de l'Università,* 1952, t. LXIV, pp. 395 à 456) dispensait encore un éclairage apologétique, en attendant deux contributions essentielles : celle de J. GODECHOT qui, dans *La Grande Nation. L'expansion révolutionnaire de la France dans le monde, 1789-1799* (Paris, 1956, 2 vol.) consacrait le chapitre XV du tome II (pp. 501 à 536) aux problèmes religieux créés par l'expansion révolutionnaire en Belgique, en Rhénanie, dans les Provinces-Unies, en Suisse et en Italie : il est loin de conclure à un anticléricalisme triomphant apporté dans les bagages français ! Démonstration confirmée pour les états italiens par A. DE STEFANO, *Rivoluzione e religione nelle prime esperienze costituzionali italiane, 1796-1797* (Milan, 1954) : les différentes constitutions italiennes élaborées sous l'impulsion de nombreux « patriotes » ne dégagent pas l'anticléricalisme contenu dans leur modèle c'est-à-dire la constitution française de l'an III, grâce, en partie, aux jansénistes qui inaugurent la tradition libérale-catholique de l'Italie.

c) *Problèmes socio-politiques posés à la conscience religieuse en Révolution.*

Quasi en pionnier, M. REINHARD abordait « La position des révolutionnaires de 89 devant les problèmes démographiques » (*Population,* juillet-septembre 1946) et développait la question dans son *Etude de la population pendant la Révolution et l'Empire* (Gap, 1961) appuyée sur de nouvelles recherches menées avec une équipe de l'Institut d'Etudes Démographiques, en 1962 et 1963. Quelques travaux éclairent le **problème de la fécondité** face à la crise religieuse révolutionnaire :

Dr J. N. BIRABEN, « Evolution de la fécondité en Europe occidentale » (Conseil de l'Europe, *Conférence démographique européenne,* Strasbourg, août-septembre 1966) note certains aspects spécifiques de la Révolution. Il émet, à partir de documents, tableaux et graphiques, l'hypothèse que la France, dans le grand bouleversement de 1790 à 1800, est en avance de plus d'un demi-siècle dans le contrôle des naissances. La cause ? L'A. ne néglige pas les deux faits habituellement invoqués : le droit successoral et la caducité des interdits religieux; il en propose un troisième : la conscription de 1793 qui mettra les jeunes ruraux au courant des méthodes contraconceptives. Pour comprendre l'évolution qui s'opère dans la phase révolutionnaire, il nous faudrait une série d'enquêtes sur la nuptialité à la fin de l'Ancien Régime comme : H. POLGE, « Cycles saisonniers et hebdomadaires de la nuptialité gersoise sous l'Ancien Régime. Des inconvénients de l'exogamie en ancienne Gascogne » (*Bull. Soc. hist. arch. du Gers*, 57ᵉ année, 1958, pp. 438 à 445) et M. Ménin, « Les conventions de mariage dans la région mancelle en 1780 » (*Rev. Hist. de Droit*, 4ᵉ s., 1965, pp. 247 à 271) : enquête fondée sur les minutes notariales qui décrit les aspects techniques mais aussi sociaux du mariage à la veille de la Révolution.

Autre problème : l'influence du facteur religieux sur la **sociologie électorale** pendant la Révolution : J. R. Suratteau, « Heurs et malheurs de la *sociologie électorale* pour l'époque de la Révolution française » (*Annales E. S. C.*, n° 3, mai-juin 1968, pp. 556 à 580) : l'A. rejoint et approfondit les directions de recherche lancées par R. Marx, *Recherches sur la vie politique de l'Alsace prérévolutionnaire* (Strasbourg, 1966). En quel sens les prises de position du clergé devant les serments et les promesses de fidélité aux constitutions de l'an III et de l'an VII ont-elles influé sur la participation électorale et les votes des citoyens aux assemblées primaires ? Bien des directoires départementaux se plaignent des « consignes » données par les réfractaires et doutent de la sincérité républicaine des constitutionnels.

Sur la liaison entre la **fidélité à la Constitution civile du clergé** et l'**achat des biens nationaux**, Ch. Tilly, *The Vendee. A sociological analysis of the Counterrevolution of 1793* (Cambridge, 1964, 373 pp. in-8) : la « Vendée » de l'A. comprend les Mauges à l'ouest et le Saumurois à l'est : il constate, à l'ouest, une véritable insurrection du clergé qui ne compte que 8 % de jureurs au lieu de 53 % dans le Saumurois; il y voit une explication d'ordre essentiellement socio-économique : le curé refuse le serment, là où sa position « d'élite » est acquise sous l'Ancien Régime et lorsqu'elle peut être menacée par la montée au pouvoir des bourgeois acquéreurs de biens nationaux. Le conflit peut être encore plus aigu : A. Chardon, « Deux frères aux prises avec la Révolution » (*La Province du Maine*, 3ᵉ série, t. III, 1963, pp. 36 à 48) : Ambroise Gougeon de la Thibaudière, fermier général du Comte de Laval et Pierre Gougeon de Luci, propriétaire terrien, s'opposent sur la question de la confiscation des biens d'Eglise et de la constitution civile du clergé.

G. Deygas, « L'évolution de l'esprit public dans la Sarthe à l'époque de la Révolution française de 1789 » (*La Province du Maine*, 3ᵉ série, t. I, fasc. 4, pp. 237 à 250; t. II, 1962, pp. 51 à 63) : après l'étude des chefs de file, les clubs et sociétés, les moyens de propagande, l'A. envisage la question religieuse en liaison avec les problèmes sociaux et notamment **la conscription**. Ces observations prennent toute leur valeur dans l'ouvrage classique de M. Reinhard, *Le département de la Sarthe sous le régime directorial* (Saint-Brieuc, 1935). Dans un cadre plus large, J. Waquet,

« La société civile devant l'insoumission et la désertion à l'époque de la conscription militaire (1798-1814) d'après la correspondance du ministre de l'Intérieur » (*Bibl. Ecole des Chartes*, t. CXXVI (1968), pp. 187-222). L'auteur note que « l'influence du clergé est susceptible de s'exercer dans les sens les plus contradictoires », ainsi l'influence des prêtres réfractaires en Saône-et-Loire, selon un rapport du 13 brumaire an VII (p. 193).

d) *L'œuvre concordataire.*

D'une littérature importante, mais plus attachée aux institutions qu'aux problèmes socio-culturels, principalement à travers la **catéchèse des Missions**, l'apologétique et la **diffusion des modèles religieux post-révolutionnaires** on peut distinguer : CHAN. E. SEVRIN, *Les missions religieuses en France sous la Restauration* (Paris, 1959) qui pose un certain nombre de problèmes généraux capables d'être résolus dans un cadre diocésain; G. RICHARD, « Le sentiment religieux en Lorraine sous la Restauration et les missions » (*Ann. de l'Est*, 1959, n° 1, pp. 39 à 71) : le bilan serait positif, mais le moralisme de la prédication missionnaire n'entraîne aucun renouvellement de l'ecclésiologie et entretient les persistances du conflit gallicans-ultramontains.

N'est-ce pas un commencement d'explication à la belle enquête de l'abbé F. CHARPIN, *Pratique religieuse et formation d'une grande ville, le geste du baptême et sa signification en sociologie religieuse : Marseille, 1806-1958* (Paris, 1964). Sur 140.000 actes de baptême dans Marseille, commune qui comporte au début du XIXe siècle de gros noyaux ruraux, on constate un allongement du délai de baptême. Etude minutieuse des raisons sociologiques, imbriquées dans les facteurs spécifiquement religieux; l'A. note les effets modestes de la grande mission de 1820 pour réduire ce délai.

Deux monographies d'inégale valeur concourent à multiplier les hypothèses de travail et le sens des recherches : P. LEUILLIOT, *L'Alsace au début du XIXe siècle : essai d'histoire politique, économique et religieuse, 1815-1830* (Paris, 1959-1960, 3 vol. in-8) : dans cette étude monumentale, de consultation indispensable, le t. III « Religion et culture » est une véritable mine de renseignements et de suggestions pour une problématique moderne. — Dans sa récente thèse de recherche, l'abbé J. GODEL, *La reconstruction concordataire dans le diocèse de Grenoble après la Révolution, 1802-1809* (Grenoble, 1968, 410 pp. in-8), bien qu'absorbé par les problèmes institutionnels, donne des modèles intéressants de cartographie religieuse (ordinations sacerdotales de 1802 à 1809; implantation des prêtres réfractaires à la veille du Concordat) et surtout, pp. 232-233, confronte, cartes par cartes, les ordinations sacerdotales de 1800 à 1950 et la pratique religieuse dans les régions rurales de l'Isère.

4. **Courants de l'ecclésiologie catholique du XVIIe au début du XIXe siècle.**

a) *Du monolithisme tridentin à la restauration de l'idée d'autorité.*

On doit bien se persuader que, jusqu'à Newman, la **fixité des dogmes** demeure un principe intangible pour toutes les écoles théologiques et qu'elle participe de cette vision globale du monde, incapable de distinguer « évolution » — contraire à la foi catholique — et « développement » de la pensée dogmatique : J. Orcibal, « L'idée d'église chez les catholiques du XVIIe siècle » (*Relazioni del X. Congresso internat. di science storiche,* Florence, 1955, vol. 4, pp. 111 à 135). — Owen Chadwick, *From Bossuet to Newman, the idea of doctrinal developpmert* (Cambridge, Univ. Press, 1957).

— La meilleurs étude d'ensemble pour cette question demeure la publication des Actes du Colloque d'Ecclésiologie de 1959 avec des contributions des meilleurs spécialistes, dans le n° spécial de la *Revue des Sciences Religieuses* de Strasbourg (1960), tout particulièrement : R. Aubert, « La géographie ecclésiologique au XIXe siècle » (pp. 11 à 56) qu'il faut compléter, pour cet éminent ecclésiologue, par « Les catholiques français de 1815 à 1870 » (*Rassegna stor. toscana,* 1958, t. IV, pp. 333 à 349); R. P. Y. Congar, « L'ecclésiologie de la Révolution française au Concile du Vatican sous le signe de l'affirmation de l'autorité » (pp. 77 à 114) : l'A. insiste trop, nous semble-t-il, sur l'influence privilégiée du traité de théologie de Bailly à la fin de l'Ancien Régime; J. Audinet, « L'enseignement *De Ecclesia* à Saint-Sulpice sous le Premier Empire et les débuts du gallicanisme modéré » (pp. 115 à 140); R. P. J. Lecler, « Les controverses sur l'Eglise et l'Etat au temps de la Restauration, 1815-1830 » (pp. 297 à 308).

b) *Les facteurs socio-culturels de l'ecclésiologie au XVIIIe siècle.*

Les positions **ultramontaines**, débarrassées de la controverse, aboutissent parfois à des réflexions qui apportent un air plus frais que dans la période précédente, preuve que la pensée théologique n'est pas complètement sclérosée par la scolastique : CARLO DE CLERCQ, « Un ouvrage peu connu d'un ancien jésuite sur les rapports entre l'Eglise et l'Etat, 1792-1793 » (*Nouv. Rev. Théologique,* 1960, t. XCIII, pp. 730 à 743) : œuvre de Charles-Antoine Desbief, paru à Londres et à La Haye, en 1792, sous le pseudonyme de M. Krapack avec le titre « Sur les bornes entre les deux Puissances » ; véritable essait de **Théologie politique**; A. RAYEZ, « Le sens ecclésial à la fin du XVIIIe siècle : Pierre-Joseph de Clorivière» (*Rev. Ascét. et Mystique,* n° 152, octobre-décembre 1962, pp. 461 à 482) : ce futur protagoniste du culte réfractaire parisien, en liaison avec la noblesse bretonne, sera le restaurateur de la Compagnie de Jésus, après la Révolution, en France : il retrouve la doctrine du Corps Mystique, qui passe avant l'aspect hiérarchique, dans une formule prometteuse : « L'Eglise est le Corps de Jésus-Christ; les fidèles dont l'Eglise est composée, sont les membres de ce Corps ».

Apparentés davantage aux « gens à talents » et ouverts à une problématique nouvelle, qui n'est pas pour autant « pluraliste », sont les **jansénistes** : les français demeurent beaucoup plus conservateurs, surtout dans les années 1780, que leurs confrères italiens : E. PRÉCLIN, *Les jansénistes du XVIIIe siècle et la Constitution civile du Clergé* (Paris, 1929) : bien que centré sur les problèmes doctrinaux, cet ouvrage fondamental ne dégage pas une ecclésiologie en forme : elle serait facilement reconstituée, grâce à la table thématique avec les articles « évêques », « fidèles », « fidèles (corps des) », « prêtres », « vicaires », etc... A compléter par B. PLONGERON, « Une image de l'Eglise d'après les Nouvelles Ecclésiastiques, 1728-1790 » (*Rev. Hist. Egl. de France,* n° 151, juillet-décembre 1967, pp. 241 à 268) et toute une esquisse de **Théologie politique** dans R. TAVENEAUX, *Jansénisme et Politique* (Paris, 1965, Collec. « U »). Il est indispensable d'entreprendre des études sociologiques pour arriver à cerner la nature *des* jansénismes en France, à la veille de la Révolution.

Les clivages, souvent obscurs du point de vue purement doctrinal, apparaîtront alors pour fouiller ce **tiers-parti** que E. APPOLIS, dans sa belle thèse, situe « entre jansénistes et zelanti » : *Le « Tiers-Parti » catholique au XVIIIe siècle* (Paris, 1960) et *Les Jansénistes espagnols* (Bordeaux, 1966) : il s'agit, surtout côté italien, de « catholiques éclairés » qui relisent, certes, saint Augustin, mais pour en tirer des éléments d'anthropologie religieuse mieux adaptés aux Lumières, ce qu'affirme nettement : M. VAUSSARD, *Jansénisme et Gallicanisme aux origines religieuses du Risorgimento* (Paris, 1959) : étant donné les nombreuses originalités du jansénisme italien à la fin du XVIIIe siècle, le chapitre premier apporte une intéressante contribution ecclésiologique dans la mesure où il préfigure l'Italie révolutionnaire et libérale-catholique.

c) *Réformisme et réforme dans une ecclésiologie « révolutionnaire ».*

Sujet qu'il est difficile d'aborder sans tomber dans la passion politique : depuis des vues de démocrate naïf : KENNETH SCOTT LATOURETTE, *Christiany in a Revolutionary age : a history of christianity in the nineteenth and twentieth centuries. Vol. I. The nineteenth century in Europe. Background and the Roman catholic phase* (New-York, Harper et Bros, 1959, 498 pp. in-8), jusqu'au sursaut « réactionnaire » : R. DULAC, « Comment la théorie de la collégialité épiscopale conduit, en 1790, à une Eglise schismatique « (*Pensée catholique,* 1964, pp. 39 à 48) : il suffit de qualifier la collégialité de « vagabondage doctrinal » pour l'infecter de tous les vices : intéressant, malgré tout, pour les comparaisons entre Mirabeau, Fauchet, Camus, etc... face aux « catholiques » : Boisgelin, Barruel, Maury, etc... Sans doute l'A. n'avait-il pas eu la faculté de recourir à l'ouvrage collectif, « hautement doctrinal », sur *La Collégialité épiscopale. Histoire et Théologie* (Paris, 1965) : recueil de quatorze articles où les meilleurs spécialistes, historiens et théologiens, s'emploient à rechercher les fondements de l'idée du Ve au XVIe siècle : bien des textes cités seront utilisés pendant la Révolution et il serait intéressant d'examiner cette **re-lecture.**

Tout chercheur en quête de pistes de réflexion sur ce projet brûlant devra commencer par la méditation de l'ouvrage qui apparaît comme le seul traité de méthode pour l'ecclésiologie moderne : R. P. Y.-M. CONGAR, *Vraie et fausse Réforme dans l'Eglise* (Paris, édit. du Cerf, Collect. « Unam Sanctam », XX).

Dans la première édition de 1950, le P. Congar posait les quatre conditions d'un « Réformisme sans schisme » en distinguant (pp. 332 à 348) deux espèces d'adaptation : l'adaptation-développement (au sens de Newman) et l'adaptation-innovation (au sens protestant dont il étudie la Réforme, pp. 356 à 446). Il concluait sur un partage, parmi les réformistes, entre « les fidèles et les révolutionnaires » ce qui l'amenait à un parallèle assez discutable entre Lacordaire (première tendance) et Lamennais (deuxième tendance), jugé très sévèrement. « Pendant longtemps, révolution a signifié beaucoup plus que suppression des privilèges, république autre chose et beaucoup plus qu'un régime de vie politique, monde moderne autre chose et beaucoup plus qu'un ensemble de conditions de vie et une sensibilité sympathique à certaines valeurs ».

Des publications comme celle de J. DE SENARCLENS, *De la vraie Eglise selon Jean Calvin* (*Cahiers du Renouveau,* XXVII, Genève, 1965) qui exclut le sujet trop vaste des rapports entre l'Eglise et l'Etat d'après la pensée calvinienne, ont contribué à mieux faire comprendre l'ecclésiologie de la Réforme. De même, selon une optique catholique, A. GANOCZY qui, après *Calvin, théologien de l'Eglise et du ministère* (Paris, 1964), reprend les divergences et les concordances entre l'ecclésiologie catholique et celle de Calvin, dans *Calvin et Vatican II. L'Eglise servante* (Paris, 1968). Et, puis, la conjoncture historique s'en est mêlée...

Le P.-Y. CONGAR ne pouvait pas ne pas en tenir compte, d'où sa deuxième édition (1969) de *Vraie et fausse Réforme dans l'Eglise,* ponctuée d'un optimisme beaucoup plus modéré sur les possibilités du « réformisme » dans l'Eglise. Il s'explique amplement sur les modifications de ses positions de 1950.

TABLE DES MATIÈRES

INTRODUCTION

CONCLUSION

siècle ? Tel est le débat pour une conscience déchirée, d'une part, par l'omnipotence des facteurs socio-culturels qui écrasent les éléments spécifiquement religieux, d'autre part, par le décalage entre la réflexion et l'urgence de l'action en période révolutionnaire, p. 288. Pour n'avoir pas su ou pas pu distinguer entre réforme et réformisme, l'arbitrage se fera au bénéfice de l'argument d'autorité : le « révolutionnaire » restera suspect pour l'Eglise catholique, p. 289.

ANNEXES

ORIENTATION BIBLIOGRAPHIQUE

Dépôt légal : 2e trimestre 1969. — N° d'impression : 4.652

N° d'édition : 1336

Imprimerie Centrale de l'Ouest, — 85, La Roche-sur-Yon